DISLEXIA: UN ENFOQUE MULTIDISCIPLINAR

Manuel Lisardo Sánchez Merchán
Rafael Coveñas Rodríguez

Dislexia: un enfoque multidisciplinar

© Manuel Lisardo Sánchez Merchán
 Rafael Coveñas Rodríguez

ISBN: 978-84-9948-220-0
Depósito legal: A-269-2011

Edita: Editorial Club Universitario Telf.: 96 567 61 33
C/ Decano, n.º 4 – 03690 San Vicente (Alicante)
www.ecu.fm
e-mail: ecu@ecu.fm

Printed in Spain
Imprime: Imprenta Gamma Telf.: 965 67 19 87
C/ Cottolengo, n.º 25 – 03690 San Vicente (Alicante)
www.gamma.fm
gamma@gamma.fm

Índice

Prólogo

Conviene justificar las razones por las que se afronta la dura, aunque reconfortante, tarea de escribir un libro. Debe saber el lector que este libro tiene una modesta, pero entrañable historia previa. Lisardo Sánchez conoció la existencia de la dislexia cuando, hace más de 15 años, una responsable profesora le citó para explicarle que su hija Rebeca, ante sus primeros trazos de escritura, había escrito su nombre con caracteres especulares de los convencionales. Esta profesora citó la dislexia y desde ese momento es fácil entender que la lectura de libros, artículos y visitas a especialistas fue algo habitual para este sorprendido padre. Más tarde nacieron Sergio y Álvaro, ambos con similares signos. Los tres han sido y son hijos maravillosos, pero moderadamente disléxicos.

Tras la colaboración en un par de trabajos de investigación neurobiológica (neuropéptidos en la médula espinal del gato) los autores de este libro mantienen una cordial relación personal e investigadora. Lisardo Sánchez afronta la investigación como una actividad enriquecedora y casi lúdica, mientras que Rafael Coveñas, en su condición de profesor universitario, la desarrolla como profesión. Lisardo Sánchez desarrolla su vida profesional como Técnico Superior de la Junta de Castilla y León, alejado de los laboratorios, por lo que propuso a Rafael Coveñas la redacción del libro que este texto prologa, como reto científico-divulgativo, compatible para ambas situaciones laborales. La sinergia entre ellos ha funcionado y la prueba evidente está en las manos del lector.

Aquí acaba la aportación personalísima a este libro, desde este momento el texto se redacta con criterios objetivos y estrictamente científicos.

Se entiende la dislexia como una amplia gama de manifestaciones que provocan dificultades significativas en las tareas de lectura y escritura. La dislexia ha sido especialmente evidente una vez se han instaurado los sistemas universales de enseñanza. Es, por tanto, responsable de buena parte del fracaso escolar. Se estima que entre el 4 y el 15 % de la población escolar puede ser calificada como disléxica. Según estimaciones recientes, de entre los 46 millones de españoles, algo más de 4 pueden ser considerados disléxicos. Existen miles de publicaciones que tratan la dislexia desde diferentes puntos de vista: su etiología, su heredabilidad, los mecanismos nerviosos y **cognitivos** implicados, la distribución por sexos, los posibles tratamientos para aliviarla o resolverla… El interés por su estudio surge especialmente ante su manifestación inesperada, esto es, se expresa en individuos con un patrón intelectual y de comportamiento normal que sufren verdaderas dificultades al enfrentarse al aprendizaje de la lectura y la escritura. Tras estos textos aparecen firmas multiprofesionales: educadores, psicólogos, pedagogos, médicos, genetistas, neurobiólogos, etc.; en cada caso tratando la dislexia desde su campo de conocimiento.

Inicialmente la descubrieron y describieron los médicos, en las postrimerías del siglo XIX; con posterioridad, el resto de profesionales han hecho esfuerzos importantes para estudiarla, entenderla, definirla y proponer tratamientos y remedios. En el siglo XX y especialmente en su parte final se generalizaron las publicaciones de contenido psicológico. Las modernas técnicas de investigación biológica en general, y neurobiológica en particular, han aportado interesantes datos que poco a poco centran el conocimiento y nos ayudan a comprender las interacciones anatómicas, histológicas, celulares y moleculares que se esconden tras esta disfunción.

Es evidente que existe una considerable frontera entre los textos surgidos de las diferentes disciplinas científicas. Todas las aportaciones han sido y son esenciales, pero parece necesario construir un espacio compartido donde unas y otras se contrasten y se pueda establecer el necesario paralelismo entre las manifestaciones cognitivas anormales y su trasfondo genético, celular y molecular. Durante años, las diversas disciplinas han divergido, pero, descubierto el interés común, es hora de encontrar beneficios en el poder explicativo de cada una de ellas y aprovechar eficazmente la convergencia. La dislexia, como se verá en el texto, se manifiesta fundamentalmente como problema de aprendizaje. Ante el reto de hacer más efectivo ese aprendizaje, es útil la confluencia multidisciplinar. Evidentemente este libro no cubre esta fractura, pero establece puentes y propone retos para afrontar en los próximos años.

El libro no aporta una investigación original sobre la dislexia, pretende recoger, con un lenguaje accesible a padres y educadores, una visión moderna de la dislexia, fruto de la convergencia reseñada. Además, puede ser útil a expertos e investigadores de las diversas disciplinas, en él pueden encontrar referencias sobre las últimas investigaciones y comprender mejor las propuestas y trabajos de los campos del conocimiento que les sean complementarios.

Se ha realizado un importante esfuerzo en aunar en su contenido y en su redacción las aportaciones de esas disciplinas, pensando especialmente en lectores menos formados, pero siempre interesados en la dislexia. Para ello se parte de una documentada exposición de la comunicación humana (capítulo 1), esto es, el lenguaje, tratado como mejora evolutiva y esencial para la supervivencia de la especie, analizando su aparición y su revolucionaria aportación a la configuración que hoy día tiene nuestra especie. Se centra el texto en la concepción genérica del lenguaje, su sustrato anatómico y la relación con la inteligencia y la abstracción. Tras una introducción, el libro desarrolla conceptos relativos a un lenguaje subsidiario del primero, la lecto-escritura (capítulo 2), adentrándonos en sus orígenes, sus manifestaciones, su evolución y reciente universalización.

Estos dos capítulos, previos pero necesarios, conducen al primero que trata la dislexia (capítulo 3). En él se recogen las connotaciones más básicas sobre el **trastorno**, la diferencia entre **dislexia adquirida** y **dislexia evolutiva**. Se ha transcrito el amplio repertorio de signos asociados a ella, concluyendo con las definiciones y sus clasificaciones. Se incluye un capítulo que resume las diferentes fases por las que ha pasado el estudio de la dislexia atendiendo a la metodología, ciencias fundamentalmente interesadas en ella y tendencias explicativas de la misma (capítulo 4). Por su parte el quinto capítulo hace un recorrido por las investigaciones que han intentado encontrar los sustratos anatómicos que justifican el trastorno.

Esencial para entender la dislexia es el análisis de la misma en sus peculiares manifestaciones en razón del sexo y la asimetría hemisférica (capítulo 6). Para esclarecer y unificar conceptos se redacta el sexto de los capítulos, al que sigue por imperativo documental y conceptual un capítulo que relaciona la dislexia con las investigaciones de base genética (capítulo 7) que al efecto se han publicado y que concluyen determinando que la dislexia tiene una etiología multigénica.

El texto termina con dos capítulos, uno referente a la **penetrancia** y estudio de los diversos tratamientos experimentados y propuestos para resolver esta disfunción, con indicación de los resultados obtenidos (capítulo 8), y otro en el que se redactan las conclusiones del trabajo recopilador a las que se añaden las propuestas que procede acometer para seguir profundizando en el conocimiento y resolución de la dislexia (capítulo 9).

Cada uno de los capítulos incluye en su parte final un esquema que recoge los conceptos básicos que en él aparecen.

Se ha creído oportuno facilitar al lector una serie de direcciones de Internet a través de las cuales se puede contactar y conseguir información de asociaciones y especialistas relacionados con la dislexia.

En la redacción del texto se advierte claramente su finalidad divulgativa, cada vez que se introduce un término científico o psicológico se procura aclarar su significado con anotaciones entre paréntesis y/o pequeñas aportaciones que facilitan su comprensión. Ha sido inevitable recurrir a decenas de denominaciones anatómicas, las cuales pueden quedar resueltas con la consulta de las figuras que se insertan. No obstante, para facilitar la consulta puntual de algunos de estos términos, se añade un breve glosario de unos 200 conceptos que aparecen en la redacción del texto. Cuando una de estas denominaciones aparece por primera vez en el texto, se resalta con letra **negrita,** para hacer saber al lector que en el glosario aparece una breve definición de la misma. Respecto a estas definiciones, se ha optado por exponerlas con una redacción sencilla, y, en todo caso, alusiva exclusivamente a la acepción con que se usa el término definido en el texto.

Capítulo 1. Comunicación humana. El lenguaje

Este libro trata de la dislexia, que, como se verá, es un trastorno que afecta a la lectura y la escritura. La lectura y la escritura son modalidades especiales de la comunicación humana: el lenguaje. Antes de tratar la dislexia en todas sus dimensiones, presentamos al lector este capítulo para recordar algunos de los aspectos más relevantes del lenguaje.

Comunicación

Asumimos que existe comunicación cuando un emisor crea un mensaje articulado según un código, y lo transmite a través de un medio hasta el receptor, que conoce el código y lo interpreta. La naturaleza nos ofrece diversas modalidades de comunicación: química (secreción de un producto), sonora (emisión de un canto), táctil (el lamido de una madre), visual (un cortejo de apareamiento) y otras más complejas. En todos los casos la comunicación tiene una finalidad biológica concreta: facilita el encuentro sexual, advierte de un peligro, informa de un recurso, fortalece los vínculos familiares, etc. La comunicación aporta ventajas en la supervivencia, tanto individual como colectiva. La complejidad del proceso comunicativo suele ser proporcional al grado de especialización de las especies y tiene como factor enriquecedor el carácter social o grupal de las mismas.

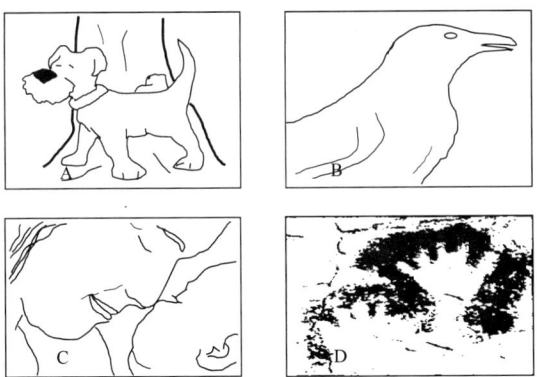

Figura 1. Modalidades de comunicación. En la naturaleza se manifiestan diversas formas de comunicación entre las cuales se observa la comunicación mediante señales químicas, A (el marcaje del territorio de un perro); sonoras, B (el canto de un pájaro); táctiles, C (la caricia de una madre); y visuales, D (las expresiones humanas manifestadas en el arte rupestre).

Los sistemas de comunicación de la inmensa mayoría de los animales se basan en señales útiles en un tiempo y en un espacio determinado, pierden validez si se trasladan en cualquiera de estas dos dimensiones, es decir, su eficacia está ligada al momento y al lugar de su producción. Estos sistemas de comunicación son innatos y surgen de manera instintiva, pero eficaz; logran cambios de conducta en sus congéneres, pero carecen de intencionalidad y son prácticamente invariables. Los diferentes sistemas de comunicación animal han sido clasificados (Kandel, Schwartz y Jessell, 2001) en alguna de estas modalidades:

1-Repertorio finito de llamadas (advierten sobre depredadores, delimitan el territorio...).

2-Señales continuas que proporcionan datos cuantificables sobre situaciones o indicación de distancias.

3-Series de respuestas ordenadas de forma aleatoria que son variaciones de un tema (la canción de un pájaro).

Estos sistemas de comunicación son muy diferentes del lenguaje humano. La comunicación animal y nuestro lenguaje no son homólogos (aunque cumplan en el fondo alguna función análoga, no tienen el mismo origen **filogenético**), esto va a suponer una dificultad añadida a la hora de investigar el origen del lenguaje. Carecemos de modelos animales que nos ayuden a entender las connotaciones más básicas de nuestro lenguaje. Esta diferencia abismal pone, a priori, en entredicho la consideración darwiniana en la aparición del lenguaje, no obstante, si consideramos que nos separan casi 8 millones de años de nuestros "parientes" los chimpancés, ha habido, pues, al menos 300.000 generaciones en las que el lenguaje ha podido surgir de forma gradual dentro del linaje que conduce definitivamente al ser humano (Kandel *et al.*, 2001).

El lenguaje humano

El lenguaje humano, su comunicación intraespecífica, tiene un doble nivel operativo, un componente biológico, que compartimos con otros animales, y un componente comprensivo, exclusivo de nuestra especie, que solo es justificable por un desarrollo mental sorprendente que finalmente da lugar al fenómeno esencialmente humano: la cultura. Cuando los humanos nos comunicamos, ocurre un hecho excepcional. Manejamos nuestras capacidades mentales, sensitivas y motoras para producir y comprender mensajes que van desde la sencillez de un saludo a un profundo discurso filosófico. En este mismo momento, cuando el lector interpreta a la perfección los mensajes escritos en este texto, se está manifestando la magnitud de nuestra capacidad. Más rica resulta la comunicación verbal, en la que apoyamos la transmisión del mensaje con entonación, cadencia, ritmo, gestos en nuestros rostros y movimientos de nuestro cuerpo y manos. La producción del lenguaje verbal es multimodal, sus matices quedan perfectamente definidos con la combinación de las palabras, el orden y reglas con las que se usan y el rico aporte gestual (Arbid, Liebal y Pika, 2008).

La base del lenguaje humano son las palabras, signos creados aleatoriamente para denominar objetos, sentimientos, acciones, etc. Miles de palabras que usamos para producir infinitos contenidos gracias a sus combinaciones y a las reglas que determinan estas. Se estima que un individuo normal puede llegar a dominar unas 100.000 palabras (Leakey y Lewin, 1994). Como hemos dicho, las palabras son símbolos (antes de la aparición de la escritura, exclusivamente símbolos sonoros concretos), que se forman con las uniones aleatorias de unas decenas de fonemas diferentes (sonidos de la lengua). Este símbolo sonoro compuesto por un **fonema** o conjunto de fonemas, que en adelante llamaremos **significante**, tiene un **significado**, la representación real de lo que el significante quiere decir. La posibilidad de dar nombres a las cosas satisface una de las más destacadas características de nuestra especie: el intento de dominio de todo lo que nos rodea.

Cada lengua, de las miles creadas por el hombre, se estructura gramatical-mente a partir de unos pocos fonemas, lo que abre enormemente las posibili-dades comunicativas. La gramática es el sistema que determina la combina-ción de las unidades fónicas básicas para generar palabras y estas, oraciones. El contenido de una combinación de fonemas creada conscientemente por un individuo tiene un significado, que precisamente queda determinado por los significados de las unidades y de la forma en que están dispuestas (Kandel *et al.*, 2001). Como a lo largo del texto volveremos a considerar la gramática, conviene ahora indicar que ésta tiene tres componentes principales. Uno es la morfología, que regula la forma en que los significantes (raíces, desinencias, sufijos…) forman las palabras y cómo éstas adquieren su verdadero signifi-cado. El segundo componente de la gramática es la sintaxis, que nos permite combinar palabras en sintagmas y éstos en oraciones. Finalmente, la fono-logía establece las reglas para combinar sonidos que constituyen el patrón constante de nuestra lengua (una palabra desconocida que oímos por primera vez, sabemos por su constitución sonora si es propia de nuestra lengua, si es impropia, o extranjera).

Fonemas del español	
Tipos	**Representación**
Vocálicos	/a/ /e/ /i/ /o/ /u/
Consonánticos	/b/ /θ/ /ʧ/ / /d/ /f/ /g/ /ɟ/ /k/ /l/ /ʎ/ /m/ /n/ /ɲ/ /p/ /r/ /ɾ/ /s/ /t/ /w/ /y/

Figura 2. Fonemas del español. La tabla recoge los fonemas del español, que adecuadamente combinados producen todas y cada una de las palabras de nuestra lengua.

La aparición del lenguaje humano ocurrió en el momento en que las características anatómicas y mentales del *Homo sapiens* lo permitieron. En ese momento el hombre estaba ya bastante disperso y por ello cada grupo territorial creó su propia lengua, pero en todo caso las estructuras de las lenguas, en líneas generales, tienen un patrón similar. Cuando una lengua está creada en su totalidad, las oraciones que se emiten por un hablante son percibidas como suma de decenas de sonidos por el receptor, quien distribuye la información por numerosas áreas cerebrales donde se asientan los sistemas auditivos, de memoria, de interpretación y de razonamiento. Será un aspecto importante conocer de la mejor manera posible estos patrones complejos de flujo de información que, ya adelantamos, afectan a muchas y amplias zonas encefálicas.

Filogenia del lenguaje. Los orígenes de la comunicación humana

El dominio de numerosas palabras y el juego combinatorio de ellas dotan a nuestra especie de enormes ventajas evolutivas. Si aceptamos el principio de Dobzhansky, que dice "nada tiene sentido en biología, si no es a la luz de la evolución" (Lei, n.d.), procede que hagamos un breve recorrido por la evolución humana para conocer mejor la aparición de esta capacidad, sometida a los principios darwinianos.

Antes de aparecer la comunicación verbal tal como la conocemos, los humanos pasamos por un periodo gestual, que se iba enriqueciendo a la vez que crecía la habilidad de construcción de instrumentos. Sabemos que los centros nerviosos ligados a la motricidad fina están próximos a los centros que controlan el movimiento de los órganos fónicos, como ya se explicará más adelante. La producción del lenguaje humano se sustenta en el uso especial de determinadas estructuras anatómicas concebidas inicialmente para otras funciones como la respiración y la ingesta de alimentos. En cualquier animal próximo a nuestra especie estas estructuras anatómicas siguen cumpliendo casi exclusivamente esa finalidad básica. Las modificaciones anatómicas han dejado huellas paleontológicas que explican perfectamente el camino evolutivo que han tomado. Tenemos constancia de cómo los homínidos iban reduciendo su hocico y ensanchando el maxilar inferior, así como las extremidades superiores se liberaban poco a poco. Con las manos libres, la boca abandona parte de su papel opresor, al mismo tiempo que su cavidad se ensanchaba facilitando los movimientos linguales, tan necesarios en la articulación de los sonidos. El desarrollo del sistema de **neuronas espejo**, aquellas que se activan no solo al hacer una tarea sino al ver cómo otros congéneres la hacen, mejora la comunicación que inicialmente se desarrollaba por mímica. La aparición del género *Homo* fue consecuente con la sustitución paulatina de gestos por significantes fónicos (Corballis, 2009).

La aparición del lenguaje verbal, que no estuvo condicionado solo por la constitución de un adecuado sistema fonoarticulatorio, precisó la coordinación de ese sistema desde unas estructuras nerviosas suficientemente capaces de afrontar este extraordinario reto: hablar. Más adelante nos extenderemos en las delimitaciones cerebrales que están implicadas en el lenguaje, pero ahora adelantamos que la facultad de hablar y el simbolismo requieren una coordinación fina de distintas áreas cerebrales y que acabará concerniendo a casi todo el cerebro. El lenguaje necesita grandes superficies de la corteza cerebral donde almacenar las asociaciones imprescindibles para hablar, además de otras estructuras encefálicas.

Numerosos autores han investigado la aparición del lenguaje en el hombre, han buscado antecedentes, su cronología y su influencia en la evolución de la especie. De entre los trabajos más significativos sobre el origen del lenguaje, unos apuestan por su temprana aparición (hace unos 50.000 años), mientras que otros entienden que es más reciente (hace 30.000 años). Tengamos en cuenta que las pruebas más modernas de datación, basadas en estudios de ADN (ácido desoxirribonucleico), asignan 200.000 años a la aparición del *Homo sapiens* (Alemseged, Coppens y Geraads, 2002). En algunos textos se nos indica que las razas humanas se configuraron hace 50.000 años, en ese momento todas tendrían capacidad para el lenguaje (Kandel *et al.*, 2001). Por su parte, Olarreta (2005) propone que fue hace unos 40.000 años cuando ya existía en los humanos un lenguaje muy complejo. Leakey propone una datación alternativa, 30.000 años (Leakey, 1986). Está claro que esta capacidad comunicativa estaba presente en el Auriñaciense, final de la época glaciar, cuando el *Homo sapiens sapiens*, al mismo tiempo que creaba las pinturas rupestres (otro tipo de simbolismo humano), articulaba sonidos formando el lenguaje tal como hoy lo conocemos. El consenso sobre esta datación no es completo, pero discutir esto no es materia fundamental de este libro. Independientemente del momento exacto, la aparición del lenguaje, según todos los autores, camina de la mano de la evolución anatómica y de la mente, entendida en su acepción psicológica, de nuestros ancestros. En su evolución morfológica adquieren la postura erecta, gracias al bipedalismo, y las condiciones craneofaciales, bucofaríngeas y loco-motrices precisas para articular el lenguaje con toda su potencialidad. Es común la consideración del lenguaje humano como un hecho natural intrínsecamente ligado a todas las sociedades primitivas y modernas (Pinker, 1995). Se estima que hoy día hay 6.000 lenguas diferenciables, pero otras muchas más han existido y por avatares históricos han desaparecido (Artigas-Pallarés, 2009). Parece consensuada la postura de Leakey, que estima que la aparición del lenguaje fue escalonada (queda por determinar la dimensión de estos escalones). Hace 2 millones de años, en tiempos del *Homo habilis* existía una forma de comunicación rudimentaria, el *Homo erectus* amplió notablemente el vocabulario y empezó a establecer las estructuras básicas de las oraciones (Leakey, 1986). Otro hitos importantes en la evolución humana, y sin duda relacionados con el lenguaje, fueron el uso de instrumentos líticos sencillos (asignados al *Homo habilis*, hace unos dos millones y medio de años) y el control de fuego (asignado al *Homo erectus*, hace un millón y medio de años) (Kandel *et al.*, 2001).

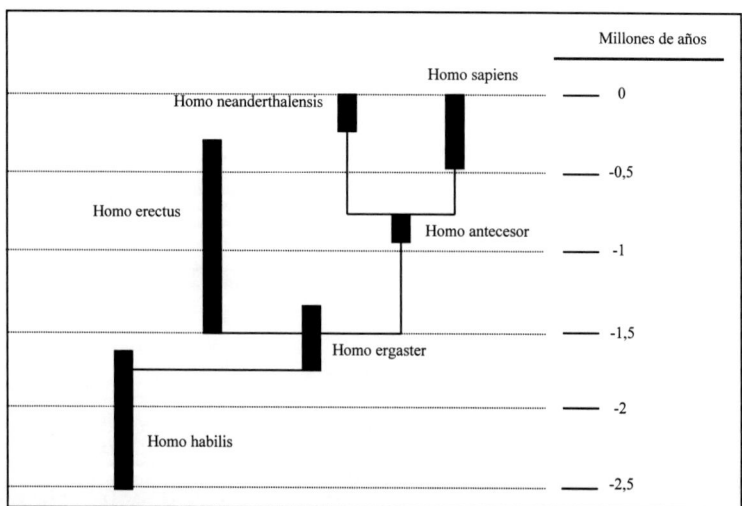

Figura 3. Árbol evolutivo de la especie humana. El esquema recoge las teorías actuales sobre la evolución hacia la especie humana considerando los últimos 2,5 millones de años. El tamaño de las barras es proporcional al tiempo de permanencia de cada una de las especies que representan.

El comienzo de la comunicación verbal debió estar relacionado con aspectos ambientales que permitían una selección de las conductas comunitarias en la especie humana, como pueden ser la recolección, la caza y la aparición de la industria lítica. Precisamente, la creación de instrumentos desembocaría en la creación de términos que los identificaran, por lo que es probable que la habilidad manual y la función simbólica del lenguaje hayan discurrido paralelamente. Además, la necesidad de intercambio informativo entre diferentes grupos humanos favoreció el desarrollo del lenguaje y éste contribuyó definitivamente al éxito evolutivo humano. Queda por aclarar cómo se pasa de una comunicación inconsciente, que arranca de nuestros ancestros, a la enseñanza y aprendizaje conscientes. Hoy comprobamos cómo cualquier niño, en cualquier ambiente social (éste es imprescindible), aprende a hablar por imitación. Este aprendizaje resulta idóneo en los primeros años de vida, donde las dotaciones neurológicas y fisiológicas están perfectamente capacitadas para afrontar este reto. En el próximo apartado expondremos cómo el hombre, que al nacer no dispone de vocabulario, está capacitado biológicamente para ejecutar sistemas corticales, para plantear asociaciones, para percibir la realidad; pero en todo caso requiere el contacto familiar y/o tribal para desarrollarse y con ese desarrollo dominar el lenguaje.

Concluimos este apartado citando la existencia de un grupo de pensadores, los Nativistas, que entienden que el lenguaje es algo dado, previo a cualquier experiencia y de ellos tenemos el criterio de que el lenguaje nace de un salto genético, como una **mutación** global, por lo que no procede buscarlo en la prehistoria de la humanidad ni en la historia de la edad infantil (Ramos, n.d.).

Ontogenia del lenguaje. Desarrollo del lenguaje en la infancia

Antes de que las pruebas de ADN permitieran establecer los parentescos filogenéticos entre las especies, se usaba, entre otras ciencias, la embriología, que permitía, comparando embriones, estimar el tiempo biológico de separación de las especies sometidas a estudio. Conocemos la similitud asombrosa de los primeros estadios de desarrollo de un embrión humano con el de un ave, con el de un pez y, por supuesto, con el de otro mamífero. Hay elementos del desarrollo embrionario que recogen, de forma vertiginosa, el proceso evolutivo de las diferentes especies, e incluso puede ser modelo de estudio el desarrollo hasta la pubertad.

El embrión humano, tras nueve meses de gestación, ve la luz con unas limitaciones funcionales que no tienen equivalente en la naturaleza. Atendiendo a la esperanza de vida media de la especie, el hombre es el mamífero que más tiempo y energía invierte hasta su capacitación para la reproducción. Una de las características del hombre, el lenguaje, tiene también un proceso madurativo que conviene estudiar para conocer mejor el trasfondo del mismo y la propia esencia humana. El encéfalo infantil es especialmente inmaduro, pero a la vez enormemente plástico durante un largo periodo de tiempo, resultando muy vulnerable a las interferencias ambientales.

La adquisición del lenguaje por los niños tiene un carácter biológico, como lo tiene el desarrollo motriz y la habilidad manual. Nacemos con capacidades plenas para respirar, gritar, succionar y llorar. Estas capacidades, junto con otras, se usarán más tarde en el desarrollo del lenguaje. Estas funciones se van desarrollando y en cierto modo enriqueciendo según una línea que conduce al lenguaje. La respiración, los gritos y los llantos se llevan a cabo con movimientos de contracción de diversos músculos, que por mecanismos bien estudiados neuronalmente generan unos mensajes **propioceptivos** (información sobre el estado de cada elemento corporal). La repetición y coincidencia de diversos mensajes propioceptivos van a crear en el joven encéfalo las primeras asociaciones que van a permitir hacer cambios en la tonalidad y gama de sonidos de los gritos y llantos, hasta llegar al juego vocal. Este proceso se concreta en los primeros seis meses de vida y tiene su manifestación más evidente con los "balbuceos" y "laleos". Inseparable a esa capacidad productiva, en esos mismos meses, su oído les permite discriminar sonidos. El desarrollo del habla precisa la articulación casual de una sílaba, que induce al bebé, al oírse a sí mismo, a repetirla (Piaget, 2002). La emisión de un sonido silábico genera una sensación auditiva que llega a centros cerebrales concretos, de los que ya hablaremos, provocando descargas en las **neuronas eferentes** (neuronas que desde el sistema nervioso central emiten órdenes hacia la periferia, en este caso los músculos). Estas descargas sinápticas son señales que llegan a los músculos que se usan en la pronunciación. La articulación, poco a poco, pasa a ser controlada por el receptor auditivo. Paralelamente a este juego de aprendizaje, la voz "del otro" excita a la voz del niño. Transcurrido el primer medio año de vida, los niños emiten los primeros sonidos que son similares a los del lenguaje y se perciben las primeras sílabas bien formadas. El entorno social va dejando su huella, pues de una forma persistente y casi inconsciente va corrigiendo al niño. Las sílabas pronunciadas por el niño son interpretadas libremente por los adultos (la mamá está convencida de que escucha "ma", cuando en realidad el bebé dice "da") y repiten persistentemente su libre interpretación (la mamá le dice: "ma, ma, ma, ma") hasta que finalmente el bebé aprende la sílaba correcta (acaba diciendo "ma"). Sobre los 10 meses discriminan fonemas en la misma forma en que lo hacemos los adultos, situación imprescindible para emitir palabras. También durante el primer año de vida van desapareciendo los reflejos neonatales, va mejorando la memoria de trabajo y la capacidad de reconocimiento y aparecen los temores ante los extraños y a la separación del cuidador habitual. Estos comportamientos están correlacionados con cambios cerebrales que suponen el aumento de la capacidad de la corteza cerebral para la inhibición de esos reflejos. Otros cambios están relacionados con la mejora de los procesos en la corteza prefrontal y el **hipocampo** (elevación curvada de materia gris que se extiende por la base del asta temporal del **ventrículo** lateral), que facilitan la formación, almacenamiento y recuperación de recuerdos, fortaleciéndose, de la misma forma, las conexiones entre la corteza y el **sistema límbico**; sistema que abarca un grupo de estructuras comunes a todos los mamíferos relacionadas con funciones autónomas, de olfacción y con ciertos aspectos de las emociones y de la conducta (Herschkowitz, 2000).

En torno al primer año chapurrean cadenas de sonidos parecidos a frases (enunciados con significado). A los 18 meses ya unen palabras y a los dos años se expresan con locuciones complejas y dominan un amplio vocabulario gramatical (artículos, preposiciones…). En el segundo año se da una explosión de la lengua y emerge la conciencia de uno mismo, que dependerá, en gran medida, de la capacidad de interferencia del entorno social en que crece el niño. Estas nuevas capacidades van ligadas a la intensificación de la conectividad entre los dos hemisferios, con la maduración de la corteza prefrontal y de la red cortical-subcortical (Herschkowitz, 2000). A los tres años podemos afirmar que usan la mayor parte de las palabras de forma gramaticalmente correcta (Kandel *et al.*, 2001). Piaget (2002) considera que la adquisición del lenguaje está subordinada a la práctica de la función simbólica que permite asignar a un objeto una representación y a esta representación un signo (Figura 4. Relación entre significante y significado). El lenguaje inicial está dominado por órdenes y expresiones de deseo (cuando un niño dice agua, la está pidiendo). La velocidad de adquisición se hace sorprendente, un niño a los cinco años utiliza algo más de dos mil palabras, entiende el doble de ellas y aplica cientos de reglas gramaticales. A los seis años domina 6.000 palabras, llegando en la adolescencia a controlar 60.000. Este proceso de aprendizaje se hace a la velocidad de adquisición de una nueva palabra cada 90 minutos.

Es evidente que este ritmo de adquisición del lenguaje tiene diferentes manifestaciones individuales, en las que encontramos variaciones según el sexo, el entorno familiar, el lugar que se ocupa entre la descendencia, etc.

Significante		Significado
Escrito	OVEJA	Concepto particular que cada uno tenemos de la oveja
Oral	Sonido de "/o//b//e//j//a/"	

Figura 4. Relación entre significante y significado. En español, la palabra "oveja" tiene en el lenguaje escrito y oral una representación determinada, fruto del convencionalismo de ambos lenguajes. En todo caso, quien recibe el mensaje evoca en su mente el concepto particular de ese significante: su significado.

La adquisición del lenguaje no se hace solo por pura imitación, los niños realizan análisis gramaticales del lenguaje de sus padres e incluso pueden mejorarlo. Todos los niños tienen mecanismos innatos que les habilitan para el aprendizaje del lenguaje, solo los "niños salvajes", los de padres sordomudos y los que tengan alguna patología específicamente grave no lo desarrollarán. Incluso, en algunos casos, niños privados de la referencia al lenguaje desarrollan su propio código complejo que constituye un verdadero lenguaje. Así hicieron los sordomudos y los hijos de la primera generación de esclavos que llegó a America. En este último caso, a pesar de que sus padres se expresaban torpemente en inglés, lograron crear un lenguaje mucho más rico que el de sus progenitores (Kandel *et al.*, 2001). Esto evidencia que el lenguaje está distribuido por toda la especie. Las investigaciones realizadas en los últimos años ponen de manifiesto que todas las lenguas tienen unas estructuras fundamentales similares, por lo que se afirma que el lenguaje es una forma de adaptación del conjunto de la especie y se fundamenta, como ya se ha apuntado, en circuitos nerviosos de gran complejidad.

Kandel y colaboradores (2001) citan a Chomsky (1959), quien propuso, como hipótesis revolucionaria, que los niños nacen con un **circuito neuronal** específicamente innato dedicado a la adquisición del lenguaje. Cada día esta hipótesis gana consistencia, pero durante un tiempo se ha postulado que el referido circuito específico no existe y que para hablar los hombres usamos una capacidad ajena al lenguaje, la capacidad de aprender patrones de comportamiento.

Funciones del lenguaje

El esfuerzo evolutivo y el sorprendente proceso de aprendizaje en la infancia tienen una justificación: la adquisición de una capacidad que hace a la especie humana, en general, y a los individuos, de forma particular, más aptos para su supervivencia. La capacidad de usar el lenguaje en la transmisión de información vital ha permitido a nuestra especie progresar en la naturaleza hasta llegar a la actual situación. Los infinitos mensajes que articulamos tras el dominio del lenguaje hacen innumerables las posibilidades de uso. Hemos empleado el lenguaje en la perpetuación de las adquisiciones técnicas, para establecer contratos entre individuos y entre grupos tribales y en el cortejo amoroso. El lenguaje nos ha servido para transmitir el acervo cultural de los diversos pueblos, tan necesario para afrontar los retos ambientales, técnicos y médicos en cada rincón de la Tierra. El lenguaje posibilita simular situaciones futuras, que van a garantizar la supervivencia, pues colectivamente se intercambia información sobre acontecimientos vividos, mejorando la actitud social ante el medio (Suddendorf, Addis y Corballis, 2009). En definitiva, nuestro lenguaje, fruto de un proceso evolutivo aún en parte desconocido, ha propiciado, para bien o para mal, nuestro progreso y la explosión demográfica humana, inconcebible en especies próximas.

En todo caso, esta capacidad sorprendente y única en la naturaleza cumple, al menos, cuatro funciones (Salas, n.d.), que justifican su evolución hasta la forma en que hoy lo conocemos:

1.- **Función social**. La especie humana es eminentemente social y gregaria. Esta concepción de afrontar los diversos retos de forma colectiva impone un sistema de comunicación eficiente, rápido y claro: el lenguaje humano. En el desarrollo de los neonatos permite la integración en el grupo, participando en la estructura colectiva y ofreciendo al niño conceptos fundamentales para su supervivencia.

2.- **Función cognitiva**. Cuando asignamos nombres a las cosas, a los sentimientos o a los lugares, estamos consolidando en nuestra mente la impresión sensorial de todo a lo que hemos dado nombre. En la transmisión oral, primero, y después en la escrita, el hombre transmite sus conocimientos de forma rápida, ahorrando tiempo y esfuerzo, tanto al grupo social que participa de esos conocimientos, como al joven individuo que en sus primeros años de vida se enfrenta a los avatares que ella le depara.

3.- **Función lúdico-experimental**. Aceptamos que los juegos de los niños son parte de un proceso de aprendizaje, como lo son los juegos en las camadas de otras especies animales. Los juegos, tanto colectivos como individuales, descubren, refuerzan y coordinan diversas habilidades que son beneficiosas para afrontar los retos naturales y sociales. En el proceso de aprendizaje de la lengua, el niño juega, hace pruebas, descubre la versatilidad de la lengua y con ello afianza el conocimiento de sí mismo, como también lo ha hecho la propia especie en el transcurso de la adquisición del lenguaje.

4.- **Función cultural**. La cultura entendida en su sentido más amplio: la cultura popular, científica, artística, literaria, etc., se sustenta fundamentalmente en el lenguaje, que simplifica los conceptos y ayuda a su rápida transmisión y adquisición. Este vehículo, exclusivo de la especie humana, permite un rápido viaje en el ávido deseo de conocer que manifiesta la humanidad en general y el individuo en particular.

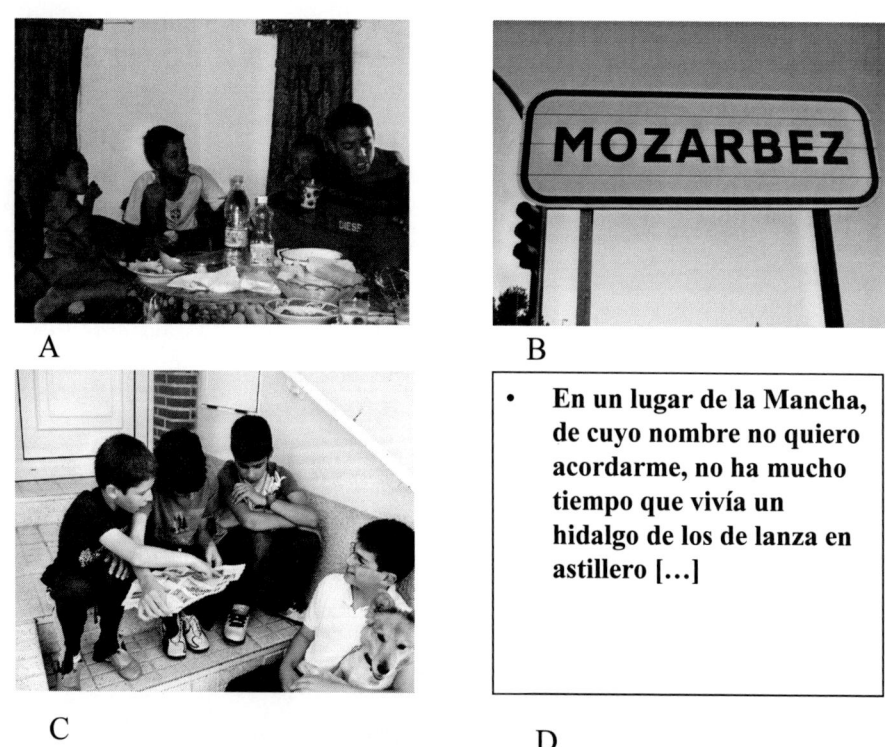

A

B

C

D

• **En un lugar de la Mancha, de cuyo nombre no quiero acordarme, no ha mucho tiempo que vivía un hidalgo de los de lanza en astillero [...]**

Figura 5. Funciones del lenguaje. A: función social; facilita la participación en el grupo social. B: función cognitiva; al dar nombre a las cosas consolidamos mentalmente los significados. C: función lúdico-experimental, a través de los juegos se refuerza el aprendizaje. D: función cultural; dota a los pueblos de su idiosincrasia particular.

Sustrato fisiológico del lenguaje

La ejecución del habla requiere que, mientras espiramos, una vibración particular de las cuerdas vocales, acompañada de una adecuada colocación de los elementos del aparato bucofaríngeo, genere de forma continua y precisa diferentes sonidos, cuya unión constituye los significantes de nuestro idioma. Esta maniobra de perfecta colocación y coordinación de cada elemento anatómico cuenta con la intervención de cinco pares de **nervios craneales** (cada uno de los doce pares de nervios que directamente salen del encéfalo hacia la periferia). La mandíbula inferior se mueve controlada por el V par (trigémino), los músculos de la cara son activados por el VII par (facial), el IX par (glosofaríngeo) nos permite la movilidad de la faringe y del paladar. La laringe es inervada por el **nervio recurrente**, ramal que sale del X par (vago), mientras que la lengua y algunos músculos del cuello son controlados por el XII par (hipogloso) (Rondal y Seron, 1991).

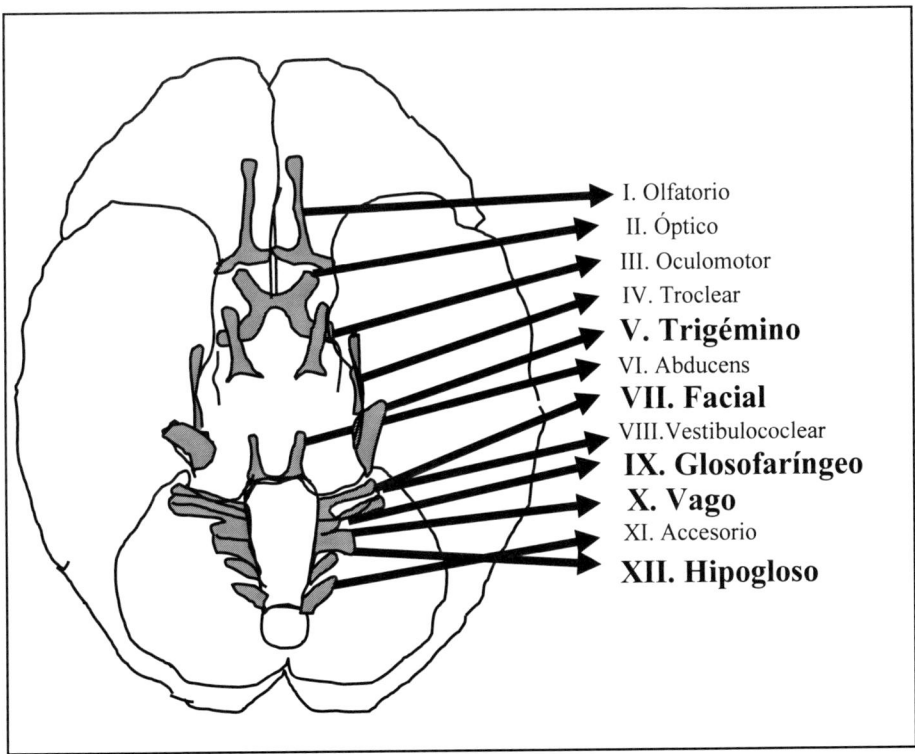

Figura 6. Nervios craneales. De los doce pares de nervios craneales, en la producción del habla, el hombre utiliza cinco (identificados en la figura con mayor tamaño y en negrita). El encéfalo está representado según la visión de su parte ventral.

Aunque en el siguiente apartado analizaremos las relaciones del encéfalo con el lenguaje, anticipamos que la orden motriz que pone en marcha todo el sistema vocalizador parte de la corteza cerebral, en la zona motriz primaria, justo por delante de la **cisura de Rolando**. La orden alcanza las motoneuronas que controlan la motricidad periférica a través de la vía piramidal, para continuar por la **cápsula interna** y los haces piramidales bulbares. El haz geniculado, que es una porción de la vía piramidal, cruzando la línea media, alcanza los **núcleos** de los nervios antes citados: V, VII, IX, X y XII, lo que nos permite considerar que salvo algunas excepciones cada área cortical primaria controla la actividad fonatoria del lado opuesto (Rondal y Seron, 1991). Es evidente la complejidad de este sistema, pero eso lo hace más humano.

La propia concepción del lenguaje impone que los sonidos emitidos deben ser reconocidos e interpretados por el receptor. Los fonemas que surgen del emisor son vibraciones que por vía aérea llegan al tímpano, que se mueve y transmite su movimiento a la cadena de huesecillos del oído medio, esta señal mecánica se transmite al oído interno, donde se inducen una serie de movilizaciones de los líquidos del mismo (perilinfa y endolinfa). La señal deviene hidráulica desplazando diversas estructuras que presionan a las células sensoriales de la cóclea. Tras este proceso la señal mecánica se convierte en nerviosa. La activación de las células sensoriales produce liberación de un neurotransmisor, la acetilcolina, que genera un potencial de acción en las células bipolares. Estas últimas tienen el **soma** en el ganglio de Corti, desde el que emiten axones que forman el nervio coclear, rama auditiva del par craneal VIII (nervio acústico) que alcanza en el tronco del encéfalo los núcleos cocleares (ventral y dorsal), desde éstos, las fibras hacen **sinapsis** y las neuronas de segundo orden pasan principalmente al lado opuesto, terminando en el núcleo olivar superior. Desde este núcleo, la vía auditiva continúa ascendiendo. Por al menos dos rutas diferentes, casi todas las fibras finalmente hacen sinapsis en el colículo inferior. La vía continúa hacia el núcleo geniculado medial (otro relevo más) y desde él definitivamente se alcanza la corteza auditiva (**circunvolución** o **giro** superior del **lóbulo** temporal). Tras cada relevo, el número de neuronas involucradas aumenta.

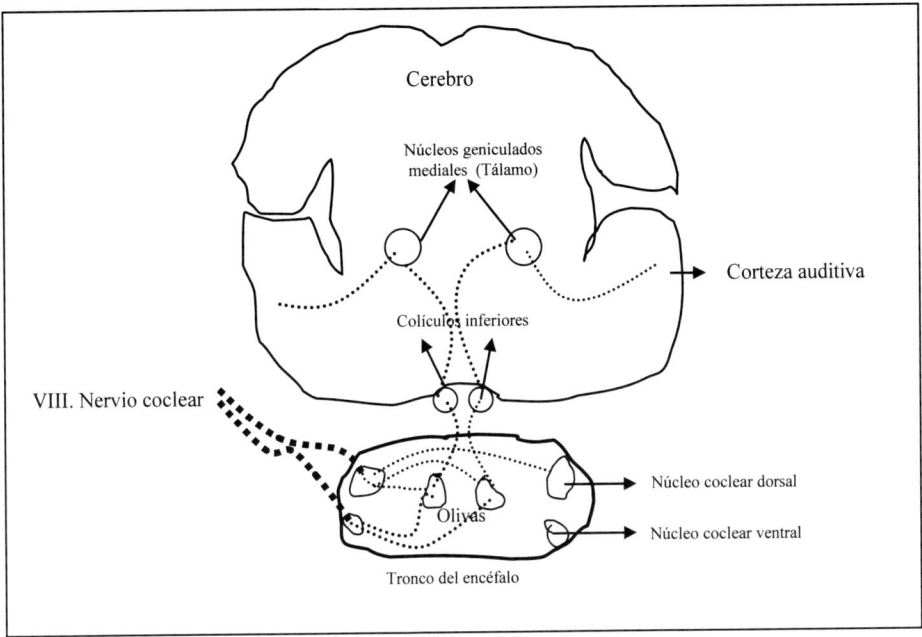

Figura 7. Vía nerviosa auditiva. Tras la conversión de la vibración sonora en impulso nervioso, éste sigue el trayecto que muestra la figura, que proyecta bilateralmente (solo se recogen las vías nerviosas que nacen en el oído izquierdo).

Este sistema de percepción de sonidos es común en todos los animales cercanos a nuestra posición filogenética, lo realmente sorprendente es la capacidad que tiene el hombre de conectar los sonidos percibidos con el significado del mensaje que contienen (Rondal y Seron, 1991). El hombre comprende las palabras y esto resulta difícil de explicar cuando nuestro poder de resolución del oído es inferior a 30 segmentos fonéticos por segundo. Como, frente a la baja resolución del oído humano, existe una alta capacidad de comprensión de las palabras, se cree que estamos dotados de un mecanismo específico que decodifica los sonidos de las palabras, proceso exclusivo de nuestra especie.

Lenguaje y encéfalo

Uno de los últimos retos que debe afrontar la biología es comprender la forma en que la conciencia y los procesos mentales en general se sustentan en estructuras nerviosas (Kandel *et al.*, 2001). Cuando percibimos, aprendemos, actuamos y recordamos, trabajan coordinadamente estructuras cerebrales de forma tal que los humanos adquirimos conciencia de nuestra existencia y experiencia. En el lenguaje, las neurociencias están centrando sus estudios en la corteza cerebral, parte del encéfalo responsable de las conductas humanas más evolucionadas. El gran y complejo encéfalo humano alberga la capacidad de producción del lenguaje y de interpretarlo. El comportamiento humano, del que forma parte importante el lenguaje, puede estudiarse a nivel de las células nerviosas y lo entenderíamos perfectamente, siempre y cuando pudiera explicarse totalmente cómo se ha desarrollado y se desarrolla el encéfalo, cómo se comunican las neuronas, cómo las conexiones dan lugar a diferentes percepciones y a diferentes actos motrices, cómo las **enfermedades** alteran el funcionamiento de la mente, etc. (Kandel *et al.*, 2001). Procede, por tanto, en este primer capítulo introducir unas nociones básicas sobre las relaciones del encéfalo con el lenguaje.

El sistema nervioso central es una estructura bilateral, prácticamente simétrica, compuesta por siete partes: médula espinal, bulbo raquídeo, protuberancia, **cerebelo**, mesencéfalo, diencéfalo y el teléncefalo (corteza cerebral y **ganglios basales**).

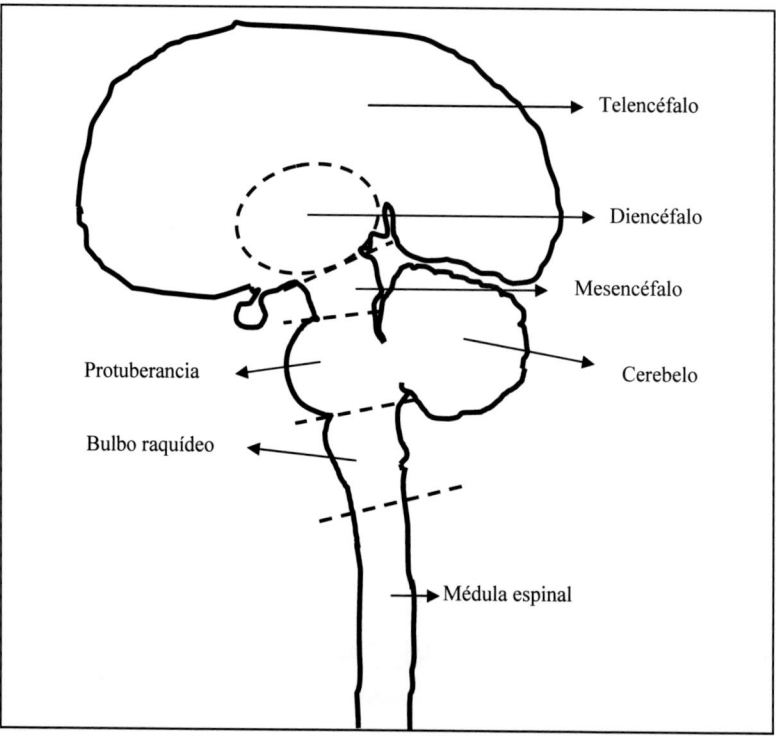

Figura 8. División anatómica del sistema nervioso central. El esquema representa las siete grandes regiones en que se divide básicamente el sistema nervioso central.

Cuando hagamos alusión al encéfalo, estaremos refiriéndonos a todo el sistema nervioso central, excepto a la médula espinal, es decir, todo lo que está protegido por la cavidad craneal. Usaremos la denominación "cerebro" para referirnos a los hemisferios cerebrales, estructura más evolucionada y que ocupa la mayor parte del volumen encefálico. Para ubicarnos dentro del cerebro haremos alusión a sus lóbulos, grandes áreas delimitadas por **cisuras** profundas.

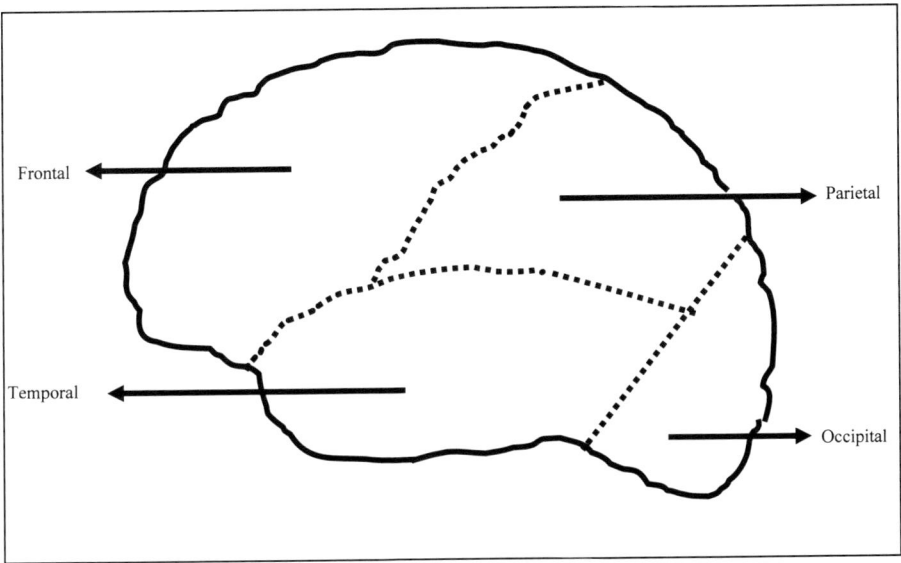

Figura 9. Lóbulos cerebrales. El esquema representa la localización de los cuatro lóbulos del hemisferio izquierdo, que se corresponden aproximadamente con los huesos craneales que los cubren.

Como se han publicado muchos atlas del cerebro humano, usaremos, siempre que podamos, para nuestras referencias anatómicas las localizaciones que Brodmann (**Áreas de Brodmann**) estableció en su día y que siguen teniendo vigencia y utilidad. Brodmann definió y localizó unas 52 áreas diferentes en el cerebro. Como es inevitable, se citarán denominaciones clásicas, por lo que conviene consultar la tabla que establece las correspondencias entre éstas y las áreas de Brodmann. En el capítulo 5 ampliaremos conceptos sobre las áreas cerebrales. Para simplificar la redacción, a partir de este momento, siempre que nos refiramos a alguna de las áreas de Brodmann, las introduciremos con las letras "AB".

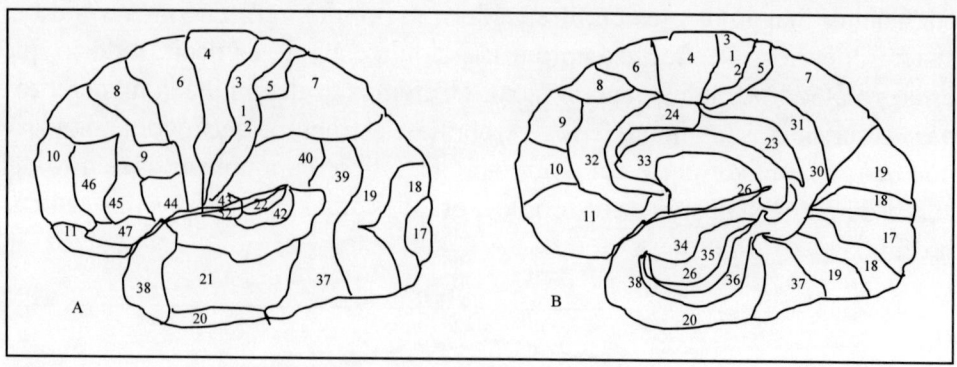

Figura 10.1. Los esquemas recogen las localizaciones aproximadas de las correspondientes Áreas de Brodmann. En A se indican las áreas del hemisferio izquierdo, mientras que en B se refieren las áreas del hemisferio derecho.

Broca, en 1861, ante la Sociedad de Antropología explicó sus primeras reflexiones sobre la localización cerebral del acto de la palabra. Se abría así el estudio científico del lenguaje al asociar a la observación clínica la prueba anatomopatológica. Broca defendía la propuesta de las "localizaciones cerebrales". Hoy esto se evidencia en cada una de las técnicas radiológicas de imagen que permiten visualizar estas estructuras en individuos vivos mientras realizan tareas determinadas. La especialización de determinadas zonas cerebrales en funciones concretas es aceptada como uno de los fundamentos de la ciencia moderna. Este fundamento no siempre fue asumido, necesitando, para su consideración íntegra, la aceptación de otro principio: el "procesamiento paralelo distribuido", que considera que muchas funciones sensitivas, motoras o cognitivas se realizan por más de una vía nerviosa. Esta estrategia de procesamiento paralelo permite, ante una lesión en una vía, una compensación parcial por otra. Este procesamiento paralelo hace que los investigadores se encuentren con datos confusos al realizar pruebas concretas de conducta en diferentes individuos que refieren distintas localizaciones (observable con técnicas de **neuroimagen**) (Kandel *et al.*, 2001).

Procede hacer un análisis exhaustivo de la estructura cerebral y sus implicaciones en el lenguaje. Damasio (1984) nos indica que hasta mediados de los años 60, las **afasias** (incapacidades o limitaciones repentinas para hablar) y las **ablaciones** (extirpaciones de una parte del encéfalo) fueron fundamentales en la investigación y conocimiento de las bases neuronales del lenguaje. Posteriormente, nuevas técnicas han sido utilizadas para conocer más profundamente estas bases:

a) Estimulaciones eléctricas directas en partes del cerebro.

b) Análisis con técnicas neurorradiológicas (angiografías, pneumo-ence-falografías...) para localizar lesiones relacionadas con deficiencias cognitivas.

c) Estudio del comportamiento del lenguaje tras la transitoria inactivación de un hemisferio cerebral con la inyección de un **barbitúrico** en la arteria carótida (**Test de Wada**).

Para dar unas pinceladas sobre la correlación entre encéfalo y lenguaje, o, más concretamente, entre áreas cerebrales y lenguaje, citaremos en este apartado las conclusiones clásicas obtenidas tras el estudio de las afasias, surgidas como consecuencia de accidentes vasculares, tumores, traumatismos, infecciones, etc. Como veremos en otros capítulos, buena parte de las áreas implicadas en el lenguaje lo están también con la dislexia. Anticipamos que son muchas las áreas neocorticales (porciones de aparición más reciente en el proceso evolutivo humano) y subcorticales (localizadas bajo la corteza) que sustentan los circuitos relacionados con la producción del habla, la sintaxis y el vocabulario, pero que, a la vez, estas áreas intervienen en otros componentes del comportamiento humano. Con las modernas técnicas de neuroimagen se comprueba cómo áreas activas en la producción del lenguaje lo son también al desarrollar diferentes tareas cognitivas ajenas al propio lenguaje. Así, los ganglios basales, encargados de regular el control motor, son esenciales en los circuitos que confieren habilidad para el lenguaje humano y el razonamiento abstracto (Lieberman, 2002). Por lo tanto, el lenguaje no solo se sustenta en la sustancia gris (zona donde se acumulan los somas neuronales) de la corteza frontal y temporal, sino que también son de suma importancia las fibras (axones) de la sustancia blanca que conectan estas áreas. Se han identificado diversos haces que conectan estas zonas, concretamente, en las funciones lingüísticas relacionadas con la sintaxis de oraciones complejas interviene la **vía dorsal,** que proyecta desde el área de Broca a la región temporal superior, vía que se ha comprobado deficiente tanto en no humanos como en niños antes del dominio completo del lenguaje (Friederici, 2009).

Wernicke, hace más de cien años, formuló el primer modelo coherente de organización del lenguaje en la corteza cerebral. Aunque ha sido ampliado y ligeramente corregido aún sigue siendo de utilidad. Determinó que las pala-bras habladas o escritas se procesan en diferentes áreas sensoriales especia-lizadas, en información auditiva o visual, respectivamente. Esta información se traslada al **área cortical de asociación** (diferente de las **áreas primarias** conectadas entre sí, de las que dependen procesos mentales superiores y emo-cionales) y a la **circunvolución angular**, especializada tanto en la información auditiva como en la información visual. En esta área las palabras, tanto habladas como escritas, se transforman en una representación nerviosa común compartida por el habla y la escritura. Desde allí se transmite al **área de Wernicke**, donde es reconocida como lenguaje y es asociada a un significado. Si esta asociación no existe, no se comprende el lenguaje. Esta representación fluye neuronalmente al **área de Broca**, donde se transforma la representación sensorial en representación motora, dispuesta para ser hablada o escrita.

N.° AB	Denominación de la corteza correspondiente	N.° AB	Denominación de la corteza correspondiente
1-2-3	Corteza somatosensorial primaria	31	Área dorsoposterior del cíngulo
5-7	Corteza somatosensorial asociativa	32	Área dorsoanterior del cíngulo
4	Corteza motora	33	Induseum griseum
6	Corteza premotora	27-28-34	Rinoencéfalo
8	Corteza motora secundaria	27	Corteza olfativa primaria
9-12	Corteza prefrontal	28	Corteza olfativa asociativa
9	Corteza dorsolateral prefrontal	34	Uncus
10	Área frontopolar	35	Corteza perirrinal
11-12	Área orbitofrontal	36	Corteza parahipocampal
13-14-¿15?	Circunvoluciones insulares	37	Circunvolución occipitotemporal lateral
17	Corteza visual primaria	38	Polo temporal
18-19	Corteza visual asociativa	22-39-40	Área asociativa de Wernicke
20	Circunvolución temporal inferior	39	Circunvolución angular
21	Circunvolución temporal media	40	Circunvolución supramarginal
22	Circunvolución temporal superior	41	Corteza auditiva primaria
23-26	Sistema límbico	42-22	Corteza auditiva asociativa
23	Área ventral posterior del cíngulo	43	Corteza gustativa
24	Área ventral anterior del cíngulo	44-45	Área de Broca
25	Área subcallosa	45	Circunvolución triangular
26	Área ectoesplenial del cíngulo	46	Corteza prefrontal dorsolateral
29	Área retroesplenial del cíngulo	47	Circunvolución frontal inferior
30	Área subesplenial del cíngulo		

Figura 10.2 Áreas de Brodmann. La tabla expresa la correspondencia entre las Áreas de Brodmann y otras denominaciones anatómicas.

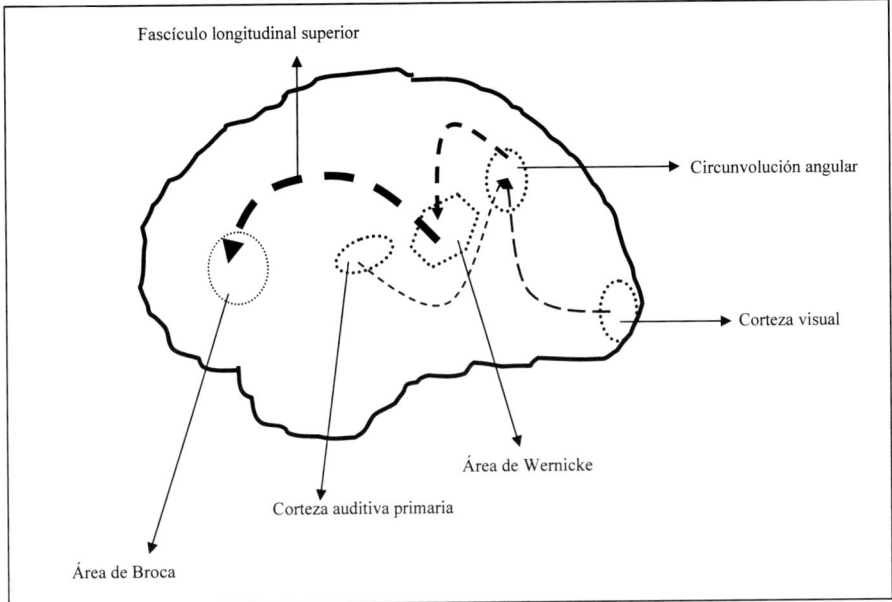

Figura 11. Modelo de Wernicke. Representación de la clásica propuesta de Wernicke que describe las áreas y las conexiones implicadas en la organización mental del lenguaje.

Independientemente de la profundización que del tema hagamos más adelante, el estudio de las afasias, que como hemos dicho fue prácticamente el único recurso de los primeros investigadores, determinó que las lesiones en las **áreas de Wernicke** y **Broca** provocaban diferentes déficits del lenguaje. A la vista de estos hallazgos, los neurólogos plantearon un modelo para el lenguaje, que modificaba en parte el de Wernicke, denominado de "Wernicke-Geschwind", que propone los siguientes componentes con la correspondiente función:

1.- El área de Wernicke, que soporta la carga del procesamiento de las imágenes acústicas de las palabras.

2.- El área de Broca, que se responsabiliza de la articulación del lenguaje.

3.- El **fascículo** longitudinal superior del cerebro, que se creía (ver más adelante) que era una vía por la que discurría la información en un solo sentido, desde el **área de Wernicke** al área de Broca.

4.- Áreas de asociación multimodales, con las que se pensaba que interactuaban tanto el área de Wernicke como el área de Broca.

Según este modelo, las capacidades de escribir y de leer dependen de las áreas de Wernicke y Broca. En el caso de la lectura, las aferencias visuales proceden de la corteza visual izquierda y en el caso de la escritura, se produce una orden motora desde el área de Exner (AB 6) (Kandel el *et al.*, 2001).

Décadas de estudio han demostrado que este postulado tiene importantes limitaciones (Kandel *et al.*, 2001), ya que las nuevas técnicas de PET (**tomografía por emisión de positrones**), ERP (potenciales eléctricos relacionados con acontecimientos que se producen al someter al individuo a determinadas situaciones), RMF (**resonancia magnética funcional**) y el registro directo de los potenciales eléctricos en la corteza cerebral de pacientes que se someten a cirugía aportan datos que definen mejor las áreas importantes en la ejecución del lenguaje. Estos avances hacen suponer que las áreas de Broca y Wernicke no tienen las funciones tan bien definidas como se pensaba y que el fascículo longitudinal superior del cerebro es un sistema bidireccional que une una amplia extensión de la corteza sensitiva con las cortezas prefontral y premotora. Además, se ha demostrado que otras regiones corticales y subcorticales del hemisferio izquierdo están implicadas en el lenguaje:

1.- Las cortezas asociativas superiores, en las regiones frontal, temporal y parietal izquierda, participan en la mediación entre los conceptos y el lenguaje.

2.- Parte de la corteza de la región de la **ínsula** izquierda (región de la corteza cerebral ocultada por los lóbulos frontal, parietal y temporal, en el fondo de la **cisura de Silvio**, AB 13) está relacionada con la articulación del habla.

3.- Las áreas prefrontal y cingulada (arco alrededor de la rodilla del **cuerpo calloso**, AB 23 y 24) se encargan del control ejecutivo y son mediadoras de la memoria y de los procesos de atención necesarios.

Las más modernas propuestas suponen que tres grandes sistemas interaccionan íntimamente en la percepción y la producción del lenguaje:

1.-Sistema de ejecución del lenguaje, que analiza las señales auditivas de entrada, activa el conocimiento conceptual, controla la articulación y asegura la construcción gramatical y de los fonemas. Se asienta en las áreas de Broca y Wernicke, en áreas de la corteza de la ínsula y en los ganglios basales.

2.-Sistema de mediación, que como su nombre indica, media entre los otros dos sistemas (referidos en los puntos anterior y posterior a éste). Abarca numerosas regiones separadas de las cortezas asociativas temporal, parietal y frontal.

3.-Sistema conceptual, que soporta el conocimiento conceptual. Comprende regiones distribuidas por el resto de las cortezas asociativas superiores.

Aunque es evidente que diferentes estructuras subcorticales ejercen acciones importantes en las conductas del lenguaje, no cabe duda de que los controles neurofisiológicos finos del lenguaje están en el lóbulo frontal. La **ablación** de la base de la primera circunvolución o giro frontal en la cara interna del hemisferio, llamada área motriz suplementaria, genera importantes deficiencias y trastornos en el lenguaje (Rondal y Serón, 1991). Si la lesión está en la base de la segunda circunvolución frontal izquierda induciría una afección esencialmente referida a la expresión escrita. Una afección en la parte anterior de la circunvolución del cíngulo produce inhibición del habla (mutismo), o mutismo acinético (sin movimientos ni sonidos espontáneos), si la lesión es bilateral.

El lenguaje y los hemisferios

Los hemisferios cerebrales son las dos grandes mitades del cerebro, conectados entre sí por el cuerpo calloso, una conspicua estructura de sustancia blanca. En concordancia con el principio de las localizaciones cerebrales, cada uno tiene su papel, aunque no exclusivo. En ellos se manifiesta el fenómeno de la dominancia o lateralización, un hemisferio asume "el mando" en alguna tarea cognitiva concreta. No existe evidencia de un área exclusiva del lenguaje y por ello se estudia su localización en términos estadísticos. Se atribuye a más del 95 % de las personas diestras el hemisferio izquierdo como dominante para el habla, y a más del 70 % de las personas zurdas. Anestesias provocadas temporalmente en cada uno de los hemisferios corroboran estos datos (Salgado de la Teja, 2008).

El procesamiento cognitivo del lenguaje ocurre en el hemisferio izquierdo y es independiente de las vías por las que se procese. Las áreas de Broca y Wernicke están precisamente localizadas en el hemisferio izquierdo. El habla y la audición no son condiciones necesarias para la aparición de capacidades del lenguaje en el hemisferio izquierdo, ya que el lenguaje hablado representa solo un miembro de una familia de destrezas cognitivas asentadas en ese hemisferio. Se ha comprobado recientemente que el hemisferio derecho es necesario para apreciar sensorialmente las sutilezas del lenguaje: la ironía, la metáfora, el ingenio y el componente emocional del habla. En la ejecución oral, el hemisferio derecho tiene atribuidas funciones como la prosodia (acentos, tonos), el ritmo y las connotaciones anímicas. Esta división funcional no es universal y no queda completamente determinada hasta los 7 u 8 años. También está probado que niños con afecciones graves en el hemisferio izquierdo han sido capaces de desarrollar compensaciones del lenguaje con resultado aparentemente normal (Kandel *et al.*, 2001).

Las afasias. Síntomas y regiones afectadas

A pesar de ser elementos clásicos en la investigación del lenguaje, seguidamente hacemos un breve recorrido por las diferentes afasias, indicando manifestaciones y lesiones que las provocan. Por su concreción y criterio ampliamente aceptado, seguimos el esquema que Kandel y colaboradores (2001) proponen en su libro al hacer referencia a estas afecciones:

La verdadera afasia de Broca

El paciente afectado tiene un habla ardua y lenta, con trastorno de la articulación y sin entonación melódica. A pesar de ello, los pacientes pueden comunicarse, aunque les resulta difícil repetir frases complejas. Parece que comprenden las palabras y las frases que oyen, pero la comprensión, como se indica más adelante, no llega a ser correcta. Esta afasia es un síndrome secundario a la lesión en las siguientes áreas:

1.- El área de Broca (circunvolución frontal inferior izquierda, que contiene AB 44 y 45).

2.- Campos frontales que rodean al área de Broca (parte externa del AB 6 y las AB 8, 9, 10 y 46).

3.- La sustancia blanca subyacente.

4.- La ínsula (AB 13 y 14).

5.- Los ganglios basales.

6.- Una pequeña parte de la circunvolución temporal superior (AB 41).

Afasia del área de Broca

Se denomina así la afasia cuando la lesión está solo localizada en el área de Broca (AB 44 y 45) o en la sustancia blanca subyacente. Tiene, obviamente, una sintomatología mucho más leve.

Las estructuras que se dañan en las dos afasias de Broca referidas pueden formar parte de una red neuronal que participa tanto en la combinación de los fonemas en palabras, como en la de las palabras en oraciones. Esta red se ocuparía de los aspectos del lenguaje relacionados con la estructura gramatical de las oraciones, con el uso adecuado del vocabulario y de los verbos. Otros elementos de la red son:

1.- AB 47, 46 y 9 (corteza frontal izquierda).

2.- AB 40 y 39 (corteza parietal izquierda).

3.- Sector inferior de las AB 1, 2, 3 y 4 (áreas sensomotoras situadas por encima de la cisura de Silvio, entre las áreas de Broca y Wernicke).

Cabe suponer que la mayor dificultad de los dos tipos afásicos de Broca es que no pueden unir adecuadamente elementos en diferentes partes de una frase. Para poder llevar a cabo la unión de los elementos, es preciso guardar el primero en la memoria, para luego unirlo al segundo y así sucesivamente. Esto sugiere que el área de Broca y las regiones adyacentes citadas participan en la memoria verbal a corto plazo, que es necesaria para la adecuada comprensión de las frases. Imágenes de PET demuestran que cuando un paciente tiene que analizar una frase que exige el uso de la memoria a corto plazo para comprenderla correctamente tiene mucha más actividad en las áreas descritas que cuando tiene que comprender frases en las que no se requiere ese esfuerzo recuperador.

Se cree que la memoria activa, la que permite guardar elementos para unirlos y deducir el significado global de la frase, tiene un asa fonológica, un bucle neuronal que une un almacén de memoria transitoria para la información fonológica, con un sistema de ensayo (proceso en que las órdenes se envían a las cuerdas vocales, pero no se ejecutan) que está constantemente refrescando la memoria, cerrando ese supuesto bucle. El área de Broca puede participar en el componente de ensayo de dicha asa, algo que concuerda con el papel bien documentado del área de Broca en la articulación del lenguaje.

Afasia de Wernicke

Los pacientes con afasia de Wernicke tienen un habla espontánea, melódica, con velocidad normal, muy diferente de los que tienen afasia de Broca verdadera; pero su contenido es ininteligible por los frecuentes errores al elegir las palabras (**parafasias verbales**) y los fonemas (**parafasias fonémicas**). Suelen tener problemas para comprender frases pronunciadas por otros. Esta afasia, generalmente, está causada por la lesión del sector posterior de la corteza asociativa auditiva izquierda (AB 22). Pero en los casos más graves y persistentes hay afectación de la circunvolución temporal media (AB 21 y 37) y de la sustancia blanca profunda.

Las últimas investigaciones, como ya se ha apuntado, consideran que el área de Wernicke forma parte del sistema que procesa los sonidos del habla y los asocia a los conceptos. En este sistema de procesamiento participan otras muchas partes del cerebro que están al servicio de la gramática, la atención, el conocimiento social y el conocimiento de los conceptos que corresponden a las palabras en la frase.

Afasia de conducción

Los pacientes que la sufren comprenden frases sencillas, tienen habla inteligible, no pueden repetir frases de forma literal, cometen parafasias fonémicas y tienen dificultades para dar nombre a imágenes u objetos. La producción del habla y la comprensión auditiva están menos afectadas que en las afasias previamente citadas. Esta afasia se manifiesta por la lesión de la circunvolución temporal superior izquierda y del lóbulo parietal inferior (AB 39 y 40), aunque puede extenderse a la corteza auditiva primaria izquierda (AB 41 y 42), la ínsula y la sustancia blanca subyacente. Este sistema de conexiones parece formar parte de la red que se necesita para unir los fonemas en palabras y coordinar las articulaciones del habla.

Afasia transcortical sensitiva

Las personas que padecen afasia transcortical sensitiva (diferente de la afasia de Wernicke) tienen un habla fluida, con deficiencia en la comprensión y, además, encuentran enormes dificultades para la denominación de objetos. Es un defecto en la recuperación semántica, con capacidades fonológicas y sintácticas aún relativamente conservadas. Parece que es fruto de una lesión en la zona de confluencia de los lóbulos temporal, parietal y occipital, que conectan las **áreas perisilvianas** del lenguaje (en torno a la cisura de Silvio, AB 22, 39 y 40) con las partes del cerebro relacionadas con el significado de las palabras.

Afasia transcortical motora

Las personas que padecen afasia transcortical motora (diferente de la afasia de Broca) no hablan con fluidez, pero pueden repetir frases largas. Esta afasia está relacionada con las lesiones en:

1.- Área frontal dorsolateral izquierda (área asociativa anterior y superior al área de Broca, AB 6, 8 y 9), aunque también puede haber daño en la propia área de Broca.

2.- Área motora suplementaria izquierda, localizada en la parte alta del lóbulo frontal (AB 4 y 6).

Parece que el área motora suplementaria contribuye a la iniciación del habla, mientras que las regiones dorsolaterales frontales intervienen en el control nervioso preciso durante la ejecución del habla, más aún cuando la tarea es difícil.

La afasia global

En la afasia global los individuos que la sufren han perdido completamente la capacidad de comprender el lenguaje, emitir el habla y repetir frases. Esta afasia está acompañada de debilidad en el lado derecho de la cara y parálisis de las extremidades derechas. Esta situación solo es posible tras un infarto grande en la región irrigada por la arteria cerebral media que afecta a la región anterior del lenguaje, a los ganglios basales y a la ínsula (afasia de Broca), a la circunvolución temporal superior (afasia de conducción) y a las regiones posteriores del lenguaje (afasia de Wernicke).

El procesamiento del lenguaje requiere, como venimos insistiendo, una amplia red de áreas cerebrales que interactúan, algunas de ellas ya citadas, pero no obstante hay otras áreas que están relacionadas con el lenguaje:

- AB 21, 20 y 38. Causan trastorno grave y puro de la denominación (dificultad para recuperar las palabras sin que se acompañe de problemas gramaticales, fonémicos y fonéticos).

- AB 38. El paciente no recuerda nombres de lugares y personas especiales, pero sí recuerda nombres comunes.

- AB 21 y 20. Dificultades tanto para nombrar nombres especiales como comunes.

- Sector ínfero-posterior del lóbulo temporal izquierdo (AB 37) que causa un déficit en el recuerdo de palabras para determinados tipos de ítems: herramientas y utensilios. No afecta a palabras que designan cosas naturales o entidades especiales, ni tampoco a lo que designe acciones o relaciones especiales.

- Una pequeña parte de la ínsula que es importante para la planificación o coordinación de movimientos de articulación necesarios para hablar.

El AB 24, además, desempeña un papel importante en la iniciación y mantenimiento del habla. La lesión de esta área no causa una afasia en sentido estricto pero sí acinesia y mutismo (completa ausencia de habla, que se da solo en los estadios tempranos del trastorno). Los pacientes con acinesia y mutismo no pueden comunicarse. Tienen afectado el impulso de comunicarse, aunque no se trata de una afasia.

El lenguaje y el sexo

Como veremos más adelante, el sexo va a ser determinante en el estudio de la penetrancia de la dislexia entre los escolares, por lo que ahora procede que hagamos unas consideraciones que relacionen la adquisición del lenguaje con el sexo del individuo.

Nuestra especie presenta dimorfismo sexual. Nos resulta fácil comprender que hombre y mujer tienen parámetros físicos que los hacen visualmente diferenciables y por tanto con capacidades también distintas. La configuración sexual de un cigoto va a determinar su desarrollo diferencial plenamente evidente en la edad adulta. En el lenguaje también hay sutiles diferencias sexuales. Se ha comprobado que las niñas son más precoces, por lo general, en la adquisición del lenguaje y a la vez éste es cuantitativamente y cualitativamente más rico. Además, en la filogenia de nuestra especie estas dos configuraciones anatómicas según el sexo de los individuos se usan para explicar algunas de las diferencias relativas que con respecto al lenguaje manifiestan hombre y mujer. Los hombres tienen sus fémures aproximadamente paralelos, lo que les ha permitido mayor velocidad en la carrera y más capacidad de escapar de los peligros, mientras tanto, la mujer tiene los fémures convergentes hacia las rodillas, siendo más lentas. Por su condición física, la mujer permaneció en las cuevas y cabañas cuidando de la descendencia. El varón desarrolló un esquema mental que le permitía dominar el espacio exterior y su compañera dentro de sus tareas sociales amplió su vocabulario explorando y explotando las posibilidades que la lengua permite, siendo a la vez vector transmisor a la prole que cuidaba ("Desarrollo del lenguaje", n.d.).

Lenguaje e inteligencia

Son frecuentes las discusiones que tratan de relacionar el lenguaje con la inteligencia. Rápidamente asignamos el calificativo de inteligente a aquel que habla con soltura, que se expresa bien y que nos convence en su forma de comunicar. Reconociendo que en determinados casos inteligencia y dominio de la lengua están relacionados, podemos afirmar que el lenguaje y la inteligencia general están separados, varios trastornos bien estudiados prueban esta afirmación:

1.- Hay niños que padecen el síndrome hereditario "déficit específico del lenguaje" y pueden tener una gran inteligencia, una audición innata y capacidades sociales normales. No obstante, no pueden hablar ni entender su idioma.

2.- Se conocen niños con ciertos retrasos mentales que pueden expresar pensamientos infantiles de forma fluida, con adecuado uso de la gramática y con valores normales en pruebas de comprensión de oraciones.

Estas últimas consideraciones avalan la afirmación de que el lenguaje es un código por el que transmitimos nuestras ideas, pero que, en esencia, es diferente de las propias ideas (Kandel *et al.*, 2001).

Conceptos básicos del capítulo 1

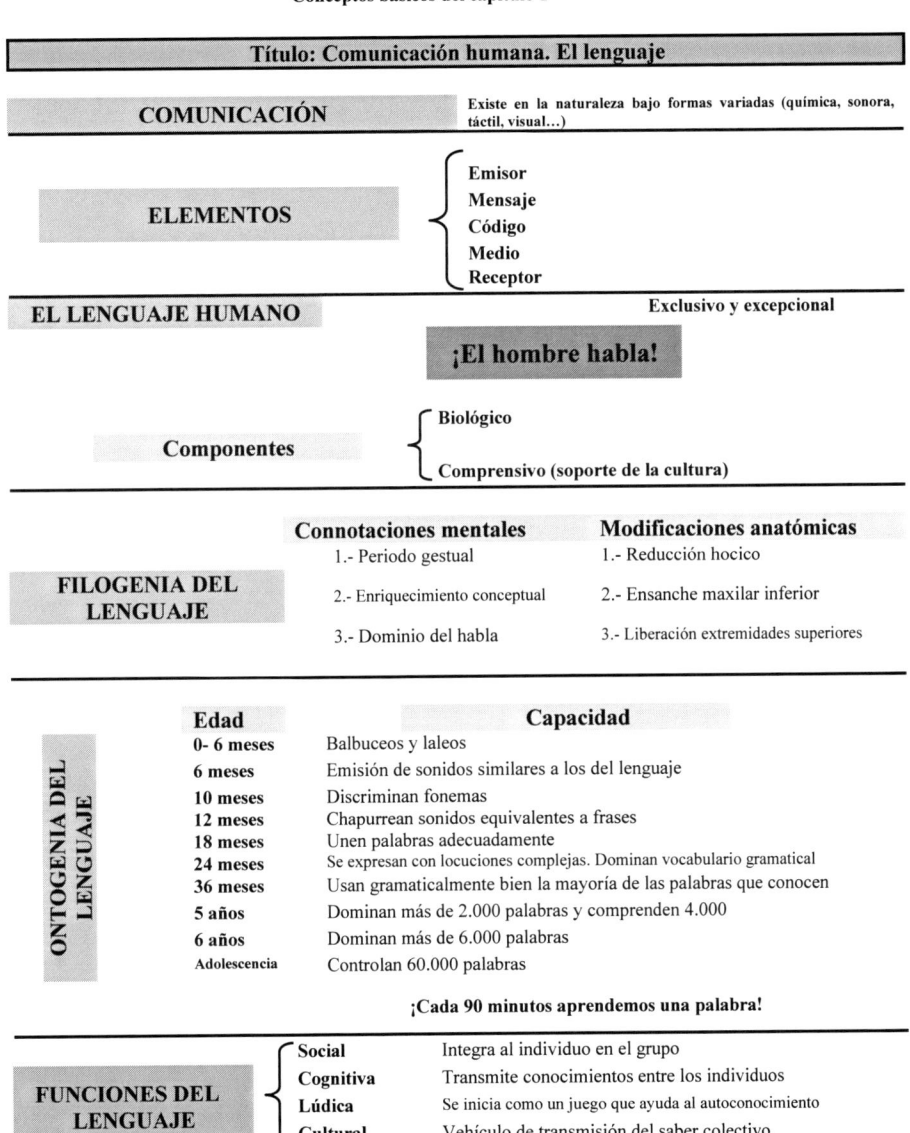

Título: Comunicación humana. El lenguaje	
COMUNICACIÓN	Existe en la naturaleza bajo formas variadas (química, sonora, táctil, visual...)

ELEMENTOS
- Emisor
- Mensaje
- Código
- Medio
- Receptor

EL LENGUAJE HUMANO Exclusivo y excepcional

¡El hombre habla!

Componentes
- Biológico
- Comprensivo (soporte de la cultura)

FILOGENIA DEL LENGUAJE

Connotaciones mentales	Modificaciones anatómicas
1.- Periodo gestual	1.- Reducción hocico
2.- Enriquecimiento conceptual	2.- Ensanche maxilar inferior
3.- Dominio del habla	3.- Liberación extremidades superiores

ONTOGENIA DEL LENGUAJE

Edad	Capacidad
0- 6 meses	Balbuceos y laleos
6 meses	Emisión de sonidos similares a los del lenguaje
10 meses	Discriminan fonemas
12 meses	Chapurrean sonidos equivalentes a frases
18 meses	Unen palabras adecuadamente
24 meses	Se expresan con locuciones complejas. Dominan vocabulario gramatical
36 meses	Usan gramaticalmente bien la mayoría de las palabras que conocen
5 años	Dominan más de 2.000 palabras y comprenden 4.000
6 años	Dominan más de 6.000 palabras
Adolescencia	Controlan 60.000 palabras

¡Cada 90 minutos aprendemos una palabra!

FUNCIONES DEL LENGUAJE

Social	Integra al individuo en el grupo
Cognitiva	Transmite conocimientos entre los individuos
Lúdica	Se inicia como un juego que ayuda al autoconocimiento
Cultural	Vehículo de transmisión del saber colectivo

Manifestaciones	Áreas de Brodmann y otras zonas afectadas. Los nº identifican AB
Verdadera afasia de Broca	
Hablan lenta y arduamente Articulación trastocada No repiten frases largas Hablan sin entonación melódica La compresión no es correcta	8, 9, 10, 41, 44, 45 y 46. Parte de la 6 Sustancia Blanca Ínsula (AB 13 y 14) Ganglios basales
Afasia del área de Broca	
Incorrecta combinación de fonemas Incoherente construcción de oraciones	9, 39, 40, 44,45, 46 y 47 Sector inferior de 1, 2, 3 y 4
Afasia de Wernicke	
Contenido ininteligible del habla Parafasias verbales y fonémicas	22, 39 y 40 En los casos más graves 21 y 37 Sustancia blanca profunda
Afasia de conducción	
No pueden repetir frases de forma literal Parafasias fonémicas Dificultad para dar nombre a las cosas	39, 40, 41 y 42
Afasia transcortical sensitiva	
Comprenden deficientemente Denominan mal los objetos	22, 39 y 40
Afasia transcortical motora	
No hablan con fluidez, pero pueden repetir frases largas	4, 6, 8 y 9 A veces también en 44 y 45
Afasia global	
No comprenden el lenguaje No emiten palabras No repiten frases Parálisis en las extremidades derechas	Las áreas citadas en las Afasias de Broca, de Conducción y de Wernicke

AFASIAS

El lenguaje es diferente de las propias ideas que transmite
El lenguaje no está relacionado directamente con la inteligencia

Capítulo 2. El lenguaje escrito

Definido el lenguaje humano, procede, antes de enfrentarnos a las especificidades de la dislexia, tratar la escritura desde una perspectiva histórica y conceptual, ya que el trastorno de referencia se manifiesta exclusivamente a través de esta modalidad comunicativa.

Fundamentos de la escritura

Para entender la creación de la escritura debemos hacerlo desde la semiología, la ciencia que estudia todo lo relacionado con la utilización de los símbolos o signos que los humanos empleamos en nuestra comunicación (Rondal y Serón, 1991). El hombre usa y ha usado gestos, danzas, señales de humo, tambores, **pictogramas**, tatuajes, pinturas rupestres, maquillaje y hasta formas de vestir con una finalidad comunicativa. Estas modalidades comunicativas pueden dividirse en gestuales, que son efímeras; y pictóricas, que se mantienen en el tiempo y en el espacio (Calvet, 2001). La escritura es, lógicamente, una de las últimas, fruto de un proceso que intentaremos aclarar más adelante. La escritura pudo surgir del encuentro entre un sistema pictórico y un sistema gestual. Inicialmente la escritura debió estar subordinada a la gestualidad, concretamente al gesto sonoro.

Dejamos claro en el primer capítulo que existe comunicación cuando un emisor crea un mensaje, articulado según un código (en este caso lo escribe con unos símbolos concretos), se transmite a través de un medio (pared, papiro, papel...) hasta el receptor, que conoce el código (sabe leer) y lo interpreta. Lo sorprendente de este sistema de comunicación es la posibilidad de que el emisor y el receptor no coincidan ni temporal ni espacialmente.

La escritura no es un sistema natural de comunicación y no es fruto de un proceso evolutivo biológico. No es universal, no todos los pueblos y civilizaciones han creado este sistema y cuando lo han hecho, lo han afrontado con diferentes y, en todo caso, geniales soluciones.

Etimológicamente la palabra "escritura" y muchas de las denominaciones en otros idiomas nos remontan a términos relacionados con "incisión", esto nos permite considerar que "escribir" es efectuar hendiduras o arañar (como se ha plasmado en piedras y vasijas), y que estos primeros grafismos no tenían transcripción lingüística, por lo que la denominación y el origen de la "escritura" nada tiene que ver con los sonidos propios de la lengua.

Dentro del largo proceso de creación de los sistemas de escritura, al definir el sistema alfabético, se dio un fenómeno excepcional. El hombre graba sonidos de nuestra lengua que son interpretados perfectamente por quienes conociendo el código, que es arbitrario, lo leen tiempo después. La escritura es, en definitiva, un sistema que graba sonidos representados en signos arbitrarios. No obstante, ni el más elaborado de los sistemas de escritura es capaz de grabar toda la riqueza expresiva, prosódica y gestual que tiene la comunicación oral (Rondal y Serón, 1991). Todo lo que está escrito puede leerse y con ello comunicarlo oralmente; por el contrario, el paso de la comunicación oral a la escrita conlleva la pérdida de innumerables matices que la escritura no puede recoger. La lectura y la escritura son procesos reversibles, dentro de los cuales es más fácil leer que escribir.

La posibilidad de comunicar en el tiempo y en el espacio ha permitido a las colectividades humanas acrecentar su capacidad productiva, rentabilizar todos los hallazgos útiles y lograr el grado de desarrollo que ahora conocemos. Inicialmente la capacidad de usar este segundo lenguaje era exclusiva de unas clases sociales privilegiadas y minoritarias. Hasta hace poco más de 100 años, como ya analizaremos, la escritura estuvo circunscrita a clases o sectores sociales relacionados con el poder político o religioso. Estos poderosos poseedores del conocimiento de la escritura cuidaban mucho su preservación en su ámbito social. Serán las ideas de la **Ilustración** las que promuevan la generalización de la enseñanza de la escritura como vehículo de difusión cultural y promoción personal. Los sistemas educativos europeos y americanos de finales del siglo XIX serán los articuladores de esta universalización de la enseñanza de la escritura (Gayán, 2001).

Colectivamente hemos comprendido la importancia que tiene la escritura para nuestro desarrollo social. La palabra, antes de ser escrita, era y es un mensaje que con el tiempo se puede olvidar, se puede modificar y en algunos casos tergiversar intencionadamente. Encontramos a nuestro alrededor citas alusivas a esta evidencia: "Las palabras se las lleva el viento", "lo escrito, escrito está", e incluso en dichos latinos: "*Verba volant, scripta manent*" (las palabras vuelan, lo escrito permanece), que refuerzan el papel asignado a la escritura como fenómeno que retiene el mensaje, que lo hace más consistente y revisable.

Orígenes de la escritura

Al hablar del origen de la escritura nos estamos refiriendo a los resultados de las investigaciones, efectuadas fundamentalmente en los últimos 200 años, sobre restos arqueológicos que habiendo soportado las acciones físicas y químicas del medio nos han llegado en buen estado de conservación. Cabe suponer que otras evidencias de escritura se han perdido en el tiempo al estar plasmadas en soportes más vulnerables (piel, cortezas…).

Se han documentado inscripciones de posibles mensajes; tales como incisiones en huesos, que pueden tener unos 37.000 años, guijarros coloreados de la gruta Mas D´Azil, en Ariège (Francia), datados desde hace unos 11.000 años, y las famosas manos en negativo que aparecen en paredes de cuevas y abrigos. En ninguno de los casos los especialistas califican esas inscripciones como formas estrictas de escritura.

Todas las escrituras parten de un sistema **ideográfico** arbitrario y particular, como es, por ejemplo, las transcripciones onomatopoyéticas que hacemos de un sonido animal en cada idioma. Con el tiempo este sistema ideográfico se va separando del original y divergiendo aún más, hasta construir un signo desprovisto de todo motivo figurativo.

Es criterio común considerar que la verdadera escritura tiene su antecedente más remoto hace unos 5.300 años, en Mesopotamia, región comprendida entre los ríos Tigris y Eúfrates, donde diversos pueblos idiomáticamente y culturalmente diferentes formaban un "cóctel" del que surgió, por iniciativa de uno y por interacción con los demás, la **escritura cuneiforme**, de la que ya hablaremos más extensamente. Hemos dicho que la escritura surge en algunos puntos de la Tierra y lo hace de formas diferentes, usando atrevidos y diversos códigos. Los especialistas han analizado pormenorizadamente los sistemas de escritura identificados en los hallazgos arqueológicos, entre los que se encuentran los que más adelante analizaremos. Estos investigadores clasifican la metodología usada en varias categorías, atendiendo a la forma en que afrontan la creación de su código para cada caso (Calvet, 2001). Según nos cita este autor, Jean-Jacques Rousseau consideró que existen tres tipos de escritura:

1.- La que escribe exclusivamente ideas, no sonidos, como es el caso de los jeroglifos egipcios.

2.-La que representa las palabras mediante caracteres convencionales, como podemos observar en el chino.

3.-La que componen las palabras según un alfabeto que asigna a cada signo un sonido, tal como hacemos nosotros.

Por su parte, Ferdinand Saussure, reconocida autoridad en la investigación lingüística, dijo que "lengua y escritura son dos sistemas distintos de signos, la única razón de ser del segundo es representar al primero" (Calvet, 2001). Este autor reduce a dos los sistemas de escritura estudiados:

1.- Ideográfico (cada palabra es representada por un signo). En este sistema encajan, al menos, el chino y el jeroglífico.

2.- Fonético. Se intentan reproducir las cadencias de los sonidos que se suceden en la palabra (latín, español, francés...).

Exponemos como último aporte referente a la clasificación de las escrituras la propuesta de Gelb, quien por su parte define cuatro sistemas de escritura (Calvet, 2001):

1.- Logográficas: en el que cada uno de los signos transcribe una palabra (chino).

2.- Logosilábicas: en el que aparecen signos **logográficos** y signos silábicos (la escritura egipcia tardía, que evolucionó desde los jeroglifos, creando un sistema silábico, quizás por influencia sumeria).

3.- Silábicas: cada uno de los signos que se utiliza representa una sílaba (la escritura protoarménica).

4.- Alfabéticas: cada uno de los signos que utiliza representa un fonema, un sonido de la lengua (español).

Los numerosos estudios sobre escrituras antiguas permiten, ante una nueva investigación de soportes gráficos arqueológicos, clasificar rápidamente la tipología de la misma en función del número diferente de iconos observados. Si tiene menos de 40 signos, es una escritura alfabética; si el número supera 40 pero no llega a 100, hemos de considerar que es una escritura silábica y en los casos en que los caracteres sean cientos, evidentemente es una escritura **pictográfica,** ideográfica o logográfica.

Es curioso comprobar cómo cada uno de los pueblos que han tenido el atrevimiento y el ingenio de crear sistemas de escritura, tras unas generaciones desde su creación han ido atribuyendo la sorprendente creación a dioses o a hechos legendarios (Calvet, 2001). Los sumerios atribuyen el invento de la escritura al rey Enmerkar, de la dinastía Uruk, quien en determinado momento tuvo necesidad de mantener correspondencia con el señor de cierta población iraní, Aratta. Para los aztecas, fue el dios Quetzalcóatl (la serpiente emplumada) quien inventó el arte y la escritura. Los mayas consideraron a la escritura como un invento del dios del tiempo, Itzamna, que lo entregó a los hombres. En el caso de los egipcios, fue el dios Toth, dios de las artes y protector de los escribas, quien creó ese sistema. Para los chinos fue Chang Ji, quien, enviado por el dios amarillo (Huang Di) en el siglo XXVI a. C., al ver las huellas dejadas por los pájaros y otros animales, tuvo la inspiración de usarlas para distinguir signos diferentes, inventando así la escritura. La aparición de la escritura surge de un lento y costoso proceso iniciado por necesidades administrativas y de contabilidad y la leyenda acaba atribuyéndolo a un regalo divino, primero, por olvido de su origen real y, segundo, por considerarla extremadamente valiosa.

Sistema alfabético

Se conocen diferentes sistemas de escritura, de los que ya hemos anticipado algunas cuestiones. De entre ellos, todos los expertos consideran que las escrituras alfabéticas, en las que simples signos representan sonidos, que unidos forman palabras, tienen un origen común, la escritura cuneiforme sumeria (Calvet, 2001).

El sistema alfabético no es un sistema más, no se puede decir que sea el más perfecto, pero es posiblemente el más utilizado, ya que ha permitido, como en el caso de las lenguas del África negra (ver más adelante), usarlo para la transcripción de diversas lenguas. Los lingüistas consideran mejor sistema de escritura al alfabético, ya que tiene el mismo carácter lineal que la lengua. Este sistema se basa en el principio "rebus", mecanismo de escritura según el cual cada pictograma pierde su representación formal y se interpreta como un sonido, equivalente al primer fonema del nombre de la representación formal del pictograma. En la mejora del sistema de escritura aparecieron formas más complejas, donde se combinaban pictogramas con unidades fonéticas. La unidad gráfica de cualquier escritura recibe el nombre de **grafema** (que puede ser una letra, un carácter chino, un número, un signo de puntuación o un logotipo). En el proceso de aparición de los alfabetos, se abandonó la referencia icónica para adoptar signos (letras) que tienen una correspondencia fonética elemental y que combinadas permiten referirse a palabras usadas en el lenguaje hablado. Cada letra, aunque hoy representa un sonido, tiene en su origen la representación de un pictograma. Así, nuestra letra A, de la que daremos una breve descripción histórica, tiene su origen en el icono que representaba un buey (Aleph); la B (Beth), una casa; la N (Nun), una serpiente. Estamos ante una muestra de la capacidad creativa de nuestros ancestros, que con su ingenio inventaron este sistema de transcripción del lenguaje oral al escrito (Artigas-Pallarés, 2009).

Desarrollemos el origen y transformación de los sistemas alfabéticos. A finales del cuarto milenio antes de Cristo, en la Baja Mesopotamia habitaban dos pueblos, los sumerios, en el Sur, y los acadios, en el Norte, que hablaban una lengua semítica. Los sumerios nos dejaron los primeros rastros de una escritura (la escritura cuneiforme de la que hablaremos más adelante). Este hecho ocurrió hace 5.300 años (en el 3300 a. C.) y lo hicieron, al menos, sobre unas tablillas de arcilla que contienen pictogramas que representan objetos o animales. No podemos atribuir a estos signos una posibilidad de pronunciación. Se han identificado unos 2.000 pictogramas que intentan representar objetos de forma esquematizada, aunque algunos de ellos tienen un claro aspecto abstracto. Estos primeros textos hacen alusión a la gestión de bienes, como rebaños y contratos, otros se referían a tratados y leyes, esto es, asuntos de administración. También se han encontrado textos que hacen alusión a fundaciones, localizados en las cimentaciones de edificios. Era una escritura de las cosas, sin relación con lengua alguna. Este nacimiento de la escritura, como hemos dicho, sucede en Mesopotamia, donde concurren dos circunstancias suficientes y necesarias:

1- Hay una civilización urbana desarrollada, que permite que exista un grupo social numeroso y adecuadamente relacionado.

2.-Esta sociedad se dotó de una gestión administrativa, contable y contractual que precisaba la herramienta de la escritura para su correcto engranaje.

Las últimas investigaciones concretan aún más el origen de la escritura y atribuyen a un pueblo de lengua sumeria, concretamente los Uruk, la creación de la escritura primigenia, que se usaba para indicar, entre otras cosas, referencias en las garantías de los contratos. Esta escritura primigenia se asienta sobre un sistema pictórico (pictogramas) y un sistema gestual (la propia lengua sumeria con la que se comunican oralmente). Esta escritura ha quedado plasmada en arcillas cocidas que perfectamente han soportado el paso del tiempo y tras varias investigaciones ha sido traducida y comprendida. Esta escritura se conoce con el nombre de cuneiforme, debido a que al apoyar el cálamo, instrumento de incisión o rayado, sobre la arcilla blanda se generaba una huella triangular en forma de cono.

En el 2600 a. C. los pictogramas experimentaron un cambio de rotación de 90°, se pasó de una escritura vertical a otra horizontal de izquierda a derecha. Se perdió la similitud entre los signos y el significante representado. Los signos se transformaron y quedaron reducidos a signos puramente convencionales. Una de las ventajas del habla sumeria era su condición fundamentalmente monosilábica. Por lo que los escribas sumerios se sirvieron de la homofonía y construyeron un mecanismo revolucionario, por el que los pictogramas se pudieron usar como sílabas para denominar otras palabras o para emplearlos como significante de un objeto que tuviera la misma pronunciación. El sistema llegó a permitir hacer anotaciones de partículas gramaticales que no tenían transcripciones pictóricas naturales.

La separación inicial entre sumerios y acadios cada vez era menos palpable, sus culturas experimentaban difusión bidireccional. Los acadios hablaban dos dialectos, el asirio al Norte y el babilónico al Sur. Por diversas coyunturas históricas el babilónico fue lengua de cultura en la región (se utilizó como lengua internacional), mientras que los sumerios aportaron la escritura para esa cultura común compartida por los pueblos de la zona. Los acadios usaron los **ideogramas** sumerios atribuyéndoles valores fonéticos, por lo que se produjo un hecho sorprendente, un mismo grafismo pudo leerse de diferentes formas, dependiendo de la lengua vehicular del lector. Los acadios tenían un vocabulario fundamentalmente compuesto por palabras trisilábicas, empleando un grafismo sumerio para cada sílaba. De esta solución acadia, el pueblo ugarítico, asentado cerca de lo que hoy conocemos como Siria, se puede inferir que construyó el primer alfabeto, entendido como tal, para transcribir una lengua semítica el "**protosinaico**" (XIV y XIII a. C.). Más tarde se construye propiamente el **alfabeto ugarítico**. Diversos cambios evolutivos en la formación de la escritura desembocaron en el **alfabeto fenicio** y luego en el **arameo**, que acabaría dominando toda Mesopotamia. Algo similar ocurrió, pero un poco más tarde, con el persa antiguo, que usó la grafía cuneiforme parar transcribir esta lengua.

De forma paralela, mientras esto ocurría en torno a Mesopotamia, a finales del tercer milenio a. C. llegan los hititas a Anatolia, donde hacia el 1500 a. C. adoptaron y adaptaron los signos cuneiformes babilónicos, pronunciados, como cabe suponer, en hitita.

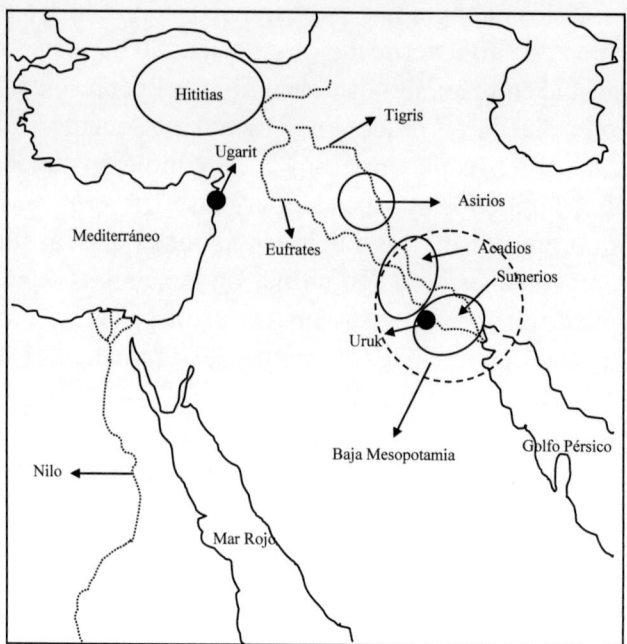

Figura 12. Mapa del nacimiento de la escritura. Representación de las ciudades, pueblos y culturas que determinaron el nacimiento de la escritura, primero cuneiforme y más tarde alfabética.

Figura 13. Escritura cuneiforme. Reproducción de una tablilla con incisiones de la escritura cuneiforme sumeria.

Historia de la A

Como dato aclaratorio del proceso evolutivo por el que los pictogramas se han ido transformando en letras de nuestro alfabeto, apuntamos una breve reseña de la historia de nuestra A, extensible a casi todas las letras que componen nuestro alfabeto. Los investigadores han llegado, de una forma coherente, a descubrir sus antecedentes:

1.-Inicialmente fue un pictograma, que representaba a un buey "Aleph", en semítico.

2.-Por acrofonía, que ya dijimos que es el sistema por el que se da nombre a las letras según un concepto cuya denominación empieza por ella misma (se llama "Aleph" al pictograma que representaba al buey).

3.-Se mantuvo la transcripción, designando al antiguo pictograma, ahora convertido en letra, en "Aleph", después "Alif" y "Alpha" en griego, que finalmente desembocó en nuestra "A".

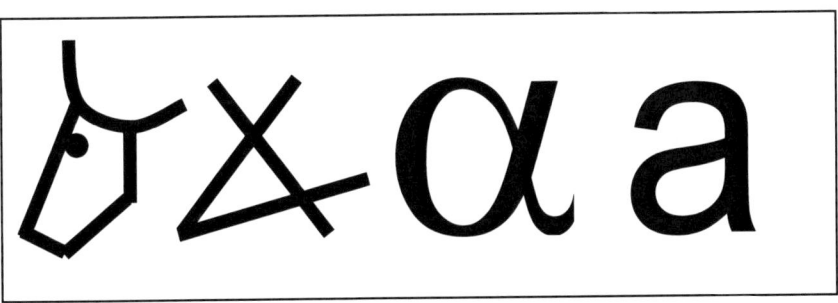

Figura 14. Evolución gráfica de la letra a. Representación de los caracteres históricos que han conducido a la configuración de la letra a: semítico, fenicio, griego y latino.

Podemos asegurar que la relación protosinaica-ugarítica-fenicia-aramea-griega-latina es incontestable y se apoya en la convergencia de nombres, en la convergencia de formas y de valor de la letra. Por tanto, nuestras letras provienen de pictogramas, y todos los alfabetos provienen, por acrofonía, de un sistema de notación silábica (Calvet, 2001).

Expansión del alfabeto

Los griegos adaptaron la escritura aramea y realizaron una transformación sustancial, al sistema consonántico añadieron los sonidos vocálicos. Desde esta situación se llegó al alfabeto itálico. En la expansión de la religión cristiana, al contactar con otros pueblos y con otros idiomas, se adaptó el alfabeto latino y griego a las lenguas locales, surgen de esta forma los alfabetos copto, godo, armenio y gregoriano, entre otros. En el siglo IX, cuando se expande el cristianismo hacia Bulgaria y Moravia, Cirilo y Método tradujeron los evangelios y elaboraron el alfabeto glacolítico, que tiene 40 caracteres; más tarde sirvió de modelo al cirílico, que fue creado por San Clemente (Calvet, 2001).

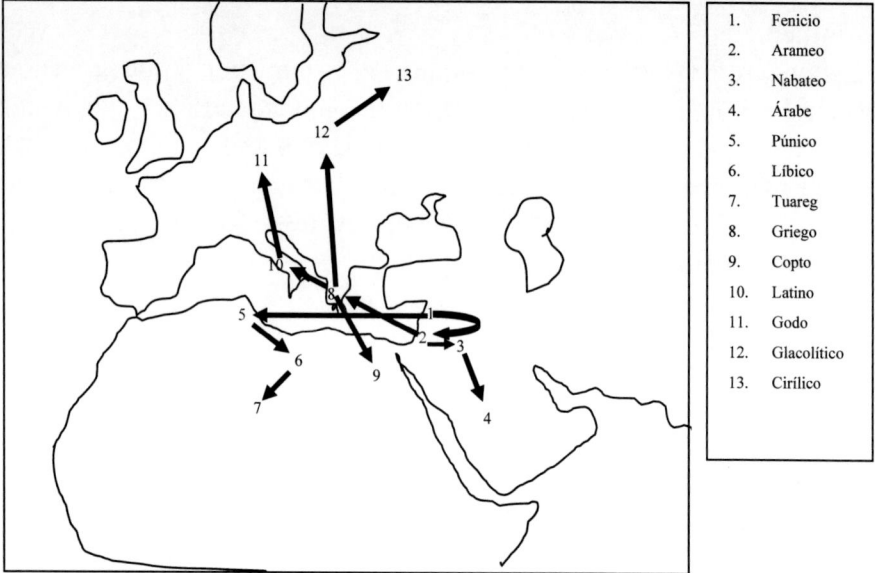

1.	Fenicio
2.	Arameo
3.	Nabateo
4.	Árabe
5.	Púnico
6.	Líbico
7.	Tuareg
8.	Griego
9.	Copto
10.	Latino
11.	Godo
12.	Glacolítico
13.	Cirílico

Figura 15. Flujos evolutivos de los alfabetos. Partiendo del consolidado alfabeto fenicio (1) éste se fue adaptando a diferentes lenguas de la región y más tarde del mundo entero. La figura representa parte de este flujo adaptativo. Algunos de esos alfabetos no persisten en la actualidad. En la columna de la derecha se establece la relación entre los números que aparecen en el mapa y los alfabetos a los que representan.

Escritura árabe

A pesar de la aparente diferencia entre nuestra escritura y la árabe, compartimos con ella el carácter alfabético. Dada su amplia distribución mundial, quizás más de mil millones de usuarios, hacemos una breve referencia sobre esta lengua.

Está considerado que la aparición de la escritura es consecuencia casi inmediata de la creación de sociedades fundamentalmente urbanas. En contra de este principio, los árabes, que eran un pueblo nómada, que comerciaba de oasis en oasis, usaron un alfabeto derivado del fenicio, el alfabeto nabateo, pero transcribiendo la lengua vehicular comercial de la época, el arameo. Este arameo, trascrito en nabateo que poco a poco va arabizándose, da lugar al nacimiento del actual alfabeto árabe. Inicialmente era un sistema imperfecto, que la religión acabó por codificar adecuadamente. En ese momento de expansión del Islam, el árabe camina junto a la religión, pues es el idioma del Corán. No obstante, el árabe encuentra en su expansión alguna dificultad, solo tiene tres vocales (seis si consideramos dos longitudes temporales en la pronunciación para cada una de ellas), por lo que no le resulta fácil adaptarse a las lenguas locales, que tenían muchas más vocales. Así, los turcos abandonan ese idioma que no permite recoger adecuadamente todos sus sonidos, aunque en este caso conviene decir que el laicismo estatal ha tenido un papel relevante en este distanciamiento.

Escritura de lenguas africanas actuales

De África conocemos la escritura egipcia ya desaparecida. Además, sabemos que en Cartago se escribió cierta variedad del fenicio (escritura púnica) que luego derivaría al alfabeto líbico, que más tarde dará lugar al alfabeto tuareg.

El árabe ha sido usado para transcribir determinadas lenguas africanas, pero, hoy, en cualquier intento de escribir una lengua local, se usa el sistema alfabético latino, por eso, todas las lenguas del África negra se han transcrito mediante este alfabeto, quizás por su versatilidad, quizás influenciado por la imposición cultural occidental.

Escrituras no alfabéticas más importantes

Nuestra escritura es alfabética, se sustenta en el alfabeto latino, al que precedieron de forma más significativa en orden inverso los alfabetos griego, arameo, fenicio, ugarítico y **protosinaico**, el cual finalmente proviene de los caracteres cuneiformes (que inicialmente representaban palabras monosilábicas). Esta línea evolutiva la hemos desarrollado más arriba, ahora nos centraremos en dos escrituras no alfabéticas significativas: la jeroglífica y el chino, de las cuales ha tenido la primera, y tiene la segunda, sobrada relevancia cultural.

La escritura egipcia

Cuando pensamos en los egipcios, pensamos en su escritura jeroglífica, cuya etimología es suficientemente explicativa. "Jero" surge de "hiero", que alude a lo sagrado, y "glifo", que se refiere a "grabada". Esta escritura aparece poco después de la cuneiforme, se le asigna el año 3000 a. C. como fecha de su creación. Los jeroglifos son ideogramas compuestos por pictogramas. El pictograma es un dibujo que representa una idea u objeto que puede ser leído en cualquier idioma, y el ideograma es un conjunto de pictogramas que constituyen un sistema.

Dentro de las escrituras egipcias, la más conocida, la más antigua y la más espectacular es la escritura jeroglífica, que se plasmaba en monumentos. Con el tiempo evolucionó generando dos tipos de escritura:

1.-Hierática, como forma cursiva simplificada de jeroglíficos usada por los sacerdotes.

2.-Demótica, más popular y que simplifica aún más la hierática.

Estas dos formas también conviene entenderlas como la evolución técnica de una escritura monumental, practicada con tallado en piedras, que, al pasarla a unas superficies como el cuero y el papiro, donde el cálamo se desliza con mayor rapidez, se manifestaba con rasgos más estilizados y/o suaves. La escritura egipcia evolucionó; bien hacia el fonetismo, de forma que un fonograma (un sonido) es asociado a un grafismo (un signo) que, por tanto, se transcribe como un sonido; bien hacia la acrofonía, de forma que se toman las consonantes iniciales de una sílaba para su uso donde convenga.

Escritura china

La escritura china es de origen logográfico, similar en este sentido a los sistemas maya y egipcio. Consta de miles de símbolos, llamados caracteres (en chino, *hànzì*), que se han utilizado durante al menos tres mil años como forma escrita de la lengua china. El sistema de escritura chino fue adoptado también por otras lenguas asiáticas, en particular el japonés, el coreano y el vietnamita en una difusión paralela al budismo.

Las primeras inscripciones conocidas del chino datan del XII-XI a. C., efectuadas sobre caparazones de tortuga; en el siglo VII se registran en láminas de bronce. La grafía china se modifica al pasar del punzón al pincel, en esta transformación el signo se va haciendo cada vez más autónomo, alejándose de la imitación de la realidad que lo generó en su día.

Hay varias lenguas chinas, sin embargo, comparten la escritura, por lo que un mismo escrito puede tener diferentes sonidos al leerse. La escritura china quedó consolidada hace 2.000 años, casi no ha cambiado, salvo las simplificaciones llevadas a cabo en la China comunista para hacerla más accesible a las masas populares.

Soportes de la escritura

Desde la plasmación de los primeros elementos simbólicos que transmitían mensajes en las paredes de las cuevas, hasta la utilización del papiro, pudieron pasar 10.000 años. El papiro se empezó a usar hace unos 4.000 años. Los griegos mediante rollos de una longitud de entre 20 y 60 pies compilaron un extenso número de volúmenes en bibliotecas creadas en Alejandría, Éfeso y Pérgamo. El papel fue un invento chino datado en el siglo II d. C.

La imprenta pudo tener un antecedente chino de mecanografía portátil datado en el 1100 d. C. En el mundo occidental atribuimos la gloria a Gutemberg, que basándose en ese sistema imprimió la Biblia en el año 1455. Sobre el 1500 d. C., la imprenta se dio a conocer por toda Europa y miles de copias de cientos de libros diferentes se imprimieron por entonces (conocidos como incunables).

El sistema de numeración

Hemos dicho que la plasticidad del sistema alfabético, junto con la expansión religiosa y militar han hecho de este sistema el más utilizado hoy día. Para entender mejor este proceso, apuntamos brevemente la implantación del sistema numérico decimal, de uso casi universal.

Los sistemas de numeración surgen de la necesidad de contabilizar. Es fácil pensar que los sistemas iniciales se basaban en las manos y pies, incluso en las articulaciones. En un momento determinado, algunas de las denominaciones de las partes del cuerpo acabaron siendo exclusivamente significantes de números. Como en el caso de la escritura, donde los significantes, el soporte oral de la denominación, pierden su significado inicial y queda ligado a la denominación del número.

El número pequeño de elementos anatómicos para usar como significantes de los números limita las posibilidades de denominar grandes valores. Era preciso crear sistemas cíclicos que permitieran solventar esta dificultad. Los sumerios usaron dos bases numéricas: 6 y 10. Atribuimos a nuestros números un origen árabe, si bien estos fueron introducidos desde la India, donde surgieron en el siglo V o VI d. C. No obstante, la denominación cifra tiene su etimología en el árabe, donde puede significar "cero", "vacío". El invento del cero, más la asignación de un valor a la posición que ocupan las cifras, permitió, finalmente, escribir cualquier número. Esta capacidad y la simpleza operativa han permitido exportar el sistema decimal a casi todos los rincones de la Tierra, como en menor medida ha ocurrido con el sistema alfabético de escritura.

Universalización de la escritura

El largo, diverso y original proceso histórico de la creación, transformación y dominio de la escritura solo permitió durante poco más de 5.000 años que unos pocos privilegiados dominaran esta capacidad y con ella ostentaran el poder. La escritura ha estado en manos de escribas, de sacerdotes o de nobles; siempre en manos de una reducida y "selecta" minoría. La inmensa mayoría de los ciudadanos no tenían acceso a esta enriquecedora capacidad. No obstante, la utilidad de la escritura como vehículo comunicativo en el espacio y en el tiempo ha beneficiado a toda la humanidad. Los descubrimientos científicos, los razonamientos filosóficos, las aportaciones tecnológicas, los hechos históricos y las obras literarias han documentado a la afortunada minoría que conocía los códigos de interpretación, permitiendo que su contenido, en algunos casos, haya servido felizmente a la sociedad en su conjunto. En otras muchas ocasiones, los grupos poseedores del conocimiento de la escritura la han preservado y custodiado "endogámicamente" como un tesoro de enorme valor que no les interesaba compartir.

Durante la Ilustración, movimiento intelectual histórico desarrollado durante el siglo XVIII, asentado especialmente en Francia, se abogaba por la razón como forma de combatir la ignorancia y se proponía la educación como elemento básico en el progreso de la sociedad para combatir los viejos males del Antiguo Régimen. Esta revolucionaria propuesta no tuvo implantación hasta que a finales del siglo XIX se establecieron los sistemas educativos en los países occidentales, donde la revolución industrial llevó aparejada una revolución social. Desde entonces, todos los estados, según su grado de desarrollo, han ido acercando la escritura a todas las clases sociales. Hoy día, en los países occidentales, la población alfabetizada supera el 95 % de la población total. Los modernos sistemas educativos, las importantes aportaciones presupuestarias y las nuevas técnicas pedagógicas son responsables de esta situación en los países desarrollados, situación que está siendo tomada como ejemplo en el resto de los estados en los que se están dando enormes pasos hacia la universalización de la escritura.

Esta afortunada masificación de la enseñanza de la lectura ha puesto en evidencia la existencia, como veremos con más detalle, de determinadas dificultades en algunos individuos manifestadas en el proceso de aprendizaje, entre las que se encuentra la dislexia, tema fundamental de este libro.

Escritura vs. lectura

En lo que va de capítulo hemos esbozado los orígenes y evolución de la escritura. Conscientemente nos hemos olvidado de la lectura. Los investigadores han trabajado exclusivamente sobre soportes gráficos, sobre escritos. Evidentemente la lectura es un hecho consustancial a la escritura. La escritura es el soporte de la lectura y ésta solo es posible ante un texto escrito. La lectura y la escritura constituyen el mismo fenómeno con dos modalidades expresivas. Cualquier investigación moderna se centra en ambas modalidades. Igual ocurre en este libro; por ello, cuando hablemos de escritura o de lectura estaremos refiriéndonos a un mismo fenómeno, a una misma capacidad. Quien sabe escibir, aun sin manos puede realizar la acción, con los labios o con los pies; y sin vista se puede leer, como hacen los ciegos usando el sistema Braille. Leer es mucho más que descodificar un código escrito o grabado. Escribir es mucho más que trazar garabatos sobre un papel. Leer y escribir son manifestaciones de una capacidad mental que ejerce el hombre por **exaptación**, término que nombra el hecho por el que un órgano puede cambiar su función para adaptarse a un nicho ecológico distinto del que dio origen a dicho órgano (Artigas-Pallarés, 2009). La adquisición de la lectura y la escritura requiere un largo proceso de aprendizaje y éste debe ser especialmente dirigido y, sobre él, como veremos, se ha investigado y teorizado profusamente.

La lectura en la escuela

La revolución educativa, que se inició con la Ilustración, ha permitido que todos los niños del mundo desarrollado, y cada vez más en el resto del planeta, cuenten con una escuela donde aprender a leer. Leer es un proceso tan complejo que ni siquiera nos ponemos de acuerdo a la hora de definir quién es un buen lector. Algunos piensan que leer es reproducir con soltura y entonación los textos, mientras que otros opinan que la lectura es correcta cuando se entiende perfectamente el texto. Curiosamente, cuando a los educadores se les pregunta por el grado de satisfacción que encuentran en sus alumnos en cuanto a la lectura, los profesores de primaria ofrecen opiniones positivas en sus respuestas; mientras que los de secundaria se inclinan por opiniones más negativas. Esta dualidad es, sin duda, debida a la exigencia de cada profesor. En primaria, con lograr una lectura ágil y entonada es suficiente, mientras que en secundaria los profesores exigen y consideran que no se lee bien en tanto que no sea una lectura totalmente comprensiva (Cuetos, 2006).

Recordando nuestro paso por la escuela queda probado que el aprendizaje de la lectura lleva varios años de nuestra vida. Este proceso de aprendizaje es costoso, duradero y debe ser meticulosamente dirigido. Estas características prueban, en contra de lo que ocurre con el lenguaje oral, que estamos ante un tipo de lenguaje para el que no estamos específicamente preparados. Aprendemos a leer utilizando unas estructuras cerebrales diseñadas para diversas capacidades relacionadas con las imágenes y la comprensión y en ellas, con una perfecta coordinación y comunicación, acabamos dominando la lectura. Tras la adquisición plena del proceso lector somos capaces de leer entre 150 y 400 palabras por minuto.

Mientras que el aprendizaje de la lengua se hace paulatinamente en los primeros años de la vida de los humanos, la lectura se afronta una vez que el niño tiene un grado de desarrollo cognitivo, motriz y emocional que lo hacen apto para afrontar el reto. Algunos autores introdujeron el término "madurez lectora", que ahora es de uso generalizado, aunque también tiene algunos detractores. "Madurez lectora" es el estado desde el cual un niño puede, con éxito, afrontar el aprendizaje de la lectura. Dado que el aprendizaje de la lectura requiere una adecuación del sistema nervioso, no es fácil encontrar la edad ideal para someter a los niños al proceso de aprendizaje. Hasta los clásicos griegos postularon edades ideales para afrontar el aprendizaje de la escritura. Platón estimaba que eran los 6 años el momento ideal, mientras que Aristóteles lo anticipó a los 5 y, Crisipo, por su parte, consideró que la edad de 3 años era la propicia (Tomatis, 1979). La dificultad del aprendizaje de la lectura quedó ya expresada por San Agustín, que según trascribe Tomatis (1979), llegó a decir: "Me llevan a la escuela para que aprenda las letras, pero con poco provecho, pues sólo recibo golpes. Los mayores encuentran esto perfecto. Quienes nos precedieron en la vida han dejado unos senderos dolorosos por los que es preciso transitar, aunque ello suponga un aumento de los naturales trabajos y sinsabores…".

Hoy día está consensuado que el aprendizaje de la lectura debe afrontarse entre los 4 y los 10 años y, para ello, el niño debe tener desarrolladas determinadas capacidades, lo que hemos denominado antes "madurez lectora". Estas capacidades se valoran mediante tests o escalas de psicomotricidad (lateralidad, estructuración espacial y esquema corporal) que se relacionan con la lectura.

Procesos superiores de lectura
Leer bien es comprender. Comprender es extraer los componentes sintácticos y semánticos. En la comunicación oral, el hablante entona, hace pausas, separa unidades, acompaña gestos, todo en beneficio de la comprensión del escuchante.

En la lectura esto resulta más difícil. El niño para comprender lo escrito necesita conocer las funciones de los signos de puntuación y reconocer la estructura de las frases para verdaderamente comprenderlas. Es preciso que los niños comprendan los papeles sintácticos usados en la escritura. Es imprescindible que conozcan la estructura semántica del texto destacando de él lo más importante. Conocida la estructura semántica, se deben integrar los conocimientos que aporta. La preparación previa de los alumnos, como desarrollaremos más tarde, antes de leer un texto, facilita su comprensión. La práctica de la lectura, como la práctica de interpretación musical con un instrumento, mejora su propia capacidad, pudiendo, si las características del individuo y la perseverancia lo permiten, llegar a la virtuosidad.

Rutas de lectura

Está comúnmente aceptado que, según la forma de extracción del contenido de un texto, nos encontramos ante rutas de adquisición diferenciables, la **ruta fonológica** y la **ruta visual**, relacionadas a su vez con la controversia que se trata en el último apartado de este capítulo sobre la práctica de la lectura "letra a letra" o por "palabras".

Ruta fonológica

En esta ruta se identifican las letras con un análisis visual, se recuperan los sonidos de las letras mediante la conversión grafema a fonema y se recupera la pronunciación según las reglas de combinación de sonidos. Esa pronunciación evocada en nuestra mente es comparada en el **léxico auditivo**, como hacemos con el lenguaje oral al escuchar a nuestros interlocutores. El significado se activa en el **sistema semántico**, del que ya hablaremos, y comprendemos los mensajes escritos. La lectura en español es perfectamente accesible por esta ruta, dado su carácter transparente. El mecanismo de conversión de grafema a fonema se lleva a cabo por un triple proceso:

1.- Análisis grafémico. Separamos las letras que tiene una palabra.

2.- Asignación de fonemas. A cada grafema que compone la palabra se le asigna un sonido.

3.-Unión de fonemas. Identificados los sonidos que representan los grafemas, se combinan en el orden adecuado para producir su pronunciación conjunta y unitaria.

Observamos que cuando un niño está aprendiendo a leer tiene enorme dificultad para usar correctamente este triple mecanismo y aunque sea bien manejado, no aporta una velocidad suficiente. Ampliaremos más adelante que a este triple proceso se le añade un cuarto, la recuperación del significado de las palabras, esencial para la lectura comprensiva.

Ruta visual

Disponemos de un almacén mental que contiene las palabras escritas que conocemos, el **léxico visual.** La ruta visual puede ser explicada con el denominado modelo del "**logogen**", que es el nombre que se le da a la forma en que está representada cada palabra en el léxico visual, que más adelante definiremos. Este "logogen" tiene un umbral crítico de reconocimiento, cuando se tiene suficiente información la palabra es reconocida y se pasa, como veremos, al siguiente módulo del sistema lector. Cada vez que se reconoce una palabra, el umbral de reconocimiento baja al aumentar la capacidad de reconocimiento (Cuetos, 2006).

En la ruta visual se produce lo que denominamos efecto "priming", que se da cuando una palabra para reconocer va precedida de otra relacionada con ella y que nos facilita la identificación de la misma, en este caso el tiempo de reconocimiento baja (Mediterráneo se lee mejor si va precedida de la palabra mar). En esta ruta las palabras parecidas requieren más tiempo, pues hasta tomar la decisión final es preciso hacer ciertas comprobaciones, así, al encontrarnos en un texto con la palabra "merendor", hace falta una alta activación del "logogen" de la palabra "merendar", hasta finalmente descartar ésta y por la ruta fonológica pronunciar "merendor".

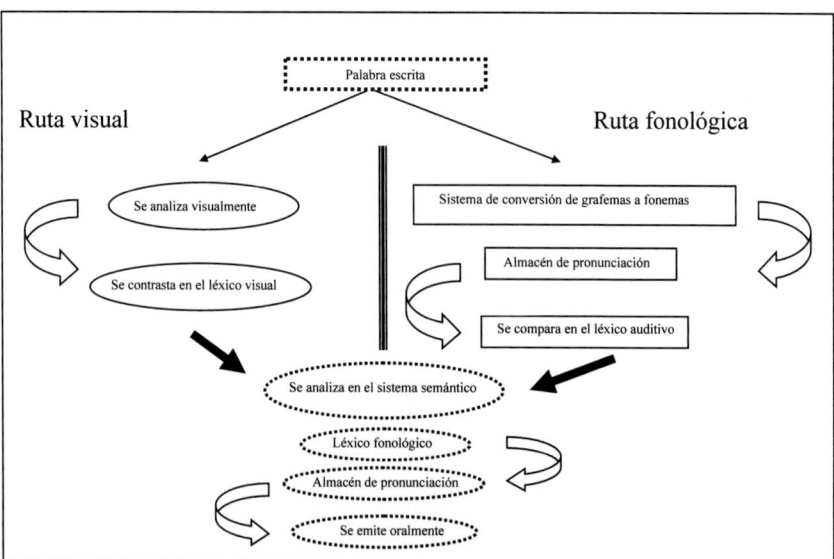

Figura 16. Rutas de lectura. Representación esquemática de las intervenciones secuenciales de los diferentes módulos lectores de las rutas visual y fonológica. Con demarcación elíptica discontinua aparecen los módulos lectores comunes a las dos rutas.

Métodos de enseñanza de la lectura

Existe una enorme variedad de métodos educativos que pueden emplearse en cualquier enseñanza. Si lo aplicamos a la lectura, efectivamente, encontramos muchos métodos de aplicación, pero entre todos ellos podemos hacer dos grupos perfectamente diferenciables y que tienen concordancia con las rutas que se usan en la lectura:

1.- **Métodos sintéticos**. En ellos se empieza trabajando con unidades subléxicas, como letras, sílabas y palabras, casi siempre siguiendo este orden. Concretamente, el método es alfabético si se enseñan los nombres de las letras, es fonético si se enseñan los sonidos de las letras y es silábico, si se introducen inicialmente estas unidades.

2.- **Métodos analíticos o globales**. El educador enseña en primera instancia frases o palabras y concluye con sílabas y letras.

Cuando la práctica de la lectura se hace siguiendo las reglas fonológicas, la denominamos lectura "fenicia", cuando se hace accediendo directamente al significado de las palabras, la llamamos lectura "china". Es fácil deducir que los métodos sintéticos explotan la que denominaremos ruta fonológica y que los métodos globales lo hacen utilizando la ruta visual. Un correcto aprendizaje, independientemente del uso mayoritario de una ruta, debe usar la complementaria para completar la enseñanza. Una y otra ruta, como ya profundizaremos, son estrictamente necesarias en algunos casos; así es perfectamente válida la ruta fonológica en la lectura de las palabras regulares (palabras cuya pronunciación es acorde a las letras que contiene), y fundamental en la lectura de las **pseudopalabras** (que se construyen con reglas fonéticas de un idioma, pero que no tienen significado, como por ejemplo "pantacate"), mientras que las **palabras irregulares** (que se pronuncian de forma diferente a su escritura, que suelen ser palabras prestadas de otros idiomas, por ejemplo "software") precisan la ruta visual. Veremos en los trabajos sobre dislexia cómo cada tipo de palabra puede servir en pruebas diagnósticas para clasificar y determinar la supuesta deficiencia lectora del paciente. Es también deducible que los jóvenes lectores chinos usan el método analítico o global, mientras que en los idiomas como el nuestro, se desarrolla mejor por el sistema sintético.

Factores favorecedores en el aprendizaje de la lectura

La lectura se adquiere de una forma menos traumática en los niños que tienen desarrollados individualmente aspectos fonológicos, lingüísticos y cognitivos, aunque entiende Cuetos (2006) que estos aspectos no son totalmente imprescindibles pero sí facilitadores. También es esencial la actitud pedagógica que tome el educador ante sus alumnos. Analizaremos seguidamente estas consideraciones.

Factores fonológicos

Como el aspecto más importante para aprender a leer es reconocer las palabras y para ello es preciso convertir grafemas en fonemas, el niño para poder leer necesita aislar los sonidos que componen las palabras. Tomatis (1979) ya dejó plasmado que antes de llegar a la escritura es preciso poseer y dominar el lenguaje hasta en el más mínimo detalle, conjugando y explorando el contenido acústico, ya que en la conquista del lenguaje oral, el oído es el primer analizador. Es, por tanto, estrictamente necesario que el niño tenga desarrollado el lenguaje oral, ya que al leer por la ruta fonológica, necesita tener representación de las palabras en el léxico auditivo, además, precisa segmentar el habla en fonemas, por lo que deberá poseer "**conciencia fonológica**", que es una habilidad **metalingüística** que permite tomar conciencia del lenguaje oral. Puede resultar paradójico considerar que para leer hace falta conciencia fonológica, cuando sabemos que la lectura desarrolla la capacidad discriminatoria de los fonemas. La conciencia fonológica tiene su continuidad en la "**conciencia de los fonemas**", que es la habilidad que permite conocer cómo las palabras están constituidas por unidades fonológicas discretas, los fonemas. Desarrollada la conciencia de los fonemas, el niño está listo para manipular estas unidades (*Dislexia y dificultades de aprendizaje*, 1994).

Es común pensar que en la preparación de los niños ante el inminente aprendizaje lector, conviene entrenarlos en el desarrollo de las formas más simples de conciencia fonológica, como son el juego de rimas, la separación silábica acompañada de palmas o, finalmente, la separación de fonemas.

Factores lingüísticos

Cuando los niños entienden adecuadamente los mensajes orales, están en mejores condiciones para comprender los mensajes escritos. De esta consideración se concluye que la lectura de cuentos y las conversaciones ricas y variadas facilitan al niño su capacidad lectora. El amplio vocabulario agiliza el proceso lector, se reconocen más palabras y se emplea menos tiempo en su identificación, facilitando los subsiguientes procesos, como veremos más adelante.

Factores cognitivos

Los niños en su primera infancia no entienden oraciones largas, dado que la memoria operativa se les desborda y no pueden recordar las primeras palabras una vez han escuchado las últimas. Este desbordamiento de la memoria operativa también se manifiesta en los casos en que leen tan despacio que la difusión de la memoria operativa juega el mismo papel. Si el fin de la lectura es la integración de los contenidos, el niño debe tener, además, un sistema cognitivo suficientemente desarrollado. El almacén de significados o conceptos, el módulo mental que guarda éstos, favorece la lectura, pues cuanto más rico y variado sea este almacén, el establecimiento de las representaciones de las palabras se efectúa con más eficacia. De igual forma actúa la posesión de amplios conocimientos culturales y sociales, con ellos se mejora la comprensión e integración de los textos.

Actitud del educador frente al alumno

Independientemente de los métodos aplicables y de los factores individuales antedichos, los educadores que tienen la obligación laboral de enseñar a leer desarrollan su trabajo con diferentes actitudes y resultados. Entre los diferentes procedimientos pedagógicos utilizados para enseñar a leer, nos encontramos con dos tendencias:

1.- Antigua y poco operativa, que en nada está interesada en dilucidar cuáles son los mecanismos utilizados por el niño para asegurar la integración. En esta tendencia existe una administración imperativa y repetitiva que el niño absorbe en actitud pasiva y con resultados, en muchos casos, penosos.

2.- Moderna y activa, consciente de los mecanismos que operan en el niño, que apela a su ingenio bajo cualquier supuesto y capaz de captar su interés. Obviamente los resultados de esta tendencia pedagógica son, ante todo, menos traumáticos y en muchos casos muy satisfactorios.

Pasos para aprender a leer

El duro y largo proceso de aprendizaje de la lectura requiere ejecutarse por etapas. Es obvio que necesitamos previamente reconocer las palabras, que es necesaria una metodología educativa concienzudamente preparada. Se discute todavía si hay que enseñar a procesar sintáctica y semánticamente los textos para llegar a la lectura comprensiva o si esta parte es prescindible (ya nos extenderemos sobre estos conceptos más adelante) (Cuetos, 2006).

El reconocimiento de las palabras es el proceso que más tiempo necesita y el que produce, como también se analizará, más trastornos de la lectura. Cuando un niño descifra la relación grafemas/fonemas, está usando la ruta fonológica. Cuando una vez tras otra va encontrando la misma palabra va creando su representación léxica. Con el tiempo se mejora la ruta fonológica y se va enriqueciendo el almacén de representaciones léxicas, lo que va a generar más velocidad y, con ello, mejor comprensión, ya que hay un menor esfuerzo de "extracción" y descifrado (Cuetos, 2006).

Cuetos (2006) cita a Uta Frith, quien en 1985, al estudiar el aprendizaje de la lectura en niños ingleses, concluyó que el proceso de aprendizaje conllevaba tres pasos o etapas:

1.-Logográfica. Entre los 4 y 5 años los niños sin tener información sobre transformación de signos gráficos llegan a conocer algunas palabras dentro de un contexto. Es un reconocimiento global de palabras como "Coca-Cola" en las botellas o en las vallas publicitarias.

2.-Alfabética. Una vez se le enseñan sistemáticamente las reglas de conversión grafema/fonema, inicia la etapa alfabética. El niño asigna sonidos a grafemas y descubre que deben pronunciarse en un orden concreto. Llegan a diferenciar sonidos de una palabra para darse cuenta de que es una palabra conocida. Pueden ir leyendo "e-le-fan-te" y ellos, conscientes de su lectura, exclaman: "¡elefante!".

3.-Ortográfica. Conociendo ya un buen número de palabras no necesitan ir transformando grafemas a fonemas. Esta etapa es fundamental en idiomas como el inglés, que en cierto modo es opaco (no siempre hay correspondencia directa entre una misma combinación de letras y un mismo sonido). En cualquier idioma, tras un largo proceso de aprendizaje, las palabras son reconocidas a través de la ruta visual, sobre todo después de abundante y efectiva práctica lectora.

A pesar de que esta propuesta se hizo sobre el aprendizaje del inglés, en español, como veremos más adelante, también se manifiestan, en cierta forma, estos pasos.

La escritura y lectura en español

El español es una lengua normalizada académica e, institucionalmente, hablada por más de 500 millones de habitantes, que tiene un sistema de escritura alfabético muy transparente. Procede del latín vulgar y de él toma su alfabeto. En español la correspondencia entre los grafemas, letras o signos indivisibles de la escritura, y los fonemas, sonidos básicos de la lengua oral, es casi perfecta (Cuetos, 2006). Solo existen discrepancias en las letras "c", "g" y "r", las cuales, según el contexto, deberán ser transformadas en un fonema u otro:

-La "c", seguida de "a", "o" y "u", se pronuncia como /k/, mientras que seguida de "i" y "e" se pronuncia como /θ/.

-La "g", seguida de "a", "o" y "u" se pronuncia /g/, y seguida de "i" y "e", se pronuncia /j/.

-La "r" se pronuncia /rr/ cuando es la inicial de una palabra o tras las consonantes "l", "n" y "s"; y se pronuncia /r/, en el resto de los casos (ver figura 2).

El castellano es muy transparente en la lectura, no así en la escritura. Por las características de nuestro propio idioma, usamos más la ruta fonológica. Está probado que los niños que hablan español usan la ruta fonológica con soltura a los 6 años, mientras que los ingleses deben esperar a los 7. Las sílabas en español son muy simples (la mayoría no tiene más de tres letras) y considerando la fidelidad entre letra y sonido, invita a que se enseñe con métodos fonéticos, alfabéticos o silábicos. Sea cual sea el sistema empleado, los niños que leen el español acaban identificando adecuadamente la relación entre las letras y los sonidos.

Fases para aprender a leer en español

Para aprender la lectura y la escritura española, atendiendo a sus particularidades fonológicas, parece recomendable el seguimiento del esquema de enseñanza que Cuetos (2006) desarrolla. Son cinco los pasos teóricamente establecidos para conseguir habilidad lectora en castellano o español:

1.- Procede enseñar por el método global algunas palabras de uso común, de esta forma el niño rápidamente comprenderá la finalidad de la lectura. Podrá enseguida extraer mensajes de textos y recibir por ello pequeñas recompensas emocionales.

2.- Seguidamente se le enseñarán las reglas de conversión grafema-fonema, siguiendo este orden: vocales, consonantes invariantes y frecuentes (p, t, m...), consonantes invariantes poco frecuentes (j, ñ, z...), consonantes dependientes del contexto más frecuente (r y c), consonantes dependientes del contexto poco frecuentes (g y gu) y, finalmente, grafemas compuestos (br, cl, fr..). Recomiendan los expertos que, más que las letras, deben enseñarse los sonidos de las letras y con ellos jugar hasta dominarlos suficientemente.

3.- A continuación debe afrontarse la realización de ejercicios para reconocer las palabras directamente, es decir, que empleen la ruta visual para hacer la lectura más fluida. En este paso conviene enseñar lo antes posible las palabras del vocabulario básico. La ruta fonológica permite leer todas las palabras, pero insistimos, resulta un proceso necesariamente lento.

4.- Llegado a este paso, es preceptivo enseñar las claves de **procesamiento sintáctico,** los signos de puntuación, las pausas y la entonación más adecuada.

5.- Dominadas las fases anteriores se dispondrá de más tiempo para emplearlo en procesos de orden superior y con ellos sacar adecuadamente la información que tienen los textos.

Aunque este protocolo de enseñanza parece muy ordenado, es posible, según las condiciones de los niños, utilizar varios pasos paralelamente para hacer de la lectura un mecanismo satisfactorio y agradable emocionalmente.

Lectura y encéfalo

Hemos anticipado que la lectura es un fenómeno mental, asentado pues en el sistema nervioso central. De igual forma que se han dado apuntes sobre zonas cerebrales y lenguaje, existe literatura suficiente para abordar esta misma visión en el caso de la lectura. Aunque no procede extenderse sobre estas localizaciones nerviosas, conviene dar unos breves datos sobre la materia.

Cuando más adelante tratemos la dislexia y sus diversas manifestaciones afrontaremos una descripción detallada de las áreas cerebrales relacionadas con la disfunción y por tanto relacionadas con la lectura. La dislexia y diversas patologías sobrevenidas ponen en evidencia el complejo y modular sistema mental implicado en el proceso lector que justifica su largo protocolo de aprendizaje. Pacientes con curiosas dificultades van a aportar pistas sobre la moderna concepción de la lectura. La ciencia moderna ha intentado conocer el mecanismo neurológico que permite la escritura y la lectura. Fernando Cuetos (2006) reproduce lo que expresó Huey hace más de 100 años: "Si pudiésemos entender la naturaleza de los procesos de lectura, entenderíamos el funcionamiento de la mente misma, desenmarañando así uno de los más complejos misterios de la humanidad". Se sugiere que el encéfalo contiene ese sistema que hace posible la adquisición de la capacidad interpretativa de los símbolos lingüísticos.

El encéfalo es lingüístico, como ya hemos explicado, pero no es literario. Se deben aprovechar estructuras que no han sido diseñadas mediante la selección natural para que podamos leer. Necesitamos conocer la evolución de la lectura para entender mejor cómo un encéfalo no habilitado para tal fin la ha adquirido. Para explicar esta reconversión, unos autores han propuesto la teoría de la "reconversión neuronal", otros lo han denominado de diferente forma: "bricolaje evolutivo" o "exaptación", como ya hemos anticipado (Artigas-Pallarés, 2009).

Los humanos y las especies más próximas disponemos de un sistema de visión mínimamente desarrollado y necesario para sobrevivir. Una parte del encéfalo, en todos los casos, cumple la misión de almacenar información sobre la forma de las cosas que vemos. En nuestro caso, poder distinguir la forma de un león, de un ciervo o de una roca es vital para nuestra supervivencia. Sin esta capacidad estaríamos extintos. También necesitamos tener un registro mental que nos permita no solo conocer a una serpiente, sino también diferenciar si es pequeña o grande, si está en reposo o en movimiento, si tiene un rayado u otro, y en todos los casos sabremos que es una serpiente. Se ha localizado en la parte basal de la región temporooccipital, donde se ubica la corteza visual (AB 17), el almacén de esta información sobre las imágenes y que nos ayuda a interpretarlas. Por medio de resonancia magnética funcional se ha comprobado que esa zona es usada por los primates para el reconocimiento de las formas de las cosas, también por los humanos que, además, la usamos para distinguir las letras. Hemos adaptado esa zona cerebral para una función que no le es propia (Artigas-Pallarés, 2009). Veremos como una vez reconocidas las letras y las palabras, la información fluye por los haces nerviosos hasta otros centros que van contribuyendo escalonadamente a la comprensión lectora. Recordamos que la lectura es un invento cultural, para cuyo dominio no está preparado específicamente nuestro encéfalo, pero que en la mayoría de los casos se desarrolla con resultado satisfactorio.

Igual que hablamos de las afasias en el capítulo anterior, recordamos ahora un caso curioso. Como nos dice el texto de Kandel y colaboradores (2001), en 1892, Jules Déjerine estudió a un hombre inteligente que expresaba bien sus ideas, accidentalmente perdió la capacidad de leer, mantenía la capacidad de deletrear, comprendía las palabras que se le deletreaban, transcribía palabras escritas y reconocía aquellas tras copiar las distintas letras. La visión la mantuvo intacta, salvo que no podía ver los colores en su campo visual derecho. La autopsia evidenció que había una lesión en el área crítica de la región occipital izquierda, estaba interrumpida la transmisión de las señales relacionadas visualmente tanto desde la corteza visual derecha, como desde la izquierda hasta las áreas del lenguaje del hemisferio izquierdo. También tenía lesión en el esplenio (región posterior del cuerpo calloso) que conecta entre sí áreas asociativas de la corteza visual derecha e izquierda. Hoy se sabe que al cortar el esplenio, sin dañar la corteza visual, el sujeto puede leer palabras de manera normal en el campo visual derecho, pero no en el izquierdo.

Otros muchos pacientes y otras muchas observaciones han consensuado entre los investigadores la propuesta de modulación de la lectura. Como ya vimos en el primer capítulo, confluyen dos principios en el estudio de las funciones cerebrales, el de la "localización" y el del "procesamiento paralelo distribuido", que junto a determinadas particularidades individuales dificultan la asignación concreta de áreas a tareas determinadas.

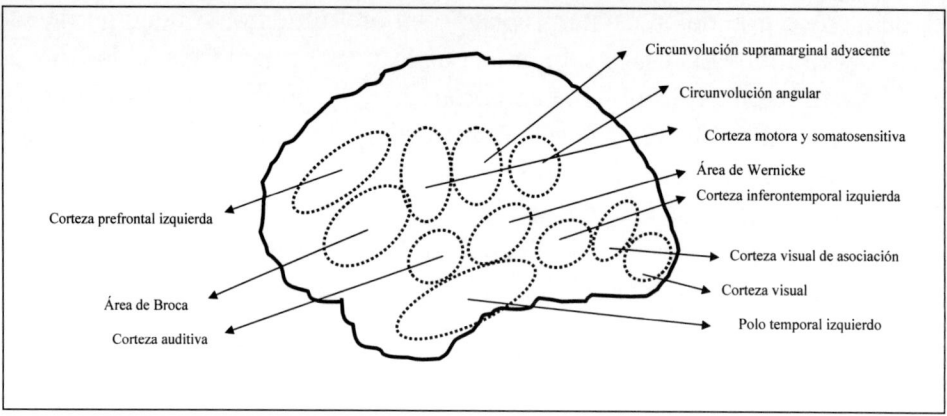

Figura 17. Áreas cerebrales implicadas en la lectura. Desde hace más de 100 años se han ido descubriendo diversas áreas del cerebro que están relacionadas con la lectura, en la figura se nombran y localizan las once más significativas. Obsérvese como estas áreas ocupan una parte extensa del hemisferio izquierdo.

Sistemas y almacenes mentales para la lectura

Desde la psicología cognitiva, en función de diversas experimentaciones con lectores y atendiendo a las patologías específicas de las que ya hemos hablado, se considera que en el procesamiento de la lectura, hasta llegar a su integración total existen, al menos según recoge Cuetos (2006) en su obra, los siguientes sistemas y/o almacenes mentales diferenciables:

1.- Léxico visual. Es el almacén donde se encuentran representadas cada una de las palabras que podemos reconocer visualmente.

2.- Léxico auditivo. De la misma forma que existe un almacén visual, los datos clínicos avalan que existe un almacén donde se guardan las representaciones de las palabras que percibimos auditivamente. Es el almacén que guarda los fonemas de las palabras y que usamos para el reconocimiento del lenguaje oral. Cita Fernando Cuetos (2006) casos de pacientes que reconocen las palabras del lenguaje escrito y no las reconocen oralmente o viceversa.

3.- Léxico fonológico. Espacio destinado a la producción de palabras, que es diferente al de reconocimiento de palabras. Lo que guardamos es la representación de las pronunciaciones de las palabras. Podemos intuir personalmente la existencia de este **léxico fonológico** cuando queremos decir o nombrar algo y no somos capaces; tenemos conciencia clara del concepto a transmitir y no tenemos más recurso que expresar: "lo tengo en la punta de la lengua" (identificada la palabra "cuchara", siendo incapaces de pronunciarla, desesperadamente decimos "lo que sirve para comer sopa").

4.- Sistema de conversión de grafemas a fonemas. Este sistema se encarga de transformar en sonidos cada una de las letras que componen las palabras. Primero analiza los grafemas, las letras; luego le asigna un fonema, una pronunciación y finalmente une los fonemas de la palabra para facilitar su pronunciación conjunta.

5.- Almacén de pronunciación. Se trata de una estructura de memoria operativa que almacena información codificada fonológicamente. En esta estructura se retienen, para su uso, informaciones procedentes del léxico fonológico y del sistema de conversión de grafema a fonema. En este almacén, durante un tiempo permanece la información recibida hasta que se articulan los sonidos o se pronuncian internamente para que pueda ser reconocida por el léxico auditivo.

6.- Sistema semántico. En él se encuentran los significados de las palabras, los conceptos. Tenemos la sensación de que al ver una palabra accedemos a su significado, sin embargo, no es así, el léxico nos permite identificar una palabra como significante, pero es necesario conocer el concepto que representa, acceder a su significado. Este sistema se ha propuesto tras la comprobación de que determinados pacientes lo tienen afectado. Estos individuos muestran una dramática experiencia al reconocer las palabras y no lograr entenderlas. En la recuperación del significado de una palabra hay que consultar el sistema semántico, donde se encuentran todos los significados de las palabras que conocemos. Este sistema es único para todas las palabras, independientemente de la forma por la que se accede a la palabra (auditiva, pictórica, visual...). Accedemos al concepto "oveja" al ver escrito en un texto "oveja", al oír su balido o al ojear su dibujo. Mediante ingeniosas pruebas se ha comprobado que el sistema semántico se organiza por categorías, de forma que tenemos subalmacenes de todas las palabras (las que nombran herramientas, los nombres de las personas, los nombres de las plantas...). Si es necesario, la representación semántica activa el correspondiente léxico fonológico, donde está el sonido que se corresponde con esa palabra y de ahí va al almacén de pronunciación dispuesta a ser reproducida.

Procesos modulares de la lectura

Hemos anticipado que para leer hace falta poner en marcha varias operaciones cognitivas y que solo es posible leer bien si funcionan adecuadamente las correspondientes operaciones mentales y los flujos de información discurren correctamente entre ellas.

Existen varios planteamientos sobre la consideración de la lectura como un hecho modular. Entre los módulos operan varias vías paralelamente para fijar con precisión el sonido, la forma y el significado. De estos planteamientos recogemos los aspectos más importantes de algunos de ellos y, finalmente, nos extenderemos en el que nos parece más completo y uno de los más modernos, el propuesto por Fernando Cuetos (2006).

Duffy y Geschwind (1988) proponen que la lectura se inicia, como es lógico, con un análisis visual precoz que alimenta tres vías:

1.- La fónica, por la que se reconocen letras y sus sonidos.

2.- La directa, que es el mecanismo global de representaciones de palabras enteras.

3.- La léxica, en que las palabras enteras son una entrada hacia la descomposición morfológica.

Jesús Martínez en el libro *Dislexia y dificultades de aprendizaje* (1994) hace su propuesta modular basándose en los fallos más típicos en la lectura y en situaciones sobrevenidas en adultos. Aun reconociendo que se han manifestado determinadas controversias en su modelo, resume en tres las rutas de acceso al léxico y por tanto de acceso al significado:

1.-Ruta directa semántica. Pone en comunicación entradas léxicas con sistemas semánticos (vemos escrito "caballo" y sin pronunciación, ni deletreo, accedemos al concepto "caballo").

2.-Ruta léxica no semántica. Enlaza entradas léxicas con fonología e identificando este código fonológico podemos acceder al significado (vemos escrito "caballo" y reproducimos internamente "ca-ba-llo", una vez identificado fonológicamente, accedemos al concepto "caballo").

3.-Ruta fonológica (indirecta) o subléxica. Aplica reglas de conversión grafema-fonema y posterior fusión (vemos escrito "caballo", reconocemos los grafemas "c", "a", "b", "a", "ll" y "o", les asignamos sus fonemas correspondientes y pronunciamos el resultado final [kabáλo]).

En estas tres vías, dos son directas o léxicas (procesan unidades con significado) y la tercera es indirecta o fonológica, cuyo uso exclusivo genera lentitud.

Thompson (1992) nos presenta el modelo Marshall, propuesto en 1982, que supone que para leer se pueden emplear tres rutas:

1.- Ruta A. Vía directa, consistente en mirar y decir.

2.- Ruta B. Se queda en la superficie del texto escrito, se pronuncian las palabras, pero no se comprenden.

3.- Ruta C. Vía fónica, mediante la cual se produce una reconversión de las representaciones visuales (grafemas) en sonoras (fonemas).

El modelo del "logogen", que hemos citado previamente para explicar la ruta visual, ha circulado con relativo éxito entre los especialistas. Este modelo se apoya en la existencia de una ruta de conversión grafemas/fonemas que llega hasta un retén de respuestas en el que se produce un análisis visual y auditivo complementario. Los "logogenes" son compilaciones de datos con un umbral, que, una vez que se le aporta información suficiente para saltar ese umbral, se proyecta hasta otra parte del sistema cognitivo.

Propuesta de consenso

Existe bibliografía suficiente para citar más propuestas sobre la consideración modular de la lectura y sus rutas. Con las referencias del apartado anterior observamos líneas comunes donde los autores encuentran ciertas coincidencias en sus planteamientos. Fernando Cuetos (2006) hace una propuesta de consenso sobre los aspectos modulares de la lectura. Establece cuatro módulos o procesos necesarios para completar el acto lector.

1.-Procesamiento perceptivo

Las aferencias sensitivas aportan información sobre los textos que pretendemos leer. Nuestros ojos, como órganos sensitivos, tienen la misión de extraer los signos gráficos que están plasmados en el papel. Inicialmente se produce un rápido análisis del texto en su conjunto, del que obtenemos cierta información útil. Durante la lectura el ojo no sigue un camino continuo por el texto como cabe suponer por la apreciación que tenemos del contenido del mismo. Como ya descubrieron algunos investigadores hace más de 100 años, los ojos ejecutan mientras leemos unos **movimientos sacádicos**. Estos movimientos consisten en pequeños saltos, fundamentalmente de izquierda a derecha, pero también de derecha a izquierda, lo que se conoce como regresiones, que tienen un objetivo reforzador o verificador. Discutiremos más adelante la evidencia generalizada que atribuye a los disléxicos mayor número de regresiones en el proceso lector. Estos saltos tienen la consideración de balísticos, es decir, una vez iniciados no paran hasta el objetivo final. Los saltos son seguidos de periodos de fijación en los cuales se procede a la verdadera extracción de la información. Fernando Cuetos (2006) reproduce los datos aportados por otros autores que han investigado este comportamiento ocular, ellos han cifrado el tiempo de fijación entre 200 y 250 milisegundos, mientras que el tiempo empleado en cada salto oscila entre 20 y 40 milisegundos. Relativizando estos datos, mientras leemos empleamos un 90 % del tiempo en las fijaciones y un 10 % en los movimientos saltatorios. Obviamente estos son datos estadísticos globales, habiéndose comprobado patrones condicionados por las particularidades individuales. Está comprobado que el tiempo que se usa realmente en la extracción suele ser de 50 milisegundos. No obstante, la longitud del salto, los tiempos empleados en las fijaciones y las regresiones dependerán, aparte de las connotaciones individuales del lector, del tipo de texto, del contexto ambiental y del tema. Los movimientos alinean la **fóvea**, área retiniana de mayor sensibilidad óptica, el punto medio de la pupila y los diferentes caracteres que están siendo analizados. No obstante, las áreas circundantes a la fóvea, la parafóvea, van extrayendo una información que inconscientemente utilizamos para dirigir adecuadamente los siguientes movimientos.

El control oculomotor que ejecuta estos movimientos y fijaciones se ejerce por seis músculos oculares. En los movimientos horizontales empleamos los músculos externo e interno, en los movimientos verticales contraemos y relajamos los músculos superior e inferior y en los movimientos de rotación utilizamos el oblicuo mayor y el oblicuo menor. Estos músculos reciben instrucciones de nervios pertenecientes a tres pares craneales; el III, oculomotor común, el IV, patético y el VI, oculomotor externo. Los somas neuronales que originan estos nervios están en el tronco del encéfalo y establecen conexión entre ellos, lo que facilita la coordinación que se precisa en la extracción de la información gráfica (Rondal y Serón, 1991).

La información gráfica, extraída visualmente según el proceso referido, llega a la "memoria icónica", donde se almacena como una fotografía del segmento del texto extraído. La información nerviosa que discurre por el nervio óptico hasta la corteza cerebral con sus correspondientes estaciones de relevo será analizada con más detalle en otros capítulos. La memoria icónica tiene gran capacidad, pero dispone de poco tiempo de permanencia (unos 250 milisegundos). La información pasa a la memoria a corto plazo, donde se pierde el carácter gráfico y se retiene como material lingüístico propiamente dicho. Esa retención como material lingüístico requiere la consulta previa a una memoria a largo plazo donde tenemos almacenadas las letras y las palabras en el mismo soporte, donde es posible establecer la comparación necesaria para su reconocimiento.

Cuando se nos propone el deletreo de una letra, por ejemplo la "M", en la memoria icónica guardamos sus rasgos; las dos líneas verticales, las dos oblicuas y su disposición relativa. En la memoria a corto plazo, tras la consulta a nuestro "almacén de letras", la identificamos como "m", independientemente del tamaño, tipografía y soporte en que se mostró. Es a partir de ese momento material lingüístico. Hoy no está del todo claro si reconocemos las palabras por su configuración global o por sus letras componentes, por ello en el último apartado de este capítulo aportaremos algunas pinceladas sobre esta controversia.

2.- Procesamiento léxico

Identificadas las palabras, su contorno gráfico y/o su composición por letras, procede recuperar el significado. Si estamos leyendo en voz alta deberemos recuperar y ejecutar su pronunciación. Para acceder al significado se distinguen dos rutas, ya citadas, la ruta visual y la fonológica.

La ruta visual permite comparar la forma ortográfica de la palabra identificada con las representaciones almacenadas en nuestra memoria, lo que hemos llamado "léxico visual". La mecánica de reconocimiento lleva aparejados los siguientes pasos:

1.º- Se efectúa un análisis visual de las palabras. Su contorno, las letras que la componen, etc.

2.º- El resultado de ese análisis es comparado en el "léxico visual" para identificar la palabra concreta que se convierte en unidad léxica.

3.º- La activación de esta unidad léxica recuperará el correspondiente significado situado en el "sistema semántico".

Comprendida la palabra, si queremos pronunciarla debemos activar la representación fonológica (que está en el almacén fonológico) para pasar de allí al almacén de pronunciación, dispuesta a ser emitida. Esta ruta solo es válida para palabras conocidas. No es válida para las palabras nuevas, que acceden a nuestra mente por primera vez y tampoco sirve para leer las pseudopalabras, muy utilizadas en experimentación.

En la ruta fonológica, las palabras que no pueden ser reconocidas precisan un procesamiento diferente que se efectúa en los siguientes pasos:

1.º- Por el análisis visual se identifican las letras que componen la palabra.

2.º- Por el mecanismo de conversión de grafema a fonema se recuperan los sonidos de las letras y el efecto sonoro de su combinación.

3.º- Recuperada la pronunciación de la palabra, se procede a consultar el "léxico auditivo", el mismo que usamos durante nuestras conversaciones.

4.º- Consultado el "sistema semántico", accedemos a su significado.

Como hemos anticipado, en español la inmensa mayoría de las palabras pueden ser leídas por este sistema, si bien, repetimos, es una vía lenta por lo que necesita ser complementada con la ruta visual.

3.- Procesamiento sintáctico

Evidentemente la lectura no es leer palabras aisladas, estas no aportan toda la información del texto. Las palabras deben agruparse en unidades mayores para formar los mensajes. Ante este agrupamiento disponemos de claves sintácticas que nos indican cómo pueden relacionarse las palabras para determinar la estructura de las oraciones, esencial para integrar su información. Es preciso comprender estas agrupaciones, lo cual es posible mediante el análisis sintáctico que se desarrolla con tres operaciones:

1.-En la oración se estructuran sintagmas nominales, sintagmas verbales, proposiciones subordinadas, etc., a cada bloque de palabras que constituyen estas unidades se le asigna una etiqueta necesaria para el procesamiento posterior.

2.-Los grupos de palabras se relacionan entre sí, por lo que es preciso especificar correctamente esta relación.

3.-Las oraciones tienen una jerarquía constitutiva, se necesita construirlas con base en ella.

Reconoce Cuetos (2006) que este sistema es discutido por algunos autores, pero en contra de este rechazo, los "pacientes de Broca" con sus manifestaciones patológicas demuestran su existencia. Es necesario conocer y dominar la estructura sintáctica de las oraciones, sobre todo en aquellas donde la dualidad objeto/sujeto no está muy clara. Recordemos la dificultad que tienen los "pacientes de Broca" cuando se les presentan frases con esta ambigüedad.

Para ejecutar adecuadamente el procesamiento sintáctico usamos información complementaria que se deduce de los siguientes aspectos:

1.- El orden de las palabras que, aunque no es determinante, aporta muchas pistas sobre el contenido final de la oración.

2.- La aparición de **palabras funcionales** (preposiciones, artículos, conjunciones…) que nos ayudan a atribuir las funciones que se asignan a las palabras o grupos de palabras a las que preceden.

3.- El propio significado de las palabras es un buen referente para la comprensión íntegra del mensaje.

4.- Los signos de puntuación cubren en cierto modo los recursos prosódicos del lenguaje oral. Su correcta interpretación facilita la lectura.

4.- Procesamiento semántico

Como último módulo del proceso lector, el procesamiento semántico nos va a permitir comprender el texto leído, entendiendo que la comprensión supone en definitiva extraer el significado e integrarlo en nuestra memoria. El significado de una oración se consigue a partir de su estructura sintáctica, pero esta estructura es rápidamente olvidada y lo que perdura es el fondo del mensaje sin que sea preciso recordar con exactitud la estructura sintáctica que lo aportó.

Esta integración del mensaje en nuestra memoria solo se produce cuando establecemos un vínculo entre lo nuevo que nos aporta el texto y nuestros conocimientos previos. Al recibir cualquier mensaje disponemos de antecedentes (información dada) a los que unimos la nueva información. Es obvio que solo podemos comprender oraciones si tenemos en mente antecedentes que permitan la integración. Ante la frase "El perro de ayer ha mordido a Luis", solo es comprensible si quien la lee o escucha sabe de qué perro estamos hablando y quién es Luis. Es evidente que la adquisición de información por un lector se ve favorecida si tienen conocimientos previos sobre el tema tratado. Cuetos denomina "esquemas" a los conocimientos que se pueden agrupar en bloques o paquetes sobre determinados asuntos. Los esquemas son como modelos internos de diferentes situaciones con las que nos encontramos. Estos esquemas facilitan la realización de inferencias, que son necesarias para la comprensión.

Expuesto el sistema modular, que hemos considerado de consenso, es discutible aún si la información fluye unidireccionalmente desde niveles más bajos a los más altos o, por el contrario, la información fluye paralela y multidireccionalmente.

Lectura de letras vs. lectura de palabras

Como último apartado de este capítulo dedicado a la escritura y a la lectura, no podemos olvidar que aún está pendiente por resolver totalmente la disyuntiva sobre si leemos letra a letra o reconocemos directamente las palabras.

Antes de plantear si leemos "letra a letra" o por "palabras", conviene hacer unas matizaciones sobre el deletreo, la lectura voluntaria que se centra exclusivamente en las letras que componen las palabras. Aparentemente, el deletreo es una tarea muy similar a la lectura, pero bastantes autores indican que no es así, ya que se ha comprobado que muchos buenos lectores son malos en la tarea de deletrear. Con el uso del método fonológico, el deletreo puede ser mejor que la lectura (Thompson, 1992). En el deletreo y en la lectura normal, es preciso llevar a cabo un reconocimiento de un signo gráfico. Muchas pruebas de lectura parecen demostrar que ambos procesos son diferentes. Una clara evidencia de esta diferencia se constata cuando niños que no pueden leer determinadas palabras, las deletrean perfectamente. Los niños que son deficientes en deletreo, lo son por carecer de reglas de correspondencia entre los grafemas y los fonemas, aunque puedan leer bien (Thompson, 1992). Se sabe que tras pruebas de identificación de letras, estas son más fácilmente localizables en palabras con sentido que cuando forman parte de series aleatorias sin sentido. A este fenómeno se le denomina "efecto palabra".

Se ha constatado que el tiempo invertido en la lectura de letras cuando están en palabras es menor que cuando están dispuestas aleatoriamente y que, a veces, leer una letra es tan breve como leer una palabra simple. Esto hace inclinarse a algunos investigadores por la consideración de que la lectura plenamente adquirida se hace palabra a palabra, con reconocimiento global de las mismas (Cuetos, 2006). Sugiere Smith, citado por Thompson (1992), que los buenos lectores no necesitan el reconocimiento intermedio de letras, reconocen las palabras y acceden directamente a su significado desde su representación ortográfica.

Otros autores proponen que leemos letra a letra aduciendo que con el conocimiento de los 28 grafemas podemos acceder a cualquier palabra y que es natural considerar que reconocemos las palabras tras identificar las letras que la componen. Thompson (1992) cita a Rubenstein y colaboradores, quienes sugieren que la única forma de acceder al "diccionario" o léxico interno es mediante la representación fonológica, es decir, deduciendo fonema a fonema la representación global de la palabra. Dentro de las hipótesis que postulan por el reconocimiento letra a letra, hay dos modelos, uno en el que se considera que se identifican las letras serialmente, de izquierda a derecha, y otro que propone que se efectúa un procesamiento paralelo (ante una palabra dispuesta para ser leída, todas las letras que la componen se procesan simultáneamente hasta conseguir su lectura correcta).

Fernando Cuetos (2006) cita el intento conciliador de Vellutino, que reconoce la parte de razón que puede tener cada una de las posturas antes expuestas, pero que el procesamiento "letra a letra" o "palabra a palabra" dependerá de la tarea para realizar. Vellutino propone que la unidad de percepción (letra o palabra) es relativa y estará condicionada por el contexto en que se encuentra una palabra, por las características de las palabras (grado de conocimiento previo, longitud…) y por la habilidad del lector.

En esta misma línea conciliadora se encuentra Coltherat que, según cita Thompson (1992), defiende un funcionamiento independiente de las dos opciones descritas basándose en pruebas de rendimiento en lectores normales y en estudios neuropsicológicos, que supone asignar el tipo de lectura según condicionantes del proceso lector.

Conceptos básicos del capítulo 2

Título: El lenguaje escrito

ELEMENTOS DE COMUNICACIÓN VISUAL
- Gestos
- Danzas
- Señales de humo
- Pictogramas
- Tatuajes
- Pinturas rupestres
- Maquillaje

SURGE LA ESCRITURA POR INTERACCIÓN DE

Sistema gestual

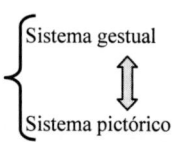

Sistema pictórico

El hombre puede leer y escribir
La escritura no es un proceso natural
El hombre lee por exaptación
La escritura graba sonidos
Creían que la escritura procedía de los dioses

FORMACIÓN DE LA ESCRITURA ALFABÉTICA

1.- Se crea un sistema ideográfico (un concepto se representa con un dibujo)
2.- Los dibujos evolucionan divergiendo y simplificándose
3.- Finalmente cada dibujo acaba representando un sonido

SISTEMAS DE ESCRITURA
- Ideográfico
- Fonético

CRONOLOGÍA

Escritura alfabética	Año	Escritura No alfabética
Cuneiforme	3300 a. C.	
	3100 a. C.	Egipcia
Cuneiforme gira 90°	2600 a. C.	
Hitita	1500 a. C.	
1.er alfabeto: protosinaico	1400 a. C.	
Alfabeto ugarítico	1300 a. C.	Pictogramas chinos
AA fenicio y arameo	1000 a. C.	
Alfabeto griego	800 a. C.	
Alfabeto latino	600 a. C.	
Alfabeto árabe	400 d. C.	

**La escritura es y ha sido vehículo de conocimientos
Universalización de la escritura a partir de finales del XIX**

APRENDER A LEER

Años de proceso (largo y costoso)
Se alcanzan 150-400 palabras/minuto

RUTAS DE LECTURA

Fonológica
1.- Captar letras
2.- Transformar a sonidos
3.- Se suman los sonidos
4.- Se genera imagen de pronunciación
5.- Consulta de léxico auditivo
6.- Consulta al sistema semántico

Visual
Reconocimiento directo de palabras
(Mejora con el aprendizaje y se comprueba el efecto priming)

MÉTODOS DE ENSEÑANZA

Sintéticos
- Alfabético (letras)
- Fonético (sonidos)
- Silábico

Globales
1.- Palabras y frases
2.- Acaban con sílabas y letras

FACTORES FAVORECEDORES DEL APRENDIZAJE

- Fonológicos → **Conocimiento fonológico**
- Lingüísticos → **Dominio del vocabulario**
- Cognitivos → **Desarrollo mental**
- Actitud del educador → **Grado de compromiso**

PASOS PARA APRENDER A LEER EN ESPAÑOL	1.- Enseñar algunas palabras
	2.- Convertir grafemas a fonemas
	3.- Reconocimiento directo de palabras
	4.- Procesamiento sintáctico
	5.- Procesamientos superiores

SISTEMAS Y ALMACENES MENTALES PARA LA LECTURA	Léxico visual (palabras que reconocemos visualmente)
	Léxico auditivo (palabras que reconocemos auditivamente)
	Léxico fonológico (representaciones de las pronunciaciones)
	Sistema de conversión grafema/fonema
	Almacén de pronunciación
	Sistema semántico

MÓDULOS DE LECTURA

Procesamiento perceptivo

Extracción de signos / Memoria icónica / Memoria a corto plazo / Consulta de memoria a largo plazo

Procesamiento léxico

Ruta visual   Ruta fonológica

Procesamiento sintáctico

Orden de las palabras / Palabras funcionales / Signos ortográficos

Procesamiento semántico

Comprender e integrar

Capítulo 3. Primeras aproximaciones a la dislexia

Afrontamos de forma inicial y ya directamente en este capítulo el objeto de nuestro libro: la dislexia. Partiremos de las consideraciones más destacadas sobre la misma y después desarrollaremos más profundamente, en los siguientes capítulos, los aspectos que a nuestro juicio así lo requieren. La palabra dislexia es un neologismo que delimita un amplio repertorio de manifestaciones que algunos individuos, aparentemente normales, expresan cuando se enfrentan con las tareas del aprendizaje de la lectura y de la escritura. Consideramos y justificamos en el primer capítulo cómo el lenguaje humano ha sido una meta de la carrera evolutiva de nuestra especie que, con su adquisición, ha logrado mejores condiciones de supervivencia. En el segundo capítulo analizamos el prodigioso invento de la escritura y cómo esta, por exaptación, es manejada, no sin dificultad, por casi todos los individuos de nuestra especie, siempre y cuando se les facilite un proceso complejo de aprendizaje. Este sometimiento generalizado o universal al aprendizaje de la escritura ha evidenciado que entre el 4 y 15 % (Thompson, 1992 y Duffy y Geschwind, 1988) de los escolares tienen problemas inesperados para su adquisición, cifras que varían según los investigadores que las proponen. Se han descrito las razones que pueden llevar a determinados individuos a mostrar incapacidad o defectos en la lectura (Thompson, 1992), entre ellas podemos indicar algunas:

1.- Por una pobre inteligencia. La mayoría de los niños con graves deficiencias intelectuales, a pesar de los esfuerzos efectuados por su familia y educadores, no logran aprender a leer, aunque están documentados casos de niños con limitaciones intelectuales importantes que pueden aprender a leer, pueden decodificar, pero no obstante tienen enormes dificultades para comprender.

2.- Por perturbaciones emocionales. Algunos escolares manifiestan desequilibrios emocionales como la hiperactividad, la dificultad para la atención y problemas de ajuste social que limitan de forma esencial la adquisición de la lectura.

3.- Por falta de oportunidades. Es obvio que en barrios suburbiales y en aldeas alejadas en países subdesarrollados, al no contar con recursos adecuados, los niños no han podido acceder adecuadamente al aprendizaje de la lectura.

4.- Por problemas sensoriales. Los niños ciegos o sordos, ante la ausencia de enseñanza específica adaptada a su condición, no aprenden a leer.

5.- Por **dislexia evolutiva**. Sorpresivamente hay una amplia variedad de individuos que, sin padecer afección justificativa y con atención social y familiar adecuadas, tienen verdaderas dificultades para aprender a leer y en muchos casos mantienen esta dificultad durante toda su vida: son los disléxicos.

Las primeras cuatro razones describen situaciones o hechos más o menos perceptibles por educadores y familiares antes de afrontar el aprendizaje de la lectura. En estos casos no resulta sorprendente que el niño no desarrolle bien la habilidad lectora, que es otra manifestación dentro de las carencias globales perfectamente observables desde la más tierna infancia. Las condiciones ambientales, más su tara sensorial, cognitiva o emocional predisponen a estos sujetos al fracaso. Sin embargo, la dislexia evolutiva que alcanza los porcentajes arriba expresados es el trastorno responsable de que los niños, fundamentalmente de forma inesperada, tengan dificultades para leer. Los disléxicos evolutivos se detectan por sus manifestaciones lectoras, se hacen evidentes fundamentalmente a través de la lectura. Es de suponer que a lo largo de la historia ha habido disléxicos, pero que han pasado desapercibidos al no tener que enfrentarse al aprendizaje de la lectura y han resuelto con soltura el resto de retos vitales que debían afrontar. Puede que más del 99 % de los humanos que nacieron antes de 1850 no haya tenido oportunidades educativas. Es después de esas fechas cuando la universalización de los sistemas educativos permite descubrir este trastorno y su importante penetrancia.

Como mera curiosidad añadimos que del privilegiado grupo de individuos que antes de esa fecha pudieron llegar a leer, se supone que Cleopatra, Leonardo da Vinci, Galileo Galilei y Santa Teresa de Jesús, entre otros, según nos dice Gayán (2001) citando a otros autores, pueden ser calificados como disléxicos por las referencias que se cuentan de su infancia y su relación ante el lenguaje escrito. A esta lista, añade Gayán (2001) hombres notables más próximos a nosotros que también han sido considerados disléxicos: Winston Churchill, Albert Einstein, Thomas Alva Edison, etc.

Dislexia como neologismo

Dar nombre a una patología, deficiencia o disfunción no soluciona nada, pero permite proponer el control y en definitiva ayuda a resolver parte de los problemas de quien la padece. El término dislexia es un neologismo, acuñado por el profesor y médico R. Berlin, de Stuttgart, Alemania, que en 1872 utilizó el término *Dyslexie*, palabra expresamente creada para denominar la incapacidad de leer que tenía un adulto tras un repentino accidente (Gayán, 2001). Esta patología tiene antecedentes previos, pero difusos, y sobre ella se empezó a tener una especial consideración en la segunda mitad del siglo XIX. Etimológicamente la palabra "dislexia" se compone de dos **morfemas**, "dys" y "lexia", que tienen fácil interpretación; "dys", que proviene del griego, hace referencia a "dificultad", y "lexia", de origen latino, nos aporta el concepto "leer", por lo que es sencillo interpretar el significado que se otorga a este neologismo. Dentro de este mismo encauzamiento terminológico, introducimos otros términos del mismo **campo semántico**, referentes a las capacidades o incapacidades para utilizar el lenguaje en general y la escritura en particular y que usaremos a lo largo de este capítulo y en los siguientes:

- **Normoléxico:** define al individuo que lee dentro de la normalidad.

- **Superléxico:** es el individuo que tiene una capacidad en lectura superior a la media.

-**Dislalia**: define la incapacidad para pronunciar correctamente ciertos fonemas o grupos de fonemas.

- **Parafasias fonémicas:** delimita una afección que se manifiesta con la sustitución incorrecta de fonemas al hablar (se dice "foco" en lugar de "poco").

- **Parafasias semánticas:** se observan cuando al intentar expresar un concepto con una palabra apropiada, se sustituye involuntariamente por otra que pertenece al mismo campo semántico (al querer expresar "mesa", se dice "silla", que es una palabra ligada semánticamente a la primera).

- **Parafasias verbales:** es la sustitución de una palabra que se pretende pronunciar por otra palabra real que no pertenece al mismo campo semántico.

- **Alexia:** designa la pérdida de la capacidad de leer, cuando esta ya era dominada previamente.

- **Agrafía:** término que se refiere a la pérdida de la destreza en la escritura. Agrafía y alexia suelen aparecer simultáneamente.

- **Disgrafía:** define la situación en que los individuos que la padecen tienen una escritura ondulada, sin respeto a los márgenes y espacios interlineales, con omisión de letras al final de las palabras…

- **Disfasia:** es la dificultad de expresión verbal. Los que la padecen se equivocan a menudo, cambian el nombre de las cosas. Son muy lentos en el habla.

- **Agramatismo:** define las incorrectas utilizaciones de las reglas sintácticas en el procesamiento de la información escrita.

- **Afasia semántica:** engloba cualquier deficiencia en el procesamiento semántico de las palabras.

- **Discalculia:** es la dificultad que algunos sujetos presentan específicamente con los números.

- **Disortografía:** término que se corresponde con la dificultad que tienen algunos individuos con la escritura desde el punto de vista gráfico.

¿Qué es la dislexia?

Una vez hagamos un recorrido por los capítulos que componen este libro, en las conclusiones finales trataremos de ser concisos y delimitaremos adecuadamente el concepto de dislexia. La remisión al último capítulo deja claro que no resulta fácil definir con concreción el concepto objeto de este libro. Dejamos ya constancia de que el término es discutible, discutido y muy recurrido. Cuando revisemos las definiciones que de él se han hecho comprobaremos su ambigüedad. Constatamos, además, que ha habido en los últimos años un uso desmedido de este término para explicar cualquier deficiencia escolar. Cuando comprobamos el amplio abanico de profesionales que han trabajado e investigado, y lo siguen haciendo, sobre la dislexia, empieza a entenderse que estamos ante un concepto multifactorial, pero de difícil catalogación. Los autores de investigaciones, estudios y publicaciones sobre dislexia son de diversas profesiones como: médicos, neurobiólogos, psicólogos, educadores, pedagogos (Camino, 2005) e incluso periodistas. Algunos de los títulos de los trabajos consultados para la redacción de este libro dejan clara la difícil tarea de delimitar la dislexia:

- "Dislexia: ¿hecho o mito?" (Camino, 2005).
- "Dislexia: enfermedad, trastorno o algo distinto" (Artigas-Pallarés, 2009).

El uso del término dislexia nos debe poner en guardia, pues es conocido el uso manido del mismo. Este neologismo, de ser un término propio del argot de los profesionales relacionados con la misma, ha pasado a tener una utilización generalizada. El uso del término dislexia para denominar cualquier deficiencia lectora prueba que existe una gran confusión entre el significado del término, las causas que lo producen y los efectos que se manifiestan en quienes la padecen (Camino, 2005).

Dislexia adquirida vs. dislexia evolutiva

La dislexia es un problema de comunicación que afecta a la decodificación y/o codificación de los signos del lenguaje en los ámbitos de la lectura, de la escritura o del habla en sujetos con un cociente intelectual dentro de la normalidad.

Nuestro libro trata de la dislexia, concretamente de la "dislexia evolutiva" o también denominada "dislexia del desarrollo". No obstante, conviene aclarar que existe la denominada "dislexia adquirida". Introduciremos ahora los aspectos más significativos de cada una de ellas, para luego, en el resto del libro, salvo referencia expresa en contra, hacer un desarrollo más amplio y exclusivo de cuestiones relacionadas con la dislexia evolutiva. La dislexia es una dificultad específica para la lectura, sea cual sea la causa. Neurológicamente solo es válido aplicar el término disléxico a aquellos individuos en los que el déficit lector tiene su origen en alguna disfunción cerebral. Si la disfunción se evidencia mientras el niño aprende a leer y perdura después, la llamaremos "dislexia evolutiva" o "dislexia del desarrollo"; si la disfunción se manifiesta, normalmente de forma brusca causada por un accidente, cuando los individuos ya dominan con precisión la lectura, la llamaremos "dislexia adquirida" (Cuetos, 2001).

Dislexia adquirida

Hemos expresado en el capítulo anterior que la lectura se compone de una serie de subsistemas, cada uno de los cuales ejecuta una función concreta del procesamiento lector. Hemos citado, además, ciertas lesiones cerebrales en adultos que pueden causar alexia o agrafía, bien separadamente, o bien conjuntamente y cómo en algún caso están asociadas a afasias (en función de la localización y extensión de la lesión). Otras lesiones más concretas producen dislexia adquirida.

Ante ese carácter modular del procesamiento de la lectura, una lesión cerebral que afecte a uno de estos componentes, aun permaneciendo los demás intactos, puede provocar dislexia adquirida. Es común que las lesiones cerebrales sobrevenidas no destruyan todas las habilidades de la lectura, más bien alteran estas capacidades. Por tanto, en los individuos con dislexia adquirida encontramos un componente modular estropeado o funcionalmente desconectado con otro u otros (Duffy y Geschwind, 1988). Las lesiones cerebrales provocadoras de estas dislexias adquiridas son demostrables por diferentes metodologías clínicas.

Las primeras dislexias que se investigaron eran adquiridas, que como veremos ayudan a entender la dislexia evolutiva. R. Berlin, como hemos dicho, fue el primero en usar el término dislexia, como alternativa a la denominación "ceguera de palabras" que Kussmau usó por aquella época (Thompson, 1992).

El término disléxico califica a los individuos que tienen déficit en el procesamiento léxico. Se incluyen dentro de la dislexia adquirida la insuficiente comprensión sintáctica y la afasia semántica, por ser déficits lectores también producidos por lesiones cerebrales. Las dislexias adquiridas son fácilmente clasificables en **dislexias periféricas** y **dislexias centrales**, dependiendo de los efectos del daño, si repercuten en la percepción o en el procesamiento de la información (Cuetos, 2006). Déjerine, en 1871, tras un análisis *post mortem* de pacientes con dislexia encontró que siempre había una lesión muy atrás en la región temporal posterior del hemisferio izquierdo, donde entran en contacto los lóbulos occipital y parietal (Thompson, 1992) y de este análisis estableció, como nos citan Rondal y Seron (1991), su propuesta de 1890, que definía tres síndromes neurológicos diferentes:

1.- Alexia sin agrafía, también denominada alexia pura o alexia agnósica. Esta se manifestaba cuando la lesión estaba localizada en la región occipital y en el cuerpo calloso.

2.- Alexia con agrafía. El daño se concretaba en el giro angular.

3.- Alexia que acompaña a las afasias sensoriales. En estos casos la lesión estaba localizada en la región temporal posterior.

Con más detalles desarrollamos la propuesta clasificatoria de Cuetos (2006), que, con criterios, a nuestro juicio, bastantes coherentes, tiene esta estructura:

Dislexias periféricas. Agrupan a las que se contraponen a las dislexias centrales que, veremos, son las que se manifiestan por daños en las rutas que conectan los signos gráficos con los significados. Las dislexias periféricas pueden ser de tres tipos:

1.- **Dislexia atencional**. Es aquella en que los pacientes reconocen las letras aisladas y las palabras globalmente, pero son incapaces de identificar las letras dentro de una palabra. Esta dislexia fue propuesta por Patterson en el año 1981.

2.- **Dislexia visual**. Citada y descrita por Marshall en 1984. Los pacientes que la sufren tienen errores visuales, leen "sol" donde está escrito "sal"; leen "mesa" donde está escrito "misa", como vemos, el error se produce por un cambio de la palabra propuesta por otra diferente, aunque con cierto grado de similitud gráfica. Suele ser la que se pronuncia más comúnmente en nuestro idioma. Pueden nombrar perfectamente las letras de las palabras que no son capaces de leer.

3.- **Dislexia letra a letra**. Se manifiesta cuando al leer una palabra los pacientes tienen que nombrar, generalmente en voz alta o de forma interna, cada una de las letras que componen esa palabra. En este caso la longitud de las palabras influye en la manifestación de este trastorno.

En los primeros tiempos se pensó que la dislexia periférica estaba asentada exclusivamente en la realización de movimientos oculares erráticos, pero muchas investigaciones han descartado esta posibilidad. No obstante, puede haber algún caso de lectores que tengan alterado el control de los movimientos oculares y de ahí provenga su dislexia.

Dislexias centrales. Son aquellas dislexias cuya disfunción se manifiesta con diferente grado de dificultad en encontrar adecuadamente la correlación entre el signo gráfico y el significado. Estos pacientes, no teniendo problemas perceptivos (pueden ver las figuras, signos, letras, etc.), tienen dificultades para reconocer las palabras. En este caso, la disfunción se manifiesta porque no funcionan adecuadamente las rutas de acceso al significado, atendiendo a cuál es la ruta afectada, tendremos distintos tipos de dislexias centrales:

1.- **Dislexia fonológica**. Considerando el sistema modular que hemos presentado (Cuetos, 2006), un sujeto tiene deteriorada la ruta fonológica si lee palabras familiares o conocidas a través de la ruta visual, pero es incapaz, o lo hará con dificultad, de afrontar la lectura de palabras desconocidas o de pseudopalabras (tienen grandes problemas para leer palabras inventadas como "pafaretacil"). Estos dos tipos de palabras no disponen de representación en el léxico visual que permita su reconocimiento. Errores típicos son leer "lobo" donde dice "lopo", y "sella" lo leen como "silla". La ruta fonológica no es una operación unitaria ya que tiene tres estadios o fases: análisis grafémico, asignación de fonemas y combinación de fonemas, como ya apuntamos.

Puede haber, por tanto, tres tipos de dislexia fonológica, dependiendo de dónde esté la lesión y según qué dificultad se manifieste tras un análisis fino. Estos disléxicos también cometen errores derivativos o cambios en palabras funcionales. Los errores que se dan en las palabras compuestas se producen porque las raíces pueden ser leídas visualmente y los afijos no se leen adecuadamente por la ruta fonológica afectada. En el caso de las palabras funcionales, que son elementos sintácticos sin representación semántica (palabras como "por", "en", "de", "para", "del"…), necesariamente tienen que ser leídas por la ruta fonológica, si no funciona, se leen inadecuadamente. No hay unanimidad en la explicación de estos últimos síntomas. Los disléxicos fonológicos son buenos sujetos sobre los que investigar para analizar si el tipo de lectura es "letra a letra" o "global", discusión que ya planteamos en el capítulo anterior. Ciertas investigaciones aportan determinados datos que parecen apoyar la hipótesis de identificación de las letras, pues a pesar de todo, las palabras con cajas alternadas (TeLeViSiOn) o signos entre letras (e¡n¡a¡m¡o¡r¡a¡d¡o) son resueltas satisfactoriamente por los disléxicos fonológicos.

2.- **Dislexia superficial**. La manifestación más evidente de esta dislexia se observa con las palabras irregulares (palabras generalmente prestadas de otros idiomas que se escriben y se pronuncian como en su lengua original, por ejemplo, "hall"), que no son leídas correctamente. Al mostrarles una palabra irregular, la regularizan, las ajustan en su pronunciación a las reglas de conversión grafema a fonema, por lo que el sonido resultante no se corresponde con ninguna palabra conocida.

La dislexia superficial se puede manifestar como consecuencia de daño o lesión en al menos tres puntos diferentes de la ruta visual, en aquellos que impiden el correcto funcionamiento de la misma:

a) Puede ser un defecto en el funcionamiento del léxico visual, manifestado específicamente cuando no pueden acceder al significado de las palabras irregulares al leerlas, pero sí cuando un tercero se las pronuncia, ya que las comprenden por el uso del sistema semántico. Estos sujetos tampoco tendrán problemas de denominación, al mantener el léxico fonológico en buen estado de funcionamiento.

b) El segundo componente que dañado puede ser provocador de esta dislexia es el sistema semántico, pues hay casos en los que se ha comprobado que no solo tienen problemas con las palabras escritas, sino también con las que perciben por vía auditiva. Los sujetos que refieren esta situación pueden, además, tener problemas con la ejecución de las palabras, bien pronunciándolas, bien escribiéndolas, ya que el sistema semántico (función mental que asocia las denominaciones de los conceptos con los propios conceptos) es recurso común en todas las modalidades del lenguaje (Cuetos, 2006).

c) El tercer componente cuyo funcionamiento puede estar dañado en esta dislexia es el léxico fonológico, manteniendo intacto el sistema semántico. En estos casos, los pacientes pueden comprender las palabras irregulares, usando el sistema semántico, pero no pueden leerlas en voz alta. El uso de la ruta fonológica hace que comentan errores de regularización, como ya indicamos antes.

3.- **Dislexia semántica**. Se manifiesta cuando el deterioro está localizado entre la conexión del léxico visual y el sistema semántico, no pueden extraer el mensaje total. El individuo puede leer las palabras mediante la ruta visual, usando la conexión entre el léxico visual y el léxico fonológico. No obstante, no podrá recuperar el significado.

4.- **Dislexia profunda**. Es aquella dislexia en la que la lesión o daño afecta a ambas rutas (visual y fonológica) y por tanto los síntomas serán el sumatorio de los síntomas de cada caso. Tienen dificultades para leer pseudopalabras y para acceder al significado del resto de las palabras. Paralelamente se observan errores visuales.

Aunque no se les pueda llamar propiamente disléxicos, existen individuos, con una lectura fluida para quien lo escucha, que tras determinadas lesiones evidencian dificultades o fracasos en lo que hemos denominado procesos lectores superiores, esto es, en los componentes sintácticos (no combinan adecuadamente las palabras) y semánticos (que, como ya dijimos, no pueden extraer el mensaje total). Reconocen cada una de las palabras de forma independiente, pero no extraen, por una razón u otra, el mensaje global de las frases. Nos recuerda Cuetos (2006) que la dificultad en el componente sintáctico se denomina "agramatismo", que se manifiesta en los pacientes de Broca, y a la dificultad en el componente semántico se la denomina "afasia semántica".

Dislexia evolutiva

Fue Hinshelwood, a principios del siglo XX, quien descubrió un trastorno similar a los descritos en la dislexia adquirida, aparentemente no causado por una lesión cerebral. Este trastorno fue descrito en su libro "La ceguera congénita para las palabras", tal como recogen Duffy y Geschwind (1988). La ceguera congénita es un defecto innato que manifestaban niños incapaces para aprender a leer. Supuso que esa incapacidad provenía de una situación patológica previa, frente a la cual los intentos de enseñar fracasaban. Hinshelwood propuso que este fracaso era resultado de un defecto del desarrollo de la función cerebral asociada con la memoria visual de las palabras y/o de las letras, una función localizada en el giro angular (AB 39). El resto de capacidades cognitivas de los niños afectados, como la inteligencia y la capacidad de observación, eran normales o superiores. Hinshelwood encontró que era mayor la incidencia en los niños que en las niñas, aspecto relevante, como veremos, para el planteamiento de algunas hipótesis sobre el origen de la dislexia.

Hinshelwood hizo su proposición, y casi 100 años después se va fortaleciendo por las evidencias clínicas que aclaran su consideración. Los disléxicos evolutivos, de una forma inesperada y sin que medie accidente cerebral conocido, tienen manifestaciones lectoras parecidas a las de algunos individuos que han sufrido dislexia adquirida. La lesión cerebral en el adulto, tal como hemos visto en el subapartado anterior, o la malformación en el niño pueden ser tratadas paralelamente (Duffy y Geschwind, 1988), aprovechando las evidencias clínicas de las primeras, para estudiar las segundas.

Sirva lo expuesto como introducción y delimitación de la dislexia evolutiva. Veremos, a partir de ahora, como en la dislexia evolutiva los componentes modulares del procesamiento lector o sus conexiones no maduran adecuadamente, repercutiendo la carga asignada a estos sobre el resto de los componentes intactos de la arquitectura cerebral. Nuestro esfuerzo a partir de ese momento se centrará en la explicación de la dislexia evolutiva desde diferentes puntos de vista. Como ya apuntamos, a partir de este momento, salvo indicación expresa en contra, nos referiremos exclusivamente a la dislexia evolutiva.

Signos asociados a la dislexia

Es prácticamente necesario al abordar la dislexia, que ha sido calificada como enfermedad, trastorno, disfunción, deficiencia o síndrome, describir los síntomas que los pacientes sufren, los signos que los expertos observan y otras manifestaciones cognitivas y conductuales propios de ella. Habíamos barajado la posibilidad de denominar a este apartado "Síntomas asociados a la dislexia", pero analizando con más precisión el término, hemos optado por eliminar la denominación "síntoma", que hace referencia a la apreciación subjetiva que un paciente refiere sobre su enfermedad; mientras que "signo" es una apreciación que un tercero observa sobre el sujeto para analizar. Estos "signos", como veremos, por su propia consideración, en la mayor parte de los casos pasan totalmente desapercibidos para quien los manifiesta.

Los signos de la dislexia, en su mayor parte, son errores de lectura y escritura que en cierta medida se pueden dar en individuos normales, sobre todo en la primera edad escolar. Todos leemos peor las pseudopalabras ("patefudasa"), las palabras irregulares ("hardware") y las palabras abstractas ("resentimiento") y en algún caso podemos equivocarnos y reproducir errores típicos de la dislexia. La consideración de la dislexia como discapacidad multifactorial está en cierto modo justificada por la amplia y diversa gama de signos y errores en la lectura y escritura que expresan los que la padecen. En este apartado queremos recoger las numerosas evidencias, deficiencias y errores que los disléxicos expresan y que están publicados en decenas de textos. Por simplicidad no incluimos citas bibliográficas en la relación de signos y/o errores, pero todos ellos han sido extraídos de las referencias bibliográficas que al final del libro se incorporan.

Veremos que muchos de los signos y errores que se describen pueden corresponderse con manifestaciones propias de quienes empiezan su aprendizaje de la lectura. Conviene discriminar bien los simples errores que se comenten al enfrentarse con un nuevo aprendizaje, de aquellos que tienen un trasfondo sustancial y que pueden ser evidencias claras de la dislexia. Es común aceptar que los disléxicos son individuos que tienen retrasos lectores considerables, de más de un año con respecto de su edad real y de su proceso de enseñanza. En la lengua española, aprender a leer con cierta soltura supone invertir cuatro o cinco años; a partir de ese tiempo, la práctica permitirá el progreso hasta la virtuosidad, que en algunos casos se logra. Los disléxicos nunca llegarán a alcanzar a los buenos lectores, su retraso se manifiesta en toda la etapa escolar e incluso como adultos mantendrán una "huella" característica. Las listas de signos que incorporamos más abajo son orientativas y prácticamente todos los autores reconocen su carácter no determinante. Si se encuentra un individuo que padece todos los signos, estamos en condiciones de considerar muy grave su patología. Lo normal es detectar solo alguno de los signos de los que citamos y a veces agrupados en modalidades concretas. Las diversas clases de dislexias, de las que ya hablaremos, se expresan con unos lotes característicos de signos y errores que permitirán diferenciar unas de otras. El diagnóstico de dislexia solo podrá efectuarse tras un análisis concienzudo de los expertos (psicólogos, logopedas, pedagogos y educadores), quienes tras una valoración global de los comportamientos de los sujetos, con el uso de elaborados tests creados al efecto, podrán diagnosticar esta disfunción. Han sido precisamente estos profesionales, junto con los padres de niños afectados, los que han participado en la creación de estas listas, tanto desde sus aportaciones investigadoras como desde su observación cotidiana.

Para presentar todos los signos de forma ordenada, hemos creado dos grupos, uno, el de los signos propios del proceso de aprendizaje escolar, y dos, el de los signos colaterales observados en otras facetas sociales y emocionales. Finalmente, introducimos una breve reseña de signos que se observan en los disléxicos adultos, así como actitudes para las que los disléxicos muestran condiciones favorables.

Signos en los procesos formativos

En la escuela primaria y en el ambiente familiar, los educadores y padres, respectivamente, ponen especial atención ante una serie de manifestaciones y numerosos errores que detectan en los individuos disléxicos y que para mejor comprensión agrupamos en los propios del proceso de aprendizaje de la lectura y la escritura y en los que se evidencian en otras tareas escolares.

Errores y signos en la lectura y escritura

Numeramos ordenadamente, según nuestro criterio, los signos y errores más citados y evidentes de la dislexia expresados en la lectura y escritura.

1.- **Invierten algunas letras**. Es uno de los signos más característicos, pero no determinante, de los disléxicos. Intercambian sin criterio definido las "b", "p", "q" y "d", otras veces confunden "u" con "n" o viceversa. Alegan algunos autores que son errores ante los problemas de discriminación "izquierda/derecha" o "arriba/abajo", consideración que no obstante es discutida.

2.- **Esporádicamente pueden escribir en espejo**. Es otro de los signos más repetitivos de los disléxicos. Se sitúan en el margen derecho de su hoja y sin dificultad plasman la imagen especular de la palabra que quieren escribir. A veces esta manifestación se corrige autónomamente al madurar su capacidad de orientación.

3.- **Leen con mucha lentitud**. Es característico en los disléxicos ejecutar la lectura con velocidad lenta, siempre bastante por debajo de la velocidad media de los niños de su edad. Esta situación se aprecia especialmente cuando el niño se enfrenta a las primeras frases y textos.

4.- **Inventan algunas palabras**. En la lectura de textos, a veces incluso con coherencia, inventan palabras en sustitución de otras que pueden tener un parecido gráfico, o sin tener este parecido pertenecen al mismo campo semántico.

5.- **Pierden el orden de las líneas del texto**. En la lectura de textos, sobre todo de textos densos, es común observar en el recorrido vertical por los escritos que lo hacen con frecuentes errores y a veces necesitan guiarse con el dedo para no perder el orden correcto de las líneas.

6.- **Leen con muchos errores las palabras funcionales**. Los artículos, preposiciones y conjunciones, globalmente denominadas palabras funcionales, que no tienen representación semántica, son en muchos casos fuente de numerosos errores en su lectura (leen "al", por "la"; "de" por "en"; "por" por "para"; etc.).

7.- **Tienen dificultades para deletrear**. Ante la propuesta de deletreo de los componentes de las palabras, omiten, cambian el orden y sobre todo presentan una actitud dubitativa.

8.- **No entonan bien en la lectura en voz alta**. Cuando por su edad afrontan la lectura de textos más o menos largos en voz alta, su lectura resulta monótona y los signos de puntuación, de admiración y de interrogación a veces son ignorados.

9.- **Están nerviosos mientras leen en voz alta**. Los propios compañeros, los educadores y los padres comprueban sus posturas de rigidez y voz entrecortada propias de unos nervios, en principio no justificados por la situación ambiental en que leen.

Errores y signos en el resto de procesos formativos

Con el mismo criterio que en la relación anterior, numeramos los errores y signos más citados por los autores relativos a procesos educativos diferentes de la lectura y de la escritura.

1.- **Tienen dificultad para repetir palabras polisilábicas**. Ante la instrucción de repetir palabras en sus juegos escolares, cometen errores y muestran duda ante la propuesta de palabras largas.

2.- **Aprenden mal un segundo idioma**. Cuando en el curso que corresponde se inician en el segundo idioma, muestran los disléxicos, por lo general, muchos problemas en su aprendizaje que perduran años más tarde.

3.- **Tienen dificultades para repetir dígitos en orden inverso al expuesto**. Ante la indicación del educador para que en sentido inverso repitan cifras que se les exponen, suelen tener problemas cuando el número de ellos iguala o sobrepasa los cuatro dígitos.

4.- **Muestran algunas dificultades para aprender las tablas de multiplicar**. En la repetitiva y monótona tarea del aprendizaje de las tablas de multiplicar, los disléxicos tienen un rendimiento generalmente menor, con pequeños bloqueos y pérdidas del orden en el recitado.

5.- **Retienen peor las lecciones que dan sus educadores**. Está probado que algunos disléxicos retienen en menor medida las instrucciones y no captan según lo esperado los conceptos formativos impartidos. Lógicamente este signo tiene más difícil valoración objetiva que otros de los descritos.

Signos ajenos al proceso formativo

Los expertos han relacionado una serie de signos y características del comportamiento de los disléxicos, que como en el resto de los casos expuestos más arriba no son exclusivos de estos individuos, pero sí confluyen significativamente en ellos.

1.- **No analizan bien los sonidos y se observa que auditivamente no discriminan correctamente las vocales**. Son frecuentes los casos en que tienen dificultades en la apreciación correcta de los sonidos de la lengua, tanto en vocales como en grupos fonéticos.

2.- **Suelen tener un retraso relativo en la adquisición de la lengua**. En los análisis de detección de dislexia, al preguntar al entorno familiar sobre los acontecimientos de la primera infancia, se constata que fueron lentos y relativamente tardíos en la adquisición del habla.

3.- **Tienen mala orientación espacial**. Es frecuente que los niños disléxicos cometan errores ante situaciones que requieren una buena aplicación de la orientación espacial. No se sitúan bien con los puntos cardinales ni con las posiciones relativas, especialmente en la distinción rápida y clara entre derecha e izquierda.

4.- **Sus nociones temporales son confusas**. La denominación y tratamiento de los días de la semana, de los meses del año y el discurrir cronológico diario les provoca confusión, dudas e inseguridad.

5.- **Motricidad fina deficiente**. A veces los disléxicos son calificados de torpes, su reducida habilidad con las manos es evidente en pruebas y trabajos que requieren una manipulación fina, como la realización de dibujos precisos y la realización de tareas plásticas.

6.- **Su reconocimiento del esquema corporal es incompleto**. Expresan con dificultad los nombres de las partes del cuerpo y cuando dibujan figuras humanas lo hacen de una forma bastante desproporcionada, sobre todo, si se comparan con los dibujos de sus compañeros de clase.

7.- **Tienen una peculiar forma de ser**. En su comportamiento a veces son muy reflexivos, otras introvertidos, resultando fácil etiquetarlos de raros.

8.- **No tienen definida adecuadamente la dominancia ocular, motora y auditiva**. En la generalidad de los individuos la dominancia hemisférica izquierda hace que usemos de forma preferente el ojo, el oído y las extremidades derechas. En los disléxicos este uso preferente es confuso y en determinados casos se da una dominancia cruzada (pueden usar preferentemente el ojo derecho, la mano izquierda y el pie derecho, u otras combinaciones posibles). Es una manifestación bastante frecuente observar en ellos una indefinición sobre el uso dominante de la mano o el pie. Muchos de ellos son ambidiestros.

9.- **Suelen tener un bajo concepto de sí mismos**. Conscientes de su inferioridad en tareas muy valoradas socialmente, acaban, en muchos casos, castigándose con una baja autoestima que los hace derrotistas y en cierto modo pesimistas.

10.- **Presentan alguna manifestación de descoordinación motora**. Aunque en algunos casos hay autores que califican a los disléxicos como buenos atletas, en otros trabajos se citan expresiones de descoordinación en la realización de tareas motoras.

11.- **Tienen respuestas pobres ante los estímulos táctiles**. La capacidad discriminatoria de los disléxicos es algo deficiente ante la propuesta de tareas de reconocimiento táctil.

12.- **Necesitan más tiempo para procesar mensajes**. Se ha comprobado que en las conversaciones con disléxicos, estos, para ganar tiempo y procesar adecuadamente los mensajes, hacen preguntas obvias y aclaratorias con la única intención, inconsciente, de ganar tiempo para integrar los mensajes.

13.- **Tardan más en reconocer caras**. En pruebas en las que se les muestran caras familiares, el tiempo empleado por los disléxicos para su reconocimiento es ligeramente mayor al que emplean la media del resto de individuos.

14.- **Tendencia a la delincuencia**. Aunque no puede tomarse como un signo con mucha penetrancia, algún estudio entre delincuentes ha evidenciado un porcentaje anormalmente alto de disléxicos entre ellos.

Signos de la dislexia en los adultos

Están documentadas correcciones absolutas de la dislexia, aunque la mayor parte de los autores que tratan la recuperación de la dislexia reconocen que es imposible borrar absolutamente las huellas que esta deja en quien la padece. Seguidamente indicamos algunos signos que son evidentes en los adultos, incluso aunque hayan seguido su proceso formativo hasta la universidad.

1.- **Tienen un perfil neuropsicológico que delata su deficiencia**. A pesar de la edad, el aprendizaje y el esfuerzo, los adultos disléxicos tienen ciertas manifestaciones leves que reflejan su condición. Entre ellas están la lectura equivocada de palabras sueltas en publicidad u otros soportes, lectura algo errática, entonación bastante pobre y algún trastorno con la escritura, etc.

2.- **No tienen una buena discriminación auditiva**. Al oír palabras nuevas o si estas no son adecuadamente pronunciadas, algún fonema les puede resultar confuso y necesitan ver la palabra escrita para asumir adecuadamente su pronunciación.

3- **Expresan alguna alteración del lenguaje**. Aunque no son muy frecuentes ni muy llamativas, tienen ciertas incorrecciones con el género de los artículos, errores con algunas palabras (parafonemias), y relativa falta de fluidez verbal.

4.- **Mantienen grandes dificultades con la segunda lengua**. Cuando no han aprendido adecuadamente una segunda lengua en la infancia, el reto como adultos es mucho mayor que el de los que no padecen dislexia.

Predisposiciones favorables en los disléxicos

Como veremos más adelante, la dislexia está asentada en unas anomalías cerebrales que afectan fundamentalmente al hemisferio izquierdo, pudiendo, por compensación, desarrollar mejor otras actividades asentadas en el hemisferio derecho. Es frecuente encontrar textos sobre dislexia que insisten en considerar que el disléxico es un ser inteligente que se tiene que desenvolver en un mundo que para él está mal integrado (Tomatis, 1979). Suelen los disléxicos mostrar actitudes positivas en trabajos de diseño y en interpretación de signos; la expresión esquematizada les resulta fácil (Corlu, Ozcan y Korkmazlar, 2007).

Definiciones dadas para "dislexia"

Todos los trabajos que hablan de dislexia, de forma explícita o implícita la definen. La inmensa mayoría la describen como una dificultad o trastorno en la lectura. Algunas de ellas se trascriben de texto en texto por su importancia histórica o conceptual. Como era de esperar, las definiciones asignadas, a pesar de su brevedad, reflejan en buena medida la complejidad del fenómeno que tratan de delimitar. En las propuestas definitorias, atendiendo a las consideraciones sobre las que se basa, se puede intuir el campo investigador del autor.

Para la redacción de este apartado hemos seleccionado cerca de una decena de las definiciones, bien por sus frecuentes citas, bien por su carácter peculiar y/o original. Las expondremos literalmente como las redactaron sus autores y a ellas añadiremos comentarios aclaratorios. Hemos observado que estas propuestas y otras muchas de las consultadas tienen tres líneas conceptuales diferentes. Unas, las más numerosas, centran su redacción en las manifestaciones más evidentes de la dislexia; otras, bastantes menos, nos remiten a las disfunciones nerviosas en que se sustenta, y un tercer grupo intenta recoger tanto las manifestaciones observadas en quienes la padecen como las bases neurológicas que las provocan. De un análisis rápido de las propuestas de definición comprobamos que es más fácil definir a quien padece la dislexia, que delimitar genéricamente el trastorno. En casi todos los casos, las definiciones nos recuerdan que estamos ante una alteración de la lectura, ante un trastorno del aprendizaje, ante un problema de comunicación, ante una perturbación de la función simbólica, etc., y cuando quieren centrar las bases neurológicas nos la refieren como una disfunción cerebral, como un defecto madurativo en la corteza cerebral, como un problema de origen constitucional, etc.

Definiciones de dislexia atendiendo a sus manifestaciones

Acabamos de admitir que es más fácil definir la sintomatología de quien padece una patología que esta última. En esta situación está la dislexia, por lo que la mayoría de las definiciones se centran en la referencia a los signos más significativos que ella provoca. A título orientativo recogemos cinco definiciones de otros tantos autores basadas en sus signos.

La primera de las definiciones es una de las más breves y sencillas de interpretar, la propuso Thompson (1992) y nos dice que *La dislexia es un trastorno que se manifiesta como una dificultad para aprender a leer a través de métodos convencionales de instrucción, a pesar de que existe un nivel normal de inteligencia y adecuadas oportunidades socioculturales* (p. 23). Es destacable la concepción de trastorno asignado a la dislexia. Este trastorno lo circunscribe exclusivamente al aprendizaje de la lectura cuando se guía por métodos reglados y se aplica a niños aparentemente normales. El término trastorno y la referencia a los medios adecuados de aprendizaje serán conceptos manidos en muchas de las definiciones. El mismo autor (Thompson, 1992) amplía conceptos e introduce nuevos elementos como memoria a corto plazo, secuenciación y codificación y, literalmente, dice:

La dislexia evolutiva es una grave dificultad con la forma escrita del lenguaje, que es independiente de cualquier causa intelectual, cultural y emocional. Se caracteriza porque las adquisiciones del individuo en el ámbito de la lectura, escritura y deletreo están muy por debajo del nivel esperado en función de su inteligencia y su edad cronológica. Es un problema de índole cognitivo que afecta a aquellas habilidades lingüísticas asociadas con la modalidad escrita particularmente, el paso de la codificación visual a la verbal, la memoria a corto plazo, la percepción de orden y la secuenciación (p. 19).

Complementaria de la anterior es la que propone Camino (2005) atendiendo a su propia concepción del disléxico como un individuo que está afectado por una alteración en la lectura, bien porque lee mucho más lentamente que los compañeros de su misma edad escolar, pudiendo comprender perfectamente lo leído, o bien porque aun leyendo deprisa, lo hace sin entonación, ni ritmo y con una comprensión baja o muy baja. Esta concepción genérica de la dislexia la sitúa como un síntoma específico en el amplio grupo de dificultades del aprendizaje. En esa línea conceptual la define de la siguiente forma:

La dislexia es un problema de comunicación que afecta a la decodificación y/o a la codificación de los signos del lenguaje en los ámbitos de la lectura, de la escritura o del habla en sujetos con cociente intelectual normal-medio (no inferior a 80 según la escala de desarrollo intelectual de Wechsler) contando con sentidos de percepción (visión y audición) y órganos de fonación normales, maduración adecuada para su edad cronológica y suponiendo que han recibido una educación convencional, afín a la gran mayoría de niños de su edad (p. 27).

Camino se extiende en la definición para aclarar determinados conceptos como la inteligencia, los sentidos de percepción y el modelo educativo. No obstante, es llamativo, y lo veremos también cuando analicemos su clasificación, la consideración de que la dislexia afecta al habla. Vemos novedosa esta incorporación de un campo tan amplio, y por otro lado excluido conscientemente por otros muchos autores.

Gayán (2001) nos dice:
La dislexia no se puede considerar como una enfermedad cualitativa, que se tiene o no se tiene, sino como un síndrome, es decir, una constelación de síntomas en los que los disléxicos demuestran mayor o menor dificultad de una forma cuantitativa (p. 2).

Merece reseñar de esta definición la posibilidad de medir cuantitativamente la dificultad que los disléxicos tienen en el proceso lector. También es destacable la consideración de la dislexia como un síndrome, como un sumatorio de síntomas o signos de los que ya hemos hablado.

En este apartado podemos introducir una definición eminentemente conductual y/o relacional de los individuos con su entorno, la propuso Mucchielli en 1964 (ver Tomatis, 1979), que contiene una consideración amplia del término, literalmente dice:

La dislexia es la manifestación de una perturbación en la relación del Yo y el Universo, perturbación que ha invadido selectivamente los dominios de la expresión y la comunicación. La relación del Yo con su Universo ha sido construida sobre modelos ambiguos e inestables, lo cual bloquea el paso a la inteligencia analítica, y a través de ella al simbolismo (p. 102).

Destacamos la consideración de perturbación, perturbación entre el disléxico y el medio que le rodea, como si el disléxico tuviera que desenvolverse en un mundo, para él, mal integrado. Para Mucchielli, esta falta de sintonía es la manifestación necesaria y suficiente para sufrir dislexia.

Definición de dislexia atendiendo a bases neurológicas

Son menos frecuentes las definiciones publicadas sobre la dislexia que hagan referencia a las bases neurológicas en que se sustenta. Estamos convencidos de que en el futuro, cuando se determinen adecuada y precisamente las bases neurológicas y los fundamentos genéticos que conducen a la dislexia, será el momento de establecer la correcta definición de la misma, atendiendo no a las manifestaciones sino a la etiología concreta que la provoca. Una breve pero consistente definición la da Cuetos (2006), si bien es una definición global que abarca tanto a la dislexia evolutiva, como a la adquirida, que implícitamente ya hemos usado en el apartado correspondiente. Su propuesta es:

En términos neurológicos se considera que la palabra dislexia se debe aplicar solo a aquellos casos en que el déficit lector se produce por algún tipo de disfunción cerebral. Si esta disfunción se manifiesta antes de que el individuo haya alcanzado la edad lectora, la llamaremos dislexia del desarrollo o evolutiva; si la disfunción ocurre una vez el individuo domina el proceso lector, la llamaremos dislexia adquirida (p. 55).

En nuestra apuesta de futuro, se delimitará correctamente la disfunción con precisión neuroanatómica, genética y bioquímica.

Definiciones de dislexia con criterio armonizador

Este último grupo de definiciones citan habitualmente algunas de las manifestaciones más conocidas de la dislexia pero introducen en cierta medida alusión genérica de las posibles disfunciones que la causan.

Thompson (1992) cita la definición de Critchley y Critchley (1978), cuya trascripción es:

La dislexia evolutiva es un trastorno del aprendizaje que se manifiesta por una dificultad para aprender a leer, y posteriormente por un deletreo errático y por una falta de capacidad para manipular el lenguaje escrito, no el oral, es un problema cognitivo que suele estar determinado genéticamente. No se debe a un retraso intelectual ni a falta de oportunidades socioculturales, ni a factores emocionales ni a ningún defecto estructural conocido del cerebro. Probablemente es una manifestación de un defecto de maduración específico que tiende a atenuarse con el crecimiento pudiendo el niño mejorar de un modo considerable, especialmente cuando recibe una ayuda adecuada desde los primeros momentos (p. 18).

Refiere, como anticipábamos, manifestaciones del disléxico en la lectura y la escritura. Es interesante la alusión a la consideración de determinación genética del trastorno, así como la cita del defecto de maduración que se atenúa con el paso del tiempo. Esta consideración de atenuación del trastorno con el paso del tiempo es un guiño a los protocolos recuperadores que se aplican al efecto, que neurológicamente podría explicarse por los mecanismos de compensación cerebral y por la **plasticidad neuronal**, denominación que se da a la capacidad de adaptación que las neuronas expresan anatómica y fisiológicamente ante nuevas experiencias y necesidades de los sujetos (fenómeno comprobado en animales y humanos y del que hablaremos más adelante).

Gayán (2001) nos cita a Lyon, quien en 1995 propuso la siguiente definición:

La dislexia es un trastorno específico, de base lingüística, de origen constitucional, caracterizado por dificultades en la decodificación de palabras aisladas, generalmente producidas por un procesamiento fonológico inadecuado. Estas dificultades no guardan relación con la edad, ni con otras habilidades cognitivas o académicas; tampoco son el resultado de un trastorno general de desarrollo o de un defecto sensorial. La dislexia se manifiesta por dificultades de diversa gravedad en diferentes formas del lenguaje, incluyendo a menudo, además de los problemas de lectura, un problema notorio en el aprendizaje de la capacidad de escribir y de deletrear (p. 25).

Incapaces de determinar las disfunciones cerebrales que causan la dislexia, atribuye genéricamente el origen de la misma a algún problema constitucional, es decir, supone que el problema radica en alguna patología y/o disfunción del cerebro. El resto de consideraciones citadas por Lyon ya han sido analizadas con otras definiciones.

En el libro *Dislexia y dificultades de aprendizaje* (1994) se trascribe la definición que Mattis plasmó en 1978:

La dislexia se puede diagnosticar como un desarrollo lector atípico, comparado con el de otros niños de la misma edad, inteligencia,instrucción y nivel sociocultural, que, en ausencia de intervención, se puede esperar que persista y que es debido a un déficit bien definido en cualquiera de las funciones corticales superiores específicas (p. 22).

Como en otras definiciones analizadas, describe las expresiones más comúnmente reconocidas en la dislexia e identifica como origen de las mismas a algún déficit de las funciones cerebrales superiores. Esta cita tan difusa debe con el tiempo ser precisada en cuanto a zonas concretas de la corteza y en cuanto al tipo de déficit.

Para finalizar la trascripción de definiciones sobre la dislexia reproducimos la que reconoce la Federación Mundial de Neurología (Thompson, 1992), que define la dislexia como:

Un trastorno que se manifiesta con dificultades para aprender a leer, a pesar de una instrucción convencional, inteligencia adecuada y oportunidades socioculturales. Se debe a una incapacidad cognitiva fundamental, frecuentemente de origen constitucional (p. 18).

Aparte de que es la definición de una institución de reconocida solvencia, poco más podemos decir que no se haya dicho antes en los comentarios dados para otras definiciones.

Otras denominaciones de la dislexia

El término dislexia es indudablemente aceptado hoy día, a pesar de la amplitud y variedad de sus signos estamos todos de acuerdo en la cobertura conceptual de esa denominación. No obstante, el neologismo dislexia ha tenido, como veremos más adelante, una serie de avatares históricos hasta su definitiva aceptación por psicólogos, educadores, neurocientíficos y público en general. Para dejar constancia de otras denominaciones usadas para nombrar esta afección, recogemos las que Tomatis (1979) cita:

-**Ceguera para las palabras**, propuesto por Kussmaul en 1877.

-**Tifolexia congénita**, término usado en 1906 por Variot y Lecomte.

-**Alexia congénita**, nombre propuesto por Jackson en 1906.

-**Ambliopía simbólica congénita**, término usado por Clairbonne en 1906.

-*Analphabetia partialis*, denominación que dio Wolff en 1916.

-**Bradilexia**, término que hace referencia a la lentitud en leer y que fue propuesto por E. Claparède en 1916.

-**Legastenia**, denominación dada por Rasnschburg en 1916.

¿Qué no es dislexia?

Hemos visto la variedad de definiciones del concepto "dislexia", en este como en otros casos, es recurso sencillo determinar aquellas afecciones que, con alguna similitud en sus manifestaciones, son explícitamente ajenas a la dislexia. Recogemos seguidamente cinco afecciones o situaciones que pudiendo generar alguno de los signos propios de la dislexia, son perfectamente diferenciables de ella:

1.- **La dislexia no es una deficiencia intelectual**. La capacidad intelectual del *Homo sapiens* se sustenta en los recursos mentales para resolver problemas cotidianos, para entender conceptos, para interpretar las variables ambientales y sociales que le rodean y tomar decisiones que aporten beneficios a su supervivencia. La inteligencia se sustenta en las ideas y estas son, como dijimos, independientes de su expresión verbal y/o escrita. Deficientes mentales siempre ha habido, han tenido enormes dificultades con cualquier tipo de aprendizaje y se han enfrentado al entorno con enormes carencias y falta de recursos. Los disléxicos, a pesar de sus dificultades en la lectura y la escritura, no son deficientes intelectuales. Hasta que se universalizó la enseñanza reglada para toda la sociedad, los disléxicos, que los había, pasaban desapercibidos (recordemos que la dislexia se evidencia con la lectura). Los sujetos que la "padecían" resolvían satisfactoriamente las situaciones a las que se enfrentaban cotidianamente.

2.- **La dislexia no es un problema auditivo**. Discutiremos más adelante teorías que relacionan la capacidad auditiva con la dislexia desde una perspectiva diferente de lo que es la percepción acústica. Está perfectamente delimitada la dislexia y no puede ser considerada como un problema auditivo. En algunas de las definiciones dadas se descarta la deficiencia sensorial auditiva. Se han descrito algunos individuos con deficiencias auditivas de diferente grado que no aprenden a leer, pero no pueden estos ser calificados, por esta sola razón, como disléxicos.

3.- **La dislexia no es un problema visual**. En la misma medida que en el caso del oído, discutiremos más adelante teorías que ligan la dislexia a la visión. Algunas relacionan la dislexia y los movimientos oculares erráticos, otras hacen corresponder la dislexia con la "**vía magnocelular**" (una de las vías de comunicación entre la retina y la corteza visual que pasa por la zona magnocelular del núcleo geniculado lateral talámico), pero está demostrado que ante diferentes dificultades visuales, si se aportan medios adecuados, los sujetos afectados pueden leer y no manifestar signos propios de la dislexia. La ceguera o las deficiencias visuales quedan fuera de la concepción de dislexia.

4.- **La dislexia no es dislalia o tartamudez**. Esta es una dificultad motora para articular el lenguaje verbal, con repeticiones y/o atascos, pero diferente a la dislexia. Cuando estos sujetos leen, lo hacen con las mismas dificultades con las que hablan, pero no por ello podemos calificarlos de disléxicos.

5.- **La dislexia no es dispedagogía**. Hemos visto cómo el ambiente social, familiar y educativo influye en la adquisición de la lectura. Comprobamos que la dislexia se manifiesta irremediablemente en algunos sujetos a pesar de que ellos hayan contado con escuelas, educadores y familias perfectamente aptas para facilitar el aprendizaje de la lectura.

Clasificaciones de la dislexia

En todo proceso investigador es procedente establecer algún criterio de clasificación de las diversas modalidades del fenómeno investigado. Las clasificaciones ayudan a entender los campos de conocimientos amplios y diversos. Con la dislexia no va a ser diferente, hemos encontrado en la bibliografía consultada diversas clasificaciones propuestas en función de las concepciones de cada momento o en función de las peculiares apreciaciones de cada autor. La mayor parte de las clasificaciones se plantean atendiendo exclusivamente al tipo dominante de error o signo que los disléxicos manifiestan. Los errores que los investigadores detectan tienen su justificación en alguna deficiencia o disfunción entre los módulos mentales que intervienen en la lectura. Adelantamos que la gran mayoría de los disléxicos tienen problemas con el sistema fonológico (diremos que padecen dislexia fonológica), pero están perfectamente descritos otros sujetos afectados en otros sistemas y por tanto encuadrados en otras modalidades de dislexia.

Posiblemente una de las primeras clasificaciones, recogida por Gayán (2001), la propuso Hinshelwood en 1917, del que ya dijimos que fue uno de los pioneros en el estudio de la dislexia evolutiva. Adelantándose a las más modernas investigaciones, presuponía que estábamos ante un defecto hereditario. En su concepción de la disfunción, incluyó en ella grupos que hoy día están descatalogados como disléxicos, no obstante por su interés histórico y su carácter pionero recordamos el triple encuadramiento que propuso:

1.- **Alexia**. Denominación que utilizó para incluir a aquellos individuos que no podían leer o lo hacían con muchísimas dificultades. Sus problemas radicaban en un retraso mental. Como hemos visto en las modernas concepciones del trastorno, este grupo no es considerado actualmente como disléxico.

2.- **Dislexia**. Término que empleó expresamente con carácter específico para englobar a los individuos que tenían retrasos leves observados durante el aprendizaje de la lectura.

3.- **Ceguera para las palabras**. Denominación anteriormente utilizada y recuperada por Hinshelwood para delimitar a todos aquellos sujetos que tenían graves problemas de lectura y supuestamente poseían, en contra del primer grupo, una capacidad intelectual normal.

Rondal y Seron (1991) nos recuerdan y trascriben la clasificación que Marshall y Newcombe definieron en dos trabajos, uno de 1966 y otro de 1973. Su propuesta clasificatoria se basa en la tipología de los errores que cometen los individuos que padecen esta disfunción. En esta clasificación se establecieron tres grupos:

1.- **Dislexia visual**. Designaba la dificultad que expresaban algunos individuos, que ante la lectura de textos convencionales emitían algunas palabras que no se correspondían con las escritas, pero que guardaban cierta similitud gráfica.

2.- **Dislexia de superficie**. Denominación que los autores daban para delimitar a los sujetos cuyos errores parecían corresponderse con dificultades en la ejecución de la correcta asignación de fonemas a los grafemas de las palabras propuestas para su lectura.

3.- **Dislexia profunda**. Era el nombre dado al trastorno que agrupaba a los individuos que en la ejecución lectora cometían como error más destacado las parafasias. Eran errores semánticos, pronunciaban palabras diferentes a las propuestas fruto de raras asociaciones mentales. Pueden llegar a leer "silla", donde estaba escrito "mesa".

Hécaen en 1967, figura importante en la investigación de la dislexia, propone una clasificación alternativa (Rondal y Serón, 1991). También la fundamenta en los errores que comenten los sujetos que padecen dislexia, pero su clasificación la hace atendiendo a la unidad lingüística en que recae el error:

1.- **Alexia literal**. Delimita la disfunción para aquellos casos en los que el déficit principal se observa a nivel de la letra. Interpreta que los errores están fundamentados en la identificación de los grafemas.

2.- **Alexia verbal**. Define la situación de aquellos individuos cuyos errores se evidencian en un déficit principal a nivel de la palabra. Es en la lectura global de las palabras, como unidades lingüísticas, donde se producen los más importantes errores.

3.- **Alexia frástica**. Denomina la disfunción lectora en la que los sujetos manifiestan en mayor medida sus errores en el procesamiento global a nivel de la frase. Encajarían en esta modalidad los lectores cuyos errores se sustentan en la falta de entonación, en la descoordinación sintáctica y en la falta de comprensión global de la frase.

En los años 60 hubo una tendencia bastante generalizada que distinguía a los disléxicos fundamentalmente por su carácter etiológico, de ella surge la clasificación que Boder dejó plasmada en 1976 (ver Gayán, 2001). Inicialmente agrupó a los disléxicos en dos bloques, atendiendo al aspecto sensorial que podría justificar su disfunción. Boder utilizó dos denominaciones:

1.- **Disfonéticos**. Calificativo utilizado para diferenciar a aquellos sujetos cuyos errores en la lectura podían ser explicados por sus defectos en el sistema auditivo. Esta denominación puede ser equivalente a disléxicos auditivos.

2.- **Diseidéticos**. Vocablo introducido por Boder para denominar a los individuos cuya lectura errática quedaría justificada por deficiencias en el sistema visual, por lo que también podrían llamarse disléxicos visuales.

Esta clasificación nos recuerda, con las oportunas salvedades, fácilmente, las dos vías de lectura propuestas, de las que ya hemos hablado; la ruta fonológica y la ruta visual. No obstante, evidencias claras probaron que existen disléxicos cuyos errores lectores pueden corresponderse, en parte, con cada una de las dos modalidades propuestas por Boder, por lo que hubo que introducir un tercer grupo, el de los **disléxicos mixtos** para justificar estas observaciones.

En esta misma línea Philip Seymor en 1986 (ver Gayán, 2001) encuadra a los disléxicos en tres unidades: **disléxicos semánticos, fonológicos y visuales**. Evitamos su explicación pues encajan perfectamente en algunas de las expuestas en párrafos anteriores.

Rondal y Serón (1991) citan a Patterson, quien en 1981, considerando resultados experimentales, estableció un cuadro encabezado por cuatro de las subclasificaciones clásicas de la dislexia y sobre ellas asignó la forma en que cada una se evidencia por los errores cometidos según el tipo de prueba experimental al que se sometieron los disléxicos. Analizamos según el criterio de Patterson cuatro modalidades de dislexia y la tipología de los errores en cada una de ellas:

1.- **Dislexia profunda**. Los errores que comete el paciente se manifiestan especialmente sobre pseudopalabras, sobre palabras funcionales y sobre palabras que nombran conceptos abstractos.

2.- **Dislexia fonológica**. La mayor parte de las equivocaciones son evidentes en la lectura de pseudopalabras y palabras funcionales.

3.- **Dislexia letra a letra**. El parámetro determinante que justifica la mayoría de los errores está en la longitud de las palabras.

4.- **Dislexia de superficie**. Los pacientes con esta dislexia registran más errores en palabras de mayor longitud y en la aplicación de las correspondencias entre grafema y fonema.

Camino (2005), coherente con su propuesta de definición de la dislexia, clasifica la misma en dos grandes bloques; según donde se manifiesten los problemas en el disléxico: en la decodificación o en la codificación. Dejamos claro en el capítulo anterior que la escritura es un sistema simbólico y arbitrario que requiere una codificación para su plasmación y una decodificación para la recuperación del mensaje impreso. También existe codificación en la creación arbitraria de las lenguas, al utilizar denominaciones de las cosas sin criterio objetivo alguno. Advertimos que Camino (2005) incluye en su clasificación problemas propios del lenguaje oral, como ahora veremos. Su clasificación queda resumida con el siguiente esquema:

1-**Trastornos de decodificación**. Encajan en lo que él denomina "dislexia específica". Estos trastornos los divide atendiendo al órgano sensorial cuya disfunción la genera:

-**Dislexia visual**. Abarca ampliamente todos los defectos que el disléxico manifiesta en la lectura, tanto si son de tipo comprensivo como de ejecución.

- **Dislexia auditiva**. Introduce esta denominación para encuadrar a los individuos que tienen problemas con la comprensión del lenguaje oral. Recalcamos que está aplicando el término dislexia a una deficiencia en el lenguaje oral.

2- **Trastornos de codificación**.

-**Disortografía**. Describe las alteraciones en la escritura que resultan aberrantes, pudiendo ser alteraciones simbólicas (no escriben bien los dictados) o alteraciones motoras (no ejecutan adecuadamente una redacción).

-**Disgrafía**. Define todas aquellas dificultades que tienen los disléxicos para ejecutar dibujos.

-**Discalculia**. Denominación dada a las dificultades específicas que presentan algunos individuos en la escritura de los números.

-**Disfasia**. Término que usa Camino para englobar a todas aquellas dificultades para hablar.

Camino aclara que cualquiera de estas dislexias puede manifestarse en tres grados: leve, medio o fuerte, atendiendo al número e intensidad de las dificultades que manifiestan los que las padecen.

Por sintonía con el esquema del capítulo anterior, donde asumimos que el sistema modular de consenso que más nos convencía era el trascrito por Cuetos (2006), concluimos el apartado de las clasificaciones de la dislexia con la propuesta que él mismo hace en su libro. Reconocemos y coincidimos con Cuetos en que los tipos de dislexia evolutiva son un grupo heterogéneo. La lectura tiene muchos componentes, cualquiera de ellos que no funcione correctamente, bien por no estar desarrollado, o bien por tener alguna deficiencia puede desencadenar algún tipo de dislexia. Efectuados estudios comparativos entre la dislexia adquirida y la dislexia evolutiva se han encontrado casos de disléxicos fonológicos, hay también casos de disléxicos superficiales y alguno ha sido diagnosticado como disléxico profundo. Cuetos (2006) confiesa haber aceptado en el pasado paralelismo entre ambas dislexias (adquiridas y evolutivas), sin embargo, ahora expresa dudas.

Los tipos de dislexia que propone y que se describen en su libro surgen de la localización del déficit en alguno de los cuatro procesos que completan el protocolo lector. Haremos un recorrido por los cuatro módulos y sobre cada uno de ellos analizaremos las propuestas sobre los errores que pueden encajar en cada módulo o proceso:

1.- Déficit en el procesamiento perceptivo
Está documentado que en pocos casos los problemas lectores de los disléxicos descansan en problemas de percepción, suelen ejecutar con más dificultad la identificación de letras, aunque estaría por ver si es un problema perceptivo o lingüístico.

El déficit lector no suele tener su fundamento en problemas perceptivos. Recordemos que la dislexia no es, por definición, un problema perceptivo, es un problema lingüístico. Los movimientos oculares, efectivamente, son en los disléxicos más cortos, las fijaciones son más largas y como dato más significativo las regresiones son más numerosas. Estas sustanciales diferencias en los movimientos oculares, entre disléxicos y normoléxicos, parece ser más bien una consecuencia de la dislexia que la razón de la misma. Suponen muchos autores que el disléxico, percatado de sus dificultades de decodificación, fuerza a los ojos con movimientos de regresión e invierte más tiempo en las fijaciones para intentar cerciorarse de lo verdaderamente escrito.

La memoria icónica es un componente mental que interviene en los procesos perceptivos de la lectura, podría atribuirse a esta localización algún defecto que justificase la dislexia. Cuetos (2006) cita a Vellutino para descartar un déficit en el almacenamiento de la memoria icónica, pues los disléxicos son capaces de retener información en ella tanto tiempo como los sujetos normales.

Uno de los típicos errores de los disléxicos es la confusión entre letras parecidas: b/d, p/d, p/q, error que popularmente es considerado el signo determinante de la dislexia. Este parece ser un problema visual, pero se ha descartado al comprobar que estos errores no se dan cuando se les propone que deletreen las palabras, donde no cometen el típico error. Esta situación indica que estamos ante un problema lingüístico. Puede ser que conozcan las palabras por su aspecto global y cuando encuentran una palabra parecida a otra en su representación léxica, se equivocan. Esto quedaría justificado al comprobar que los niños que aprenden a leer por métodos globales cometen más errores de este tipo.

2.- Déficit en el procesamiento léxico

También lo podemos denominar déficit en el reconocimiento de palabras. Está comprobado que es en el procesamiento léxico donde observamos más diferencias entre disléxicos y niños normales; estas dificultades pueden darse por el uso incorrecto de la ruta fonológica o la visual. Pueden darse casos en que la deficiencia se manifieste en ambas rutas. Aquí se encuentra un importante paralelismo entre las dislexias diagnosticadas a niños y las dislexias adquiridas. Los errores que se observan en los disléxicos que tienen afectado este procesamiento radican en la mala utilización de una, otra o ambas rutas. Parece ser que la mayoría de los problemas se sustentan en el uso incorrecto de la ruta fonológica. Se han encontrado niños que tienen, en cierto modo, los mismos comportamientos que se describen en las dislexias adquiridas: dislexia fonológica, dislexia superficial, dislexia profunda, errores semánticos y errores derivativos. Reiteramos la actual duda que plantea Cuetos (2006) sobre ese paralelismo.

3.- Déficit en el procesamiento sintáctico

Algunos disléxicos tienen poca capacidad en la memoria a corto plazo. En la lectura o en la escucha de oraciones olvidan algunas palabras antes de haber terminado el procesamiento total de la oración; aun en el caso de que los niños tengan la memoria operativa (memoria a corto plazo) normal, pueden tener dificultades en el procesamiento sintáctico y también en el semántico. Invierten más tiempo en reconocer palabras, ocupan la memoria y se entorpecen otros procesos. A veces el problema de los disléxicos es la utilización inadecuada de claves sintácticas, teniendo reducida la capacidad de segmentar los constituyentes. Se ha demostrado que la presentación de oraciones a los disléxicos es clave para su lectura adecuada; cuando se les presentan frases con los grupos sintácticos perfectamente agrupados entienden íntegramente el contenido, pero tienen más dificultades cuando las mismas frases se les presentan gráficamente desordenadas. Otra dificultad de los disléxicos se manifiesta en las oraciones pasivas. Tienen problemas para asignar los papeles sujeto/verbo/objeto, cuando las secuencias no llevan este orden. Debemos recordar que los niños pequeños en su proceso de aprendizaje, aun siendo normales, también tienen dificultad con las oraciones pasivas. Dato coherente con la propia dislexia, que suele manifestarse expresamente con un importante retraso lector, atendiendo a la edad y al tiempo empleado en la formación.

4.- Déficit en el procesamiento semántico

Volviendo a la propuesta modular de la lectura (Cuetos, 2006), constatamos que hay dos causas fundamentales en este déficit: una, la incapacidad de organizar la información, no discriminan lo importante de lo secundario; y dos, la no integración: los conocimientos no pasan a formar parte de su conciencia y por tanto se da un fracaso lector.

Los lectores retrasados por diversas razones y, además, los disléxicos, poseen menos conocimientos para la comprensión de los textos. Entender un texto requiere tener conocimientos previos, si no se tienen esos conocimientos, se comprende peor; si el texto no se comprende, se tiende a leer menos, si se lee menos se prescinde de una de las fuentes más útiles en la adquisición de conocimientos.

La delimitación de la dislexia ¿Enfermedad o trastorno?

A esta altura del libro ya hemos expuesto datos suficientes sobre la dislexia para afrontar una de las primeras preguntas que se han planteado históricamente: ¿es la dislexia una enfermedad? Si el lector ha sido observador, habrá comprobado que hemos usado para delimitar la dislexia una serie de denominaciones (disfunción, desventaja, déficit, trastorno…), y hemos escapado, siempre que hemos podido, del término enfermedad. No obstante ha habido autores que así la han considerado.

La más sencilla definición de enfermedad se centra en una alteración más o menos grave de la **salud**, definición que nada resuelve, pues nos aporta otro término de difícil delimitación, que es la "salud". La salud es considerada por la OMS (Organización Mundial de la Salud) como la estabilidad física, psíquica y social del individuo, definición que tampoco nos ayuda demasiado en nuestra discusión.

Las siglas ICD-10 corresponden a "Tenth Revision of the International Classification of Diseases and Related Health Problems" (Décima Revisión de la Clasificación Internacional de Enfermedades y Problemas Relacionados con la Salud), por lo que todas las que aparecen en esa revisión deberán ser consideradas como enfermedad. No obstante, en el capítulo XVIII, denominado "Symptoms, signs and abnormal clinical and laboratory findings, not elsewhere classified" (R00-R99) (Síntomas, signos y hallazgos anormales clínicos y de laboratorio, no clasificados en otra parte) aparece la dislexia (Organización Mundial de la Salud, n.d.).

La dislexia puede ser considerada como uno de los trastornos del neurodesarrollo (Artigas-Pallarés, 2009), así, estaría encuadrada dentro del grupo que engloba a aquellos que se pueden definir a partir de déficits cognitivos o conductuales (entre los que están el trastorno por **déficit de atención/hiperactividad –TDAH– y el autismo**). Estos trastornos llevan el calificativo de específicos, pues solo está afectado un aspecto cognitivo, aunque esta especificidad en algunos casos está cuestionada. Las características más importantes de estos trastornos son:
-Tienen bases genéticas. En estos trastornos ha sido constatado el carácter hereditario de los mismos, y en algunos casos, como veremos ampliamente, localizados **marcadores** genéticos corresponsables en cierta medida de cada uno de ellos.
-Los síntomas o signos de los que los padecen no difieren en gran medida de los signos de los sujetos normales, estando los límites entre trastorno y normalidad difusamente delimitados.

-No existen marcadores biológicos que permitan diagnosticar con claridad el trastorno.

-En ellos es común la **comorbilidad**, que es la presencia simultánea y repetitiva de más de un diagnóstico en un individuo. En otro apartado de este capítulo se tratará expresamente esta situación. Las formas puras de esos trastornos son poco frecuentes dificultando su diagnóstico y tratamiento.

-El entorno social y familiar en que se desenvuelven los individuos son muy determinantes en la manifestación y graduación del trastorno.

Hemos visto que en el apartado de definiciones y en las consideraciones previas se califica a la dislexia como un trastorno, posiblemente como traducción del término en inglés "disorder". Hemos de pensar, y así lo indica Artigas-Pallarés (2009), que el uso de este término puede ser debido a que los autores que por él se han inclinado no han encontrado otro mejor. Esta relativa falta de concreción es coherente con lo que hasta ahora hemos comentado de la dislexia.

Conocemos que las variables cuantificables, como el peso, la estatura o el cociente intelectual, al representarlas gráficamente dibujan la famosa **campana de Gauss**, que es la imagen gráfica de una distribución normal. Las distribuciones normales recogen que la mayoría de los individuos de una población suficientemente numerosa tienen valores de la variable analizada en torno a la media estadística. En el caso de la dislexia, aplicando parámetros concretos de medición de la velocidad y comprensión lectora, estos desembocan, precisamente, en una distribución normal, donde la inmensa mayoría de los sujetos tienen parámetros cuantificables de lectura en torno a la media, otros leen con virtuosidad, los superléxicos, y otros tienen unos parámetros de lectura muy por debajo de la media. La dislexia no es un fenómeno del todo o nada, sino que se expresa en distintos grados. Dentro de esa distribución normal en que se desenvuelve la lectura, la dislexia representa el extremo inferior izquierdo de esa campana (Artigas-Pallarés, 2009). Aceptaremos el término trastorno para concretar la dislexia y descartamos definitivamente la consideración de la dislexia como una enfermedad.

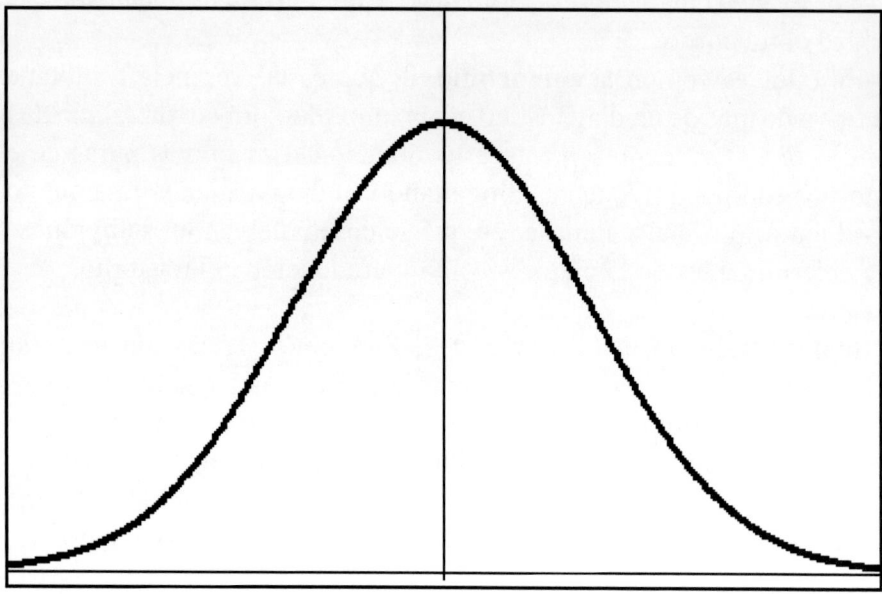

Figura 18. Campana de Gauss. La representación gráfica se corresponde con una distribución estadística normal. Los valores de las variables estudiadas se reparten simétricamente en torno a la media (como puede ser la estatura de los individuos de una determinada ciudad).

Etiología de la dislexia

El término etiología tiene una connotación semántica que hace referencia a "encontrar la razón de", es decir, dar explicación de algo que ocurre a nuestro alrededor o en nosotros mismos. En medicina se usa frecuentemente este término para justificar las razones o encontrar las explicaciones por las que aparece una enfermedad.

Buscar las explicaciones del origen de la dislexia significa explorar dos grandes áreas del conocimiento, la neurología y la psicología cognitiva. A nivel neurológico se buscarán los mecanismos por los que el encéfalo procesa el acto lector, mecanismos aún no claros en sus aspectos estructurales y funcionales más profundos y a los que nos referiremos en capítulos posteriores. A nivel cognitivo tenemos muchos más datos, pues se asienta en las manifestaciones observables en pruebas de lectura y en trabajos de laboratorio.

La dislexia no tiene una etiología clara, ya hemos indicado que por sus diversas alteraciones es fácil suponer que ellas tengan diferentes orígenes, pudiendo afectar a diferentes zonas encefálicas y a sus conexiones. El estudio de la dislexia es un ejemplo claro de cómo han evolucionado las teorías psicológicas desde su nacimiento hasta ahora, permite apreciar cómo se adaptan estas teorías a las nuevas disciplinas que aportan datos resultantes de novedosas investigaciones. Partimos de la base de que las causas de la dislexia aún no son conocidas, hay muchas teorías propuestas, pero falta definir claramente este trastorno. Hemos concluido que la dislexia no es una enfermedad, es un trastorno, aunque algunos (Gayán, 2001) la califican de síndrome, por la relevante suma de signos o dificultades que los que la padecen manifiestan en algunas tareas específicas de lectura y escritura, siendo estas dificultades cuantificables.

Hay sólidos indicios que apoyan la hipótesis de una supuesta relación entre el funcionamiento hemisférico y la dislexia. Esto lo analizaremos usando los datos que aportan las nuevas y potentes herramientas neurológicas. Anticipamos que la dislexia tiene que ver con un funcionamiento neurológico anormal o, al menos, diferente. Es importante la referencia al concepto funcionamiento anormal, que puede no ser observado con técnicas de prospección anatómica. Puede que algún tipo de conexión entre el procesamiento normal del material auditivo con un procesamiento anormal del material visual sea la causa de la dislexia.

Para desarrollar este apartado y a título de presentación haremos un breve recorrido por las posibles causas de la dislexia, en este caso apoyadas en observaciones de la psicología cognitiva. Dentro de esta perspectiva cognitiva expondremos y discutiremos aspectos etiológicos relacionados con los sentidos (vista y oído), con la secuenciación, con la memoria, con los procesamientos fonológicos y verbales y con las funciones lingüísticas de orden superior.

Dislexia y los sentidos

Hemos realizado diversas, pero breves referencias a la dislexia en su relación con los órganos de los sentidos. La mayor parte de las definiciones de este trastorno excluyen en su contenido los defectos sensoriales. No obstante, históricamente se ha considerado en algún momento y por algún autor que la etiología de la dislexia se fundamentaba en deficiencias sensoriales. Como los argumentos esgrimidos por los autores en esta línea son en cierto modo interesantes, los analizamos más abajo, aunque insistimos en la moderna consideración de la dislexia como un trastorno cuya etiología conviene buscar en el sistema nervioso central.

Dislexia y oído

Ha quedado claro que los fonológicos constituyen el grupo más numeroso de disléxicos, pero debemos diferenciar la conciencia fonológica y la capacidad interpretativa de los fonemas de los problemas de audición. Algunos autores nos dicen convencidos que la dislexia es un déficit que se manifiesta en la percepción de los sonidos del habla (Bogliotti, Serniclaes, Messaoud-Galusi y Sprenger-Charolles, 2008), pero estas dificultades no tienen que ver con un oído defectuoso.

Tomatis (1979) es uno de los autores que más se ha esforzado en ligar la dislexia con el oído. De sus propuestas extraemos las consideraciones más interesantes. Tomatis establece que de un acto puramente fisiológico, la captación de las vibraciones sonoras, el sistema nervioso de cualquier sujeto genera una respuesta psicológica. Tras el dominio del habla (adquirida pasados los preceptivos meses de aprendizaje infantil) asociamos las estructuras sonoras concretas a un valor semántico determinado. Este planteamiento, inicialmente, nos parece correcto. En su propuesta, hace una división del proceso auditivo en tres actos definibles y diferenciables:

1.- El sonido de la lengua, como cualquier otro sonido, llega a nuestro oído y este, como órgano sensorial, lo percibe.

2.- Ante los sonidos de la lengua debe haber una predisposición de voluntad para escuchar, que es diferente de oír.

3.- La escucha de un mensaje, gracias a la capacidad cerebral humana, pasa a integrar nuestro conocimiento, como ya hemos apuntado. La integración es la adquisición del poder de reproducir a voluntad una cadena sonora dotada de sentido y utilizarla en el momento oportuno, lo que supone haberla conquistado, asimilado y, finalmente, disponer de ella.

Estos tres actos diferenciables permiten que se den dos situaciones curiosas: que se pueda oír sin escuchar y que se pueda escuchar sin integrar.

Después de estas consideraciones bastante obvias, Tomatis (1979) carga sobre el oído toda la responsabilidad de la etiología de la dislexia. Dice que la base de ese trastorno son los defectos o malos montajes en la relación entre los ojos y el oído. Atendiendo a la tipología del defecto coordinador, determina las consecuencias evidentes y relacionadas con los errores propios de la dislexia:

1.- Si no existe superposición sincronizada entre sonido e imagen, el signo para leer resulta indescifrable (situación de dislexia total).

2.- Si el descifrado es lento, que requiere ser ejecutado letra a letra, se producen los reconocibles titubeos que muchos disléxicos expresan.

3.- Si se da un retraso amplio para comprender el verdadero sonido de la letra atendiendo al lugar que ocupa, surgen errores de descifrado dependientes del factor tiempo y del factor frecuencia.

-El factor tiempo explica para Tomatis (1979) los errores que se dan cuando hay confusión entre la "p" y la "b", y entre la "t" y la "d", que son pares de letras que se diferencian entre sí por la longitud del desarrollo temporal de la pronunciación, según su criterio. Al factor tiempo además achaca errores de omisión de sílabas, que se presentan cuando la imagen acústica va más rápida que la imagen gráfica y si se obliga al ojo a efectuar una regresión, se puede llegar a leer al revés o a cambiar el orden de las sílabas.

-El factor frecuencia (ondulaciones por segundo) justifica errores de confusión entre "m" y "n", y "f" y "v".

-Si los factores temporales y de frecuencia coinciden, los errores se manifiestan en numerosas combinaciones posibles.

Evidentemente, esta delimitación de los errores que parece coherente y casi convincente, para Tomatis es absolutamente válida.

Tomatis (1979), después de muchísimas comprobaciones, determinó que el oído izquierdo de los disléxicos tiene mejor funcionamiento y esto produce una desventaja en el control auditivo y verbal. Hemos referido y más adelante nos extenderemos en la relación de la dislexia con la lateralidad, donde efectivamente el oído derecho, en la mayoría de los sujetos, tiene un papel sensorial de dominancia. El dominio sensorial y/o motor cruzado es típico de disléxicos, pero no es más que otra manifestación del trastorno, no el origen del trastorno.

Otros autores comparten en cierta forma algunos de los planteamientos de Tomatis, pues determinan que muchos disléxicos tienen problemas auditivos/ fonológicos. Parece ser que distinguir sonidos de las letras depende de que se recojan adecuadamente los cambios en la frecuencia y en la amplitud de los sonidos. La frecuencia de los sonidos y la modulación de la amplitud ayudan en el desarrollo de las habilidades fonológicas, la baja sensibilidad en estos aspectos provoca una adquisición lenta de las habilidades lectoras. En conclusión, los disléxicos tienen una sensibilidad inferior frente a la modulación de la amplitud y frente a la frecuencia de los sonidos que la de los buenos lectores, que explicaría los problemas con la fonología.

A pesar de lo expuesto y a la vista de las nuevas investigaciones, recordamos que el trastorno de la dislexia no tiene base etiológica en el oído. Desarrollaremos adecuadamente las novedosas propuestas al respecto en otros capítulos.

Dislexia y visión

Hemos descartado la relación etiológica entre dislexia y problemas de visión, a pesar de ello conviene tratar con más detalle determinadas cuestiones que de forma directa e indirecta relacionan este trastorno con la visión. Si a un sujeto con visión muy limitada se le adecuan los textos con ampliación del tipo de letra, leerá según sus condiciones particulares de normoléxico, si acaso lo es. Thompson (1992) nos recuerda que una de las primeras suposiciones sobre la dislexia fue que este trastorno estaba relacionado con percepciones visuales deficientes, particularmente con la percepción de la dirección, con la orientación de las formas, con la copia de diseños complejos y con tareas de emparejamiento de imágenes y de discriminación de las mismas. Se suele sugerir que los malos lectores tienen dificultades con los tests de figuras ocultas, aquellos en los que hay que encontrar una figura que no es evidente pero que se puede percibir tras un pormenorizado análisis. Orton, citado por Thompson (1992), describe que las dificultades de discriminación espacial y direccional son rasgos claves en las manifestaciones de los disléxicos. Vernon, también citado por Thompson (1992), expresa que los lectores principiantes necesitan madurar sus capacidades perceptivas y que esto podría estar asociado con algún subtipo de dislexia. Las dificultades visioespaciales, visiomotoras o visioperceptivas tendrían que estar asociadas con alguna forma visual de dislexia. Sin embargo, si el niño tiene dificultades para percibir visualmente la dirección de las formas sería de esperar que tuviera dificultades para reconocer imágenes, para encontrar un determinado camino, para identificar objetos, en definitiva, para sobrevivir en la realidad visioespacial en que nos movemos, como eso no suele ser así, circunscribimos las dificultades de los disléxicos exclusivamente frente a las formas escritas: planos, figuras, textos... Las típicas confusiones entre izquierda y derecha pueden incluso ser más bien errores de denominación que de localización.

Parece comprobado que la persistencia visual de un disléxico es mayor que la de un normoléxico, en esta situación una primera imagen visual puede interferir con la siguiente información entrante, en contra de lo que ocurre en los sujetos normales, donde la secuenciación de imágenes es perfectamente asimilada temporalmente. Esta situación nada tiene que ver con problemas de visión, son problemas de procesamiento de las imágenes, de los que ya hemos hablado y de los que más adelante trataremos.

Más controversia se plantea cuando se estudian los movimientos sacádicos. Estos, generalmente precisos, movimientos son claves en la percepción de los textos escritos y se ha comprobado, como ya hemos indicado, que los disléxicos tienen movimientos erráticos, con muchas más regresiones. Hemos explicado que esta anomalía motora, más que causa de la dislexia, es una consecuencia de ella. Efectuadas pruebas con material lector, parece que los disléxicos efectivamente tienen unos movimientos oculares diferentes, pero es achacable a la necesidad de comprobar lo leído ante las dificultades de comprensión e integración independientemente de la ruta que se use en la lectura. Se concluye que hay dificultades motoras finas en el movimiento ocular, pero es probable que sea en función de algún otro problema de aprendizaje subyacente. Vistos los planteamientos previos, es preciso recordar que hacen falta más investigaciones en esta línea.

Parecen bastante consistentes unas propuestas que ligan la dislexia con la vía magnocelular. Como esta vía es una de las que se usan en la transmisión de los impulsos nerviosos que transportan las percepciones visuales, será analizada con más detalle en el capítulo "Bases anatómicas y funcionales de la dislexia".

Dislexia y secuenciación

Ente los signos que los disléxicos manifiestan, se incluyen algunos que tienen que ver con el desarrollo de series o secuencias. Hay muchas evidencias que prueban la existencia de problemas de orden serial y secuenciación en disléxicos, aunque hay ciertas controversias con los resultados de estas investigaciones. Thompson (1992) recoge conclusiones de Bakker y colaboradores de 1981 sobre el procesamiento temporal incorrecto de la información verbal que predice y explica la capacidad o incapacidad para leer. No se sabe con certeza si este es un factor primario o secundario respecto a otras funciones como el análisis lingüístico o el acústico. La mayoría de las observaciones clínicas sobre niños disléxicos prueban que estos tienen dificultades con aspectos de seriación. Thompson (1992) cita investigaciones que ofrecen como resultados que en niños disléxicos de 10 años, el 90 % de los sujetos muestran dificultades para citar los meses del año, mientras que en los normoléxicos de la misma edad, los aciertos llegan al 90 % de los casos. El mismo texto indica que es necesario el procesamiento secuencial para analizar las estructuras lingüísticas, visuales, auditivas y para asociar el material visual y el auditivo, así como para percibir adecuadamente las correspondencias entre grafemas y fonemas. En una cita de Corkin, de 1974, expresa que las dificultades de los disléxicos surgen de la imposibilidad de recordar la posición correcta de los estímulos visuales y auditivos, proponiendo ante ello que el problema puede estar en la memoria secuencial, en la memoria a corto plazo o en la interacción entre ambas.

Bakker dice que las dificultades de los disléxicos se originan en una mala percepción del orden temporal, que llama POT; él propone que es un déficit propio del hemisferio izquierdo, que da lugar a una deficiencia de percepción de orden temporal para estímulos verbales. En uno de los experimentos más conocidos se presentaron tres estímulos en orden serial, teniendo el sujeto que indicar la posición de cada uno de ellos. Los primeros resultados indicaron que había moderadas correlaciones entre el POT y la lectura (quienes tenían resultados más bajos en las pruebas de detección del orden temporal de los estímulos verbales solían, además, ser peores lectores), pero posteriormente se comprobó que había un efecto evolutivo y que las niñas desarrollaban antes este tipo de habilidades (Thompson, 1992).

Es interesante la relación entre memoria y aspectos secuenciales, solo cuando la carga de la memoria es grande surgen las dificultades secuenciales. Thompson dice que los disléxicos empiezan a tener errores secuenciales cuando tocan el techo de su amplitud de memoria. Las dificultades de secuenciación son, como hemos comprobado, manifestaciones de los disléxicos, no sus causas.

Dislexia y memoria
Cuando hemos hablado de la estructura modular de la lectura citamos diversas memorias que intervienen en el proceso completo. Podemos considerar que la memoria, como término genérico, es el sumatorio de todas las memorias que usamos tanto en el proceso lector, como en otras funciones (Thompson, 1992). Estas memorias son sistemas verdaderamente operativos siempre que estén perfectamente conectadas. Los sistemas de memoria más destacables son:

1.- Memoria de gran capacidad visual o auditiva. Como su nombre indica tiene una gran capacidad, pero la información decae rápidamente, si no se trasvasa se pierde definitivamente. Su permanencia no alcanza ni un segundo.

2.- Memoria a corto plazo. También denominada "memoria de trabajo" o "memoria en funcionamiento". El estímulo que le llega se trasforma a una modalidad apta para un procesamiento posterior, es un almacén de retén donde se cambia el soporte memorizado a otras formas. En el caso de las letras, se transforman en códigos sonoros para llevarlas al almacén a largo plazo. Esta memoria nos permite recordar los números de teléfono que nos acaban de dar y las partes iniciales de las frases que estamos leyendo o escuchando. La memoria a corto plazo se apoya en la codificación auditiva, fonológica o sonora.

3.- Memoria a largo plazo. Es la memoria semántica, aquella donde guardamos nuestros episodios, los conceptos de las palabras… Hay acuerdo en que la memoria a largo a plazo es un almacén relativamente permanente y que se recupera en momentos posteriores a su fijación. Se apoya en un sistema de codificación del significado o en la memoria semántica. La duración de la memoria a largo plazo abarca desde el minuto hasta muchos años.

Las habilidades de lectura y deletreo parecen estar relacionadas con la memoria a corto plazo. Miller consideró que la unidad que memorizamos a corto plazo son los "**CHUNKS**". Un chunk es una unidad de codificación, que puede ser un dígito, una letra, una palabra: más o menos somos capaces de recordar entre 5 y 9 chunks, lógicamente si estos son palabras, recordamos más información (Thompson, 1992).

Analizando la capacidad de los disléxicos, diremos que hay muchas pruebas que otorgan a estos un rendimiento bajo en la amplitud de los dígitos para memorizar. La diferencia surge cuando los elementos que recordar sobrepasan un número determinado. En ese caso rendían menos que los sujetos control, situación que se mantiene en los adultos disléxicos. Son muchos los estudios que otorgan dificultades en la memoria a corto plazo en los disléxicos. No hay consenso en asignar a la dislexia una memoria reducida o un inadecuado tratamiento de la información relacionada con la lectura, esto es, se discute si el disléxico tiene un problema de memoria a corto plazo o un problema de codificación/decodificación verbal. Parece más consistente considerar que los disléxicos tienen determinada debilidad en la memoria a corto plazo; particularmente en la memoria serial y durante la codificación auditiva y verbal. Las típicas dificultades de los disléxicos con la discriminación entre la "b" y la "d" no serían, según estas propuestas, un problema de visión, sino un problema sustentado en las dificultades que tienen para recordar el sonido concreto de cada una de ellas.

Se ha encontrado que los buenos lectores desarrollan unas miradas de izquierda a derecha concretas y que ejecutan el efecto de ultimidad, consistente en un recuerdo preciso de las últimas letras leídas. En el caso de los disléxicos, solo la mitad ejerce este efecto de ultimidad y sus técnicas de barrido de izquierda a derecha son más deficientes. La memoria a corto plazo también puede ser responsable de la interferencia que parece que sufren los disléxicos, pues antes de acabar el procesado de una información, llega la siguiente y con ella la confusión y las dudas ya comentadas.

Acabamos este apartado citando la memoria a largo plazo, que por su propia configuración está más ligada al conocimiento general de los sujetos. Como los disléxicos no tienen generalmente menor rendimiento en conocimientos globales, se ha obviado su investigación en ellos, pero podría ser interesante hacer esfuerzos investigadores sobre el funcionamiento y eficacia de la memoria a largo plazo en los disléxicos.

En este apartado hemos añadido los problemas relacionados con la memoria como otra manifestación de la dislexia y no como la causa fundamental.

Dislexia y el procesamiento verbal y fonológico

Cognitivamente se ha intentando atribuir al procesamiento fonológico y verbal las razones de la aparición de la dislexia. Los argumentos que se han expuesto parten de la concepción del lenguaje como un sistema mediante el cual, con el uso de símbolos arbitrarios, representamos verbalmente nuestras ideas e informaciones, la clave de este proceso es la simbolización. Dominado perfectamente, el lenguaje nos capacita para trasformar una información conceptual almacenada en nuestra mente en unidades verbales codificadas, que al ser emitidas y posteriormente recibidas por el oyente se decodifican y se recupera la información conceptual inicial. En líneas generales, los disléxicos rinden bien en los componentes verbales de muchos tests. No obstante, hay determinadas evidencias, alguna ya comentada, que atribuyen a los sujetos disléxicos una demora perceptible en la adquisición del lenguaje durante la primera infancia. No podemos olvidar que la dislexia es un problema de adquisición de la lectura, no del habla, y que esta debe estar perfectamente dominada antes de afrontar la enseñanza de la lectura, pero también debemos recordar que hay autores que suponen que aunque sean sutiles, hay diferencias entre el habla de los disléxicos y los normoléxicos.

La gran mayoría de los disléxicos tienen más dificultades en la decodificación fonética. Al intentar leer una sílaba que a ellos les resulta sin sentido, por su mala codificación, pronuncian otra palabra diferente a la escrita en lugar de asociar adecuada y meticulosamente los grafemas y sus fonemas. Las evidentes manifestaciones de los disléxicos se producirían por una inadecuada transferencia de información entre lo escrito y su producción verbal, porque, sorprendentemente, a pesar de los errores, su grado de comprensión lectora es satisfactorio en líneas generales, y tienen una inteligencia dentro de la normalidad (Thompson, 1992).

Hay teorías que plantean que en la lectura, la única forma de acceder al diccionario léxico interno es mediante la representación fonológica, usando el procesamiento fonológico. Determinadas pruebas sugieren que para disponer de algo más que un simple vocabulario de reconocimiento visual, para leer una ortografía compleja y lograr una lectura total, hay que decodificar las palabras que son presentadas visualmente en un sonido o posiblemente en un código cuya base sea parecida a la del habla, a nuestro lenguaje de especie y culturalmente diferenciado. Estamos otra vez con la eterna cuestión sobre si la codificación fonológica es necesaria en la lectura de palabras reales conocidas o podemos reconocerlas visualmente.

El ser capaz de percibir que las palabras están formadas por fonemas, y que los grafemas están relacionados con ellos, es una cuestión fundamental entre habla y lectura necesaria para desarrollar la conducta lectora temprana. Uno de los problemas de los malos lectores es la dificultad de segmentar en fonemas. Tienen enormes problemas al aislar los fonemas de las palabras y reconstruir las mismas en la memoria a corto plazo. Los sujetos que leen mal no pueden segmentar correctamente las sílabas propuestas para la lectura en sonidos de habla individuales, como si hubiera una barrera que impidiera la capacidad de análisis de las palabras. Se ha encontrado que los disléxicos y los malos lectores tienen problemas con los juegos de rimas y de aliteración (repetición notoria del mismo o de los mismos sonidos, sobre todo consonánticos, en una palabra o frase). Tienen también confusión fonética (Thompson, 1992).

Según estos planteamientos previos, los disléxicos leen por la ruta visual directa, tienen problemas con las reglas de conversión de grafemas a fonemas y con la codificación fonológica. Puede que tengan dificultades con la memoria verbal a corto plazo, necesaria para este manejo fonético del lenguaje, al no retener sonidos y analizarlos adecuadamente. Son estas otras manifestaciones de la dislexia.

La dislexia y las funciones lingüísticas de orden superior

Es fácil considerar que la verdadera dificultad de la lectura es la incapacidad de extraer el significado de los textos. Independientemente de la forma, del ritmo, de los errores puntuales, si un sujeto extrae el verdadero contenido de un texto, podemos considerarnos satisfechos y minimizar los errores observados. La mediación fonológica o articulatoria podría ser un componente "innecesario" para la lectura; seamos conscientes de que calificamos a los malos lectores, precisamente, por sus dificultades al usar esta estrategia. La experiencia clínica dice que los disléxicos manejan bien los aspectos de la lectura que tienen que ver con la comprensión. Los disléxicos no tienen grandes dificultades en el procesamiento sintáctico y semántico, lo que hemos llamado funciones lingüísticas de orden superior. Cabe suponer, no obstante, que el esfuerzo intelectual que tienen que desarrollar para extraer los contenidos les apartan de lo que otros llaman "el placer de leer", si leen menos, integran menos, y si integran menos les cuesta más extraer la información de subsiguientes textos. Se completa un círculo vicioso que algún autor llamó el efecto "San Mateo", en alusión a la parábola evangélica de los talentos y su rentabilidad, como recoge Gayán (2001).

Diferente consideración deberemos tomar cuando estos sujetos comprenden mal porque decodifican mal. Un niño que es deficiente en lectura no desarrolla adecuadamente estrategias correctas, le falta experiencia lectora, y si no codifica las palabras es difícil que codifique adecuadamente los significados totales del texto. Es preciso tener todos estos argumentos sobre la mesa para tratar de postular algún tipo de déficit esencial relativo a un proceso lingüístico de orden superior que también estaría afectado en los disléxicos. Es fácil percibir que un disléxico lee "mesa" en lugar de "misa", aunque podrá entender que está manejando un texto que trata sobre el rito religioso de la misa. Este tipo de errores son cuantificables, pero procedería valorar si los disléxicos desarrollan peor los procesos lingüísticos que llamamos de orden superior. Este planteamiento debe ser investigado dado que la inmensa mayoría de los trabajos se centran en el procesamiento verbal y fonológico, obviando el procesamiento lingüístico superior (Thompson, 1992).

Comorbilidad y dislexia

Han quedado reflejados los numerosos signos y manifestaciones que los disléxicos pueden presentar cuando se les analiza. Ninguno es determinante, y entre todos ayudan al especialista en el diagnóstico. Este nutrido grupo de signos nos puede hacer pensar que la dislexia se presenta simultáneamente con otros trastornos y/o enfermedades. Es común en medicina la presencia estadísticamente significativa de más de una enfermedad y esta coexistencia es mayor en las enfermedades mentales. Se utiliza el término comorbilidad para denominar la referida presencia de uno o más trastornos (o enfermedades) además del trastorno primario. También puede usarse esa denominación para referirse a los trastornos o enfermedades adicionales que se detectan tras el primer diagnóstico de la enfermedad principal y posiblemente surgen por efecto de esta.

En los trastornos y enfermedades mentales, como acabamos de indicar, la comorbilidad es frecuente. Puede que en algún caso no implique necesariamente la presencia de múltiples enfermedades, sino que refleje la incapacidad del experto para asignar un único diagnóstico que cubra todos los síntomas. Si el trastorno que estamos diagnosticando es la dislexia, debemos considerar su comorbilidad con otros trastornos, tal como la disgrafía, disortografía, discalculia, problemas de atención, desmotivación y problemas de autoestima, entre otros.

En un estudio de niños italianos, aunque no muy numeroso, que padecían la más común de las epilepsias infantiles, la "Rolandic epilepsy", tras diversos estudios neuropsicológicos, se comprobó que además padecían dislexia y discalculia (Canavese *et al.*, 2007).

Podríamos citar comorbilidad entre dislexia y los movimientos atípicos de los ojos que finalmente desencadenan una reducción en la atención visual. Un estudio de Prado, Dubois y Valdois (2007) así lo recoge, pero en un apartado anterior hemos intentado explicar que los movimientos oculares erráticos son una consecuencia motora de la dislexia.

La dislexia en España

Estimamos procedente hacer una breve referencia de la repercusión de la dislexia en nuestro entorno más inmediato. La mayoría de los textos consultados para redactar este libro han sido creados por autores extranjeros, por ello hemos recabado específicamente datos sobre la dislexia en España.

Está reconocida la ausencia de un estudio adecuado que cuantifique la penetrancia de este trastorno en nuestro país, no obstante se han hecho estimaciones que consideran que son más de cuatro millones los españoles que tienen que convivir con él.

Independientemente de la cifra exacta, el gran número de disléxicos ha movilizado a padres y profesionales para formar asociaciones (de las cuales relacionamos algunas en las páginas finales de este libro) (Noticias de AVADIS, n.d.). Las asociaciones están tomando iniciativas para que las Administraciones Públicas se sensibilicen con el trastorno y promuevan medidas correctoras. Concretamente, en marzo de 2009 lograron que el Senado aprobara una moción sobre la dislexia por la que se requiere a los poderes ejecutivos la realización de un estudio a nivel estatal para identificar a los disléxicos, que se creen programas de formación a profesores y que se adopten medidas adecuadas para facilitar la integración de los disléxicos. Estas asociaciones lamentan que solo las comunidades de Baleares, Canarias y Murcia han afrontado en los últimos años el problema de la dislexia con disposiciones normativas consecuentes con el trastorno. La vigente Ley Orgánica de Educación (Ley 2/2006) se limita a citar en dos artículos referencias ambiguas sobre el alumnado que presenta necesidades educativas especiales (Federación Española de Dislexia, n.d.), mientras que otros países con nuestro nivel de desarrollo llevan años afrontando la dislexia con unas propuestas específicas para el trastorno y con resultados estimables en la integración de los disléxicos.

Conceptos básicos del capítulo 3

Título: Primeras aproximaciones a la dislexia

DISLEXIA (neologismo)   "dys" (dificultad) + "lexia" (leer)

La dislexia es un problema de comunicación

DISLEXIA ADQUIRIDA
Accidental

Periféricas
- Atencional — No conocen letras dentro de una palabra
- Visual — Cambian palabras ("misa" por "mesa")
- Letra a letra — Deben pronunciar las letras internamente

Centrales
- Fonológica — No leen pseudopalabras
- Superficial — No leen palabras irregulares
- Semántica — No recuperan significado
- Profunda — Suma de fonológica y visual

Dislexia evolutiva
Del desarrollo

SIGNOS ASOCIADOS A LA DISLEXIA

En niños y adolescentes

En Lectura
- Invierten letras
- Escriben en espejo
- Lectura lenta
- Inventan palabras
- Pierden orden de líneas
- Leen mal palabras funcionales
- Dificultades para deletrear
- No entonan bien
- Nervios al leer

En otros aspectos formativos
- Repiten mal palabras polisilábicas
- Dificultades con 2.º idioma
- Fallos en series inversas de dígitos
- Fallos en tablas de multiplicar
- Retienen peor las lecciones

Ajenos a los procesos formativos
- Mala discriminación de sonidos de la lengua
- Tardíos en el aprendizaje de la lengua
- Mala orientación espacial
- Nociones temporales confusas
- Motricidad fina deficiente
- Reconocimiento esquema corporal deficiente
- Peculiar forma de ser
- Dominio motor y sensorial mal definido
- Bajo concepto de sí mismos

En adultos
- Dificultades con 2.ª lengua
- Alguna alteración de la lengua
- Mala discriminación auditiva
- Perfil neuropsicológico que los delata

PREDISPOSICIONES FAVORABLES DE LOS DISLÉXICOS   Para el diseño, la interpretación de signos y la expresión esquematizada

MÚLTIPLES DEFINICIONES DE DISLEXIA
- Que se refieren a sus manifestaciones
- Que se centran en su base neurológica
- Que incluyen elementos armonizadores

NO ES DISLEXIA	Una deficiencia intelectual	Un problema auditivo
	Un problema visual	
	La tartamudez	Dispedagogía

CLASIFICAMOS LAS DISLEXIAS SEGÚN EL DÉFICIT EN LOS DIVERSOS PROCESOS LECTORES	
En el procesamiento perceptivo	En el procesamiento léxico
En el procesamiento sintáctico	En el procesamiento semántico

LOS DISLÉXICOS Y LOS SENTIDOS
Sensibilidad inferior en la captación de sonidos de la lengua
Mayor número de movimientos sacádicos erráticos
Procesan peor las imágenes
La vía magnocelular funciona con ligera deficiencia

LA DISLEXIA ESTÁ RELACIONADA CON DETERMINADOS ASPECTOS MENTALES	
Con la secuenciación	Con las memorias
Con el procesamiento verbal	Con el procesamiento fonológico

COMORBILIDAD Y DISLEXIA	Disgrafía	TDAH
	Disortografía	Desmotivación
	Baja autoestima	Epilepsia (en algunos casos)

LA DISLEXIA EN ESPAÑA	Más de 4.000.000
	No suficientemente atendida

Capítulo 4. Historia interpretativa e investigadora de la dislexia

Hechas las primeras aproximaciones a la dislexia, fundamentalmente desde la óptica cognitiva, creemos conveniente revisar la historia de la investigación de este trastorno. Hemos dicho que son muchos los profesionales que sobre ella han postulado y aún siguen trabajando. Sus visiones particulares y el momento histórico de sus aportaciones pueden ser elementos, aparte de curiosos, relevantes para el fenómeno que intentamos estudiar.

Cualquier planteamiento científico, de forma directa o indirecta, se apoya en otros anteriormente expuestos como hipótesis y finalmente aceptados por la comunidad científica como indiscutibles por su coherencia y eficacia explicativa. El progreso científico se asienta en sucesivas aportaciones, revisiones y correcciones que conducen al planteamiento final, que de todas formas siempre estará sometido a nuevas discusiones.

Ha sido inevitable recurrir, en la parte previa de este libro, a algunos aspectos de la historia investigadora de la dislexia, que ahora volverán a comentarse encajándolos dentro del contexto histórico en que aparecieron. Las citas estaban condicionadas por la explicación de alguna connotación referida a la dislexia que se estaba tratando en ese momento. En este capítulo nos proponemos exponer breve y ordenadamente los aspectos más relevantes de la historia de la dislexia, combinando aspectos cronológicos y conceptuales, que como es fácil comprender van ligados al propio desarrollo científico sobre el trastorno.

Hoy, en el año 2010, dividimos el estudio de la dislexia, según su evolución científica y metodológica, en cinco etapas temporalmente separables y conceptualmente distintas. Gayán (2001) estableció cuatro etapas, que usaremos de guía, pero desde su publicación hasta hoy, por la progresión exponencial de artículos científicos publicados sobre la dislexia, por las técnicas utilizadas y por los campos de investigación, creemos que es preciso añadir una quinta etapa.

La dislexia ha existido siempre, pero como se manifiesta a través de la lectura, solo ha sido cuantificable y estudiada con metodología científica en los últimos 130 años. Hemos citado que determinados personajes históricos pudieron ser disléxicos, nos hemos referido también a la selecta minoría que accedía a la lectura antes de 1870. En esta fecha el Foster Education Act (la Ley de Educación de Foster) instauró un sistema de educación básico para todos los niños entre 5 y 12 años en Inglaterra y Gales. Es a partir de esos momentos cuando la lectura llega a centenas de millares de sujetos y entonces se evidencia la dislexia con la penetrancia poblacional y relevancia social ya expresadas.

Primera etapa (hasta 1880)

La lectura es un proceso mental, con bases anatómicas y funcionales asentadas en diferentes y dispersas partes del encéfalo. El encéfalo es el órgano que controla la actividad motora, la percepción sensorial, la capacidad de integración, la memoria, los conocimientos, etc. Debemos admitir que el encéfalo ha sido, y aún es, el órgano más desconocido del cuerpo humano. Por las concepciones científicas y religiosas propias de cada momento de la historia de la humanidad, hasta el siglo XVI, las funciones que hoy día sabemos que están asentadas en el encéfalo eran atribuidas al corazón, pero hasta que no llegó el siglo XIX, con sus nuevas aportaciones científicas, costó erradicar esa equivocada concepción.

Prácticamente todos los libros de neurociencia citan a Franz Joseph Gall, como creador de la fisiología cerebral. Gall (1757-1828) fue un médico y neuroanatomista alemán que desarrolló su trabajo en Viena. Llegó a la conclusión de que el encéfalo es el órgano de la mente y que la corteza cerebral no es homogénea, ya que contiene centros particulares que controlan funciones mentales específicas (Kandel, Jessell y Schwartz, 1996). Gall erró en algunos de sus planteamientos, pero sin duda debe ser considerado como figura clave de la neurociencia.

En coherencia con las nuevas aportaciones científicas sobre el encéfalo, años más tarde, la dislexia empezó a ser considerada como una discapacidad específicamente neurológica, clave fundamental en la concepción de este trastorno en esta primera etapa. Pierre Paul Broca, en 1861, localizó las áreas específicas del cerebro con funciones lingüísticas (Green, 2000). Los estudios neurológicos de ese momento histórico se asentaban fundamentalmente en casos clínicos de sujetos que sufrían un accidente cerebral de diversa etiología y manifestaban deficiencias motoras, sensoriales e intelectuales diversas. Con estas premisas científicas, en esta etapa, prácticamente todos los estudios sobre disléxicos eran estudios sobre sujetos con dislexia adquirida.

El primer caso de pérdida de la capacidad de lectura constatado y estudiado está datado en 1676, por John Schmidt (Gayán, 2001). Salvo alguna que otra referencia aislada, históricamente, como ya hemos avanzado, la descripción de R. Berlin abre la puerta, no solo para la elección de la denominación de este trastorno que estudiamos, sino también para iniciar un vertiginoso camino de descubrimientos, aproximaciones y teorías sobre la dislexia. Fue en 1872 cuando el profesor Berlin usó el término dislexia para describir a un adulto que, entre otras afecciones, perdió la capacidad de leer como consecuencia de una lesión cerebral. Ya dijimos que poco después, en 1877, A. Kussmaul propuso el término "ceguera de palabras" para definir a un paciente afásico. Diferentes investigadores, prácticamente todos ellos médicos, definieron casos de dislexia; así en 1892, Déjerine localizó expresamente la lesión responsable en el lóbulo parietal y en los segmentos medio e inferior del lóbulo occipital izquierdo (Gayán, 2001).

Con las limitaciones propias de ese momento, estos investigadores abrieron el camino del estudio de la dislexia, insistimos en que sus aportaciones eran exclusivamente sobre la dislexia adquirida, pero ellos, como médicos, estudiaban pacientes que llegaban a sus consultas tras la brusca y accidental pérdida de la capacidad lectora. Sus esfuerzos investigadores se centraban en la búsqueda de una explicación a esas manifestaciones. Su campo profesional no les aportaba posibilidades de estudio en los niños con dislexia evolutiva, detectable durante el proceso de aprendizaje.

Segunda etapa (1881-1950)

Es la etapa, como dice Gayán (2001), de los pioneros, el momento histórico en que se aprecia y se constata la existencia de la dislexia evolutiva por primera vez. La instauración de los sistemas universales de enseñanza permitió observar de forma masiva cómo transcurre el proceso de aprendizaje de la lectura y de la escritura, con ellos se evidenciaron los problemas de algunos alumnos ante estas tareas. En este momento transcurrían en Gran Bretaña los últimos años de la época victoriana, durante la cual la ciencia creció y se enriqueció de forma extraordinaria. Esa sociedad gozó de un ambiente cultural y científico excepcional. Los debates y las publicaciones eran frecuentes, en ese contexto se diversificó y favoreció la investigación. Surgen publicaciones periódicas para dar a conocer los nuevos descubrimientos e investigaciones;

de entre las revistas científicas surge *The Lancet*, revista que aún persiste. Esta publicación fue clave y creó estímulos investigadores en el campo de la dislexia evolutiva (Gayán, 2001).

En este momento histórico son los médicos oftalmólogos quienes afrontan, en mayor medida, el estudio de la dislexia como una enfermedad eminentemente visual. Hinshelwood, del que ya hemos hablado, ejercía como cirujano óptico en Escocia y escribió un artículo científico en *The Lancet* que trataba sobre la memoria visual y la ceguera de palabras. Este artículo motivó o inspiró a W. Pringle Morgan, que era un médico generalista, a escribir en la *Revista Médica Británica*, en 1896, un artículo sobre el caso de un chico inteligente pero disléxico. Por esta aportación específica y concreta sobre "la ceguera de palabras", a Morgan se le considera padre de la dislexia moderna. Este artículo sirvió de estímulo para que más oftalmólogos publicaran interesantes aportaciones sobre la dislexia.

Retomando la figura de Hinshelwood, debemos reconocerle importantes contribuciones científicas tras la publicación de varios informes sobre casos clínicos concretos. Hinshelwood consideraba la dislexia como un trastorno congénito, y como ya expusimos en el apartado correspondiente, formuló, en 1917, la que consideramos primera clasificación de la dislexia.

En esas fechas, el estudio de la dislexia salta el Atlántico y se asienta en Estados Unidos, donde aparecen muchos científicos interesados en el trastorno. Era el principio del siglo XX el momento en que aparecen las primeras teorías sobre las causas de la dislexia, entre ellas, una supone que la dislexia se manifiesta por un defecto estructural del cerebro, provocado por una aplasia hereditaria (detención del desarrollo de un tejido antes de lo previsto), que fue propuesta por Fisher en 1910.

En esta época, concretamente entre los años 20 y 30, hubo ciertas consideraciones sobre el carácter ambiental de la dislexia, que atribuían el defecto lector a un incompleto o inadecuado método educativo, propuestas definitivamente descartadas, como hemos visto en el capítulo anterior, pero con alguna connotación para valorar.

En este periodo desarrolló su prolífico trabajo el neurólogo norteamericano Samuel Torrey Orton, figura importante en el estudio de la dislexia. Sus investigaciones se desarrollaron entre 1925 y 1948, año de su muerte. Estudió más de 3.000 niños y adultos que sufrían trastornos del lenguaje. Hizo referencias a la dominancia hemisférica, pues se percató de la correlación entre el trastorno y el uso del ojo izquierdo, el uso de la mano izquierda e incluso la presencia frecuente de ambidiestros. Constató los famosos errores entre la "d" y la "b", que él suponía que eran debidos a inversiones de letras aisladas, que popularmente han perdurado conceptualmente hasta hoy como los errores más significativos del trastorno. Orton apreció reiteradamente relaciones familiares entre los disléxicos y propuso una teoría, hoy descartada, sobre la percepción visual deficiente de las letras debido a un mal funcionamiento del encéfalo. Tras su muerte se creó la Orton Society, que después pasó a llamarse Orton Dislexia Society, ambas con sugerentes y atrevidos estudios y propuestas sobre la dislexia.

No conviene olvidar que en esa época el concepto dislexia no estaba totalmente arraigado. Fue en 1937, en el primer congreso de psiquiatría infantil de París, cuando Ombrendanne introdujo el concepto "dislexia", que quedó consolidado hasta nuestro días (Gayán, 2001).

Tercera etapa (1951-1970)

En este espacio temporal, la dislexia es reconocida como trastorno evidente e indiscutible. Es ampliamente estudiada por una variada gama de profesionales. Pierde la exclusividad previa, y de ser un campo de investigación propio de médicos y oftalmólogos, se convierte en un campo de trabajo de psicólogos, sociólogos, logopedas y educadores. Esta apertura profesional introdujo nuevas teorías, fundamentalmente asentadas en las causas y los síntomas, que precisamente eran minuciosamente estudiados por esta nueva gama de profesionales. En esta etapa se vuelven a considerar a los elementos sociológicos y métodos educativos (los factores ambientales) como coadyuvantes en la manifestación de la dislexia. Algunos trabajos del momento, al valorar las causas que originan la dislexia, establecen porcentajes de responsabilidad entre factores ambientales y factores congénitos.

Comprendemos fácilmente que la labor de los psicólogos se asienta en el trato diario con sujetos que manifiestan signos propios de la dislexia. Su intervención aporta descripciones detalladas de los síntomas o signos captados tras la aplicación de meticulosas entrevistas y elaborados tests. Recordemos que los médicos hablaban de una discapacidad de un grupo aislado de pacientes. Los psicólogos atienden y estudian cientos de casos de sujetos normales, sujetos disléxicos y sujetos con otras dificultades del aprendizaje.

La intervención de los psicólogos en esta etapa ofrece una visión más realista de la dislexia. Permite apreciar el trastorno en su total expresión, tanto en la sintomatología como en la distribución estadística del mismo, localizada dentro de la distribución normal que recoge matemática y gráficamente el comportamiento social de las capacidades lectoras. Gayán (2001) nos recuerda que, a pesar de esta general apreciación de los psicólogos, algunos otros como Hermann en 1959, y Smith y Strömgren en 1938, en contra de esta propuesta de distribución continua, identificaron un montículo en la parte baja de la distribución que justificaría la dislexia como una patología más concreta. Esta última propuesta es minoritaria y generalmente se considera, como ya hemos introducido en el capítulo anterior, que el estudio estadístico aleatorio de la capacidad lectora en una amplia muestra queda representado correctamente en una campana de Gauss.

La psicología como ciencia del comportamiento individual no solo se limita a la detección de patologías diversas, fobias y otros trastornos emocionales y del comportamiento. Es intrínseco a la labor de esta profesión el establecimiento de sesiones de recuperación de las afecciones que ellos detectan. En esta época, en concordancia con la significativa participación de psicólogos, se trabaja y se especula sobre la capacidad de recuperación, creándose diferentes métodos correctores, a los que volveremos cuando nos refiramos a los tratamientos y remedios frente a la dislexia.

En esta etapa del estudio de la dislexia hay, también, ciertas aportaciones del mundo de la psiquiatría; cita Gayán (2001) a algunos autores que separan las dificultades de lectura en dos categorías, las de origen neurótico y las no neuróticas. La primera es aquella dislexia en la que los sujetos manifiestan problemas emocionales precedentes a las expresiones de las dificultades de la lectura. En otros trabajos psiquiátricos se constató que tres de cada cuatro disléxicos tenían problemas emocionales.

Algunas de las aportaciones más interesantes de ese momento las ofreció Vernon (Gayan, 2001), que en 1957 defendió el origen multifactorial de la dislexia y estableció grupos con problemas visuales, con problemas auditivos o con problemas de razonamiento abstracto. Es destacable la aparición de Alfred Tomatis que, a finales de los años 60, propuso su teoría sobre la dislexia como problema exclusivamente auditivo, teoría que reitera en su libro posterior (Tomatis, 1979).

La relevante aportación de investigadores sobre la dislexia en esta época provoca una extravasación social, merece hacer una mención especial a lo ocurrido en Gran Bretaña, donde se fundan centros para estudiar la dislexia como el Word Blind Centre, que permaneció abierto entre el año 1963 y 1972. Estas fundaciones tienen continuidad hasta hoy día; concretamente en Gran Bretaña, en 1971, se creó el Helen Arkell Centre y en 1972, el Dislexia Institute, también hubo una unidad de dislexia en Gales. Todo este favorecedor ambiente investigador y su repercusión más allá de los laboratorios generó que en Gran Bretaña, en el año 1970, se describió la dislexia aguda como término legal (reconocida a efectos de derechos asistenciales), por primera vez, según nos consta.

Ha quedado claro que esta época está dominada, dentro de la investigación de la dislexia, por los psicólogos con sus estudios de síntomas y propuestas de tratamiento, pero no podemos olvidar los trabajos de un neurólogo fundamental en el campo de la dislexia, MacDonald Critchley, que difundió sus propuestas, que hablaban de los problemas de lectura innatos, con origen en el sistema nervioso central, introduciendo probablemente por primera vez el concepto de "dislexia específica del desarrollo", que él la caracterizaba por sus dificultades fonológicas. Separó a los disléxicos del resto de personas con problemas en la lectura (Gayán, 2001). El neurólogo de la Universidad de Harvard, Norman Geschwind, que impulsó la neurociencia como disciplina, junto a sus colaboradores hicieron importantes aportaciones sobre la dislexia, comparando ambos hemisferios descubrieron cierta relación entre el trastorno y la simetría del "**Planum Temporale**", donde debería haber asimetría. La mayoría de los individuos, el 65 %, tienen asimetría, mientras que en el 24 % aparece, anómalamente, simetría entre ambos hemisferios. En su línea investigadora hizo aportaciones interesantes sobre el uso preferente de mano y ojo izquierdos y la dislexia. También apuntó la mayor frecuencia de dislexia en los varones, e introdujo diversas teorías que relacionaban el trastorno con el sistema inmunológico (Gayán, 2001).

Cuarta etapa (1971-2000)

Es la época que Gayán (2001) denomina de las "teorías modernas". No cabe duda de que el crecimiento exponencial de las investigaciones sobre la dislexia genera nuevas y numerosas teorías, calificadas como modernas, meta provisional del, hasta entonces, largo camino investigador. La dislexia se convierte, definitivamente, en un campo de estudios multidisciplinares.

Aunque parezca baladí, fue durante los primeros años de esta etapa, concretamente en 1976, cuando se pudo dar por demostrada la existencia, tantas veces cuestionada, de los disléxicos. Se realizó el famoso estudio epidemiológico de la Isla de Wight, por los autores Rutter, Tizard, Yule, Graham y Whitmore, que con la precisión de este magno trabajo dieron fe de la existencia de chicos inteligentes que tenían problemas en la lectura (Gayán, 2001). El estudio se realizó entre la población de nueve y diez años de una pequeña isla semirrural. Fue un estudio transversal en el que se utilizaron por primera vez entrevistas clínicas para emitir diagnósticos en un estudio epidemiológico.

En esta etapa la psicología cognitiva y las neurociencias están en pleno rendimiento y aportan resultados bastante prometedores. Para hacer un breve, pero justo recorrido por esos años, citaremos algunas de las aportaciones más consistentes que aún se mantienen vigentes, ya que han pasado la criba de lo efímero o superficial:

1.- En el campo de la psicología es preceptivo destacar la figura de Isabelle Y. Liberman, profesora de psicología que estuvo asociada a Haskins Laboratories. Ella y su equipo ejercieron gran influencia en el estudio científico y demostraron la importancia del lenguaje y de la habilidad del habla en la práctica de la lectura. En el año 1971 consideró clara la determinación lingüística de los errores lectores. Propuso que los errores de inversión no eran de origen visual. Este equipo investigador describió la relación entre el habla humana y el conocimiento o conciencia fonológica. Insiste este equipo en que el origen de las dificultades de los disléxicos suele ser de tipo lingüístico ya que no usan adecuadamente la estructura fonética y la división de palabras. Vellutino, en sintonía con lo expuesto, desarrolla sus teorías alegando, paralelamente, que la dislexia es un déficit lingüístico que surge del procesamiento fonológico de las palabras.

2.- Luria, en 1974, en una línea investigadora similar a la expresada en el punto anterior, confeccionó pruebas para nombrar objetos y comprobó que quienes tenían dificultades en ellas, además tenían problemas con la habilidad para expresarse verbalmente. Luria propuso que la lectura, la escritura y el habla son aspectos de una misma actividad.

3.- En 1972 Naidoo, tras sus observaciones, comprobó que los disléxicos tenían ciertos problemas de memoria, fundamentalmente asentados en la capacidad cuantitativa de almacenamiento. Esta propuesta de Naidoo escapaba de la convicción generalizada del momento, que ligaban la dislexia y las deficiencias fonológicas, proponiendo la existencia de otros problemas diferentes en los sujetos disléxicos.

4.- En la línea de investigación neurocientífica es destacable Alberto Galaburda, quien junto con Kemper, en 1979, tras diversos estudios anatómicos descubrió simetría hemisférica donde se predecía que debería haber asimetría; este trabajo ha tenido continuidad, al menos, hasta 1998. Recordamos que en esta época aparecen y se inicia la aplicación de las nuevas tecnologías de neuroimagen. Se pudieron estudiar adecuadamente las simetrías o asimetrías que presentaban los individuos investigados.

5.- También dentro de las investigaciones de la neurobiología, se hicieron aportaciones importantes sobre deficiencias en el sistema visual magnocelular de los disléxicos, del que ya hemos apuntado algo y del que hablaremos con más detalle en próximos capítulos.

Estas nuevas concepciones que ligan dislexia con el procesamiento fonológico, o con la memoria, sirven para descartar definitivamente la relación entre dislexia y los errores visuales. Se aprovecharon las investigaciones de estas décadas para establecer la nosología de la dislexia, esto es, la clasificación ordenada y coherente del trastorno según sus particulares manifestaciones.

La importante nómina de psicólogos que se interesan por la dislexia, como es lógico, sirve para el diseño de numerosos métodos correctores, proponiendo ejercicios diversos, como nombrar objetos, repetir palabras, resolver problemas aritméticos, efectuar numeraciones, etc., siempre intentando subsanar los errores típicos de los disléxicos.

Quinta etapa (desde 2001)

Para referirnos a la historia interpretativa e investigadora de la dislexia hemos seguido hasta ahora el esquema que Gayán (2001) planteó en su trabajo. El valioso artículo de Gayán refleja acontecimientos y nombres relevantes que consideramos historia, una historia interesante y provechosa. Entendemos que tras su publicación se han dado una serie de circunstancias científicas y un cierto vuelco en el tratamiento de la dislexia y que procede incluir esta nueva etapa dentro de la historia investigadora de la dislexia. Los avances científicos generales y los específicos de las neurociencias con sus nuevas herramientas y conocimientos abren las puertas a nuevas modalidades de estudio de la dislexia. Buena parte de lo que este libro aporta en las siguientes páginas se sustenta en las investigaciones efectuadas con estas nuevas perspectivas. Por ello, no vamos a citar investigadores, ni propuestas particulares, que se desarrollarán más tarde. La inmediatez del tiempo del que hablamos y las expectativas que se generan nos llevan a tratar esta etapa de forma totalmente diferente a las precedentes.

Sin minusvalorar las aportaciones que desde la psicología se siguen haciendo a la dislexia, importantes en todo caso por el estudio detallado del comportamiento y manifestaciones de los disléxicos, así como por la aplicación de tratamientos correctores, queremos dejar claro que el aspecto más relevante de esta nueva etapa es la utilización de potentes herramientas científico-tecnológicas, que desde la genética, la neuroanatomía, la fisiología, la biología del desarrollo, etc., permiten el estudio de la dislexia, generando interesantes perspectivas para el futuro a medio plazo. Para justificar la consideración de esta nueva etapa, como diferente a las demás, nos limitaremos a expresar los cinco avances o circunstancias científicas en las que creemos que se sustentan, fundamentalmente, buena parte de los trabajos sobre la dislexia en esta década. Son avances científicos generales pero que tienen y tendrán destacada repercusión en el estudio de ese trastorno.

1.- La secuenciación completa del genoma humano

Cada especie, y cada individuo dentro de cada especie están determinados por su **genoma**, que rige el tamaño, la forma, las propiedades bioquímicas y el comportamiento de las células, que en su totalidad constituyen de forma prácticamente irrepetible cada sujeto (Alberts *et al.*, 2004).

El profesor Iañez (1998) nos dice que el Proyecto del Genoma Humano (PGH) es el primer gran esfuerzo coordinado internacionalmente en la historia de la Biología. Se buscaba disponer de la secuencia completa (más de 3.000.000.000 de pares de bases) del genoma humano, que se suponía que contenían en torno a 100.000 genes, cifra que ha sido corregida y reducida a 30.000. El PGH es el término genérico con el que se designan todas aquellas iniciativas dispuestas para conocer al máximo detalle el genoma de cualquier especie biológica. Se esperaba que con él se consiguiera un avance espectacular en el conocimiento de los procesos biológicos en general, y aplicables a diferentes especialidades investigadoras, desde la molecular hasta la evolutiva.

Había en ese momento esperanzas de que esta secuencia permitiera mejorar en el estudio de la fisiología y patologías de los seres humanos, y que podría repercutir en multitud de aplicaciones técnicas y comerciales en campos como el diagnóstico, la terapia de enfermedades, las biotecnologías, incluso la computación y la robótica, etc. Se esperaba en ese momento que a medio o largo plazo el conocimiento completo del genoma humano permitiría diseñar nuevas generaciones de fármacos, más específicos, que se focalizarían en el tratamiento de las causas y no solo en los síntomas. La terapia génica podría aportar soluciones a enfermedades, no solo hereditarias, sino al cáncer y a las enfermedades infecciosas (Iañez, 1998).

El 14 de abril de 2003, casi 50 años después de que James Watson y Francis Crick describieran la doble hélice del ADN, el Consorcio Internacional para la Secuenciación del Genoma Humano anunció la terminación exitosa del proyecto, adelantándose más de dos años a lo inicialmente previsto. El esfuerzo internacional para secuenciar los 3.000 millones de letras que representan el ADN humano, nuestro genoma, es considerado como una de las empresas científicas más ambiciosas de todos los tiempos, como pudo ser la escisión del átomo o el viaje a la luna ("Se alcanzaron todas las metas", 2003).

Esta espectacular plataforma de conocimiento, tal como se preveía, está sirviendo y servirá para profundizar en el estudio del desarrollo embrionario, la heredabilidad de caracteres multigenéticos, las alteraciones genéticas que provocan enfermedades, etc. La investigación sobre dislexia también se podrá apoyar en este magno proyecto, pues hoy día es innegable el carácter genético de este trastorno, como veremos con más detalle en próximos capítulos.

2.- Las modernas estrategias de investigación genética

Conocido el enorme **mapa genético**, tal como hemos descrito en el apartado anterior, procede interpretarlo adecuadamente. Es necesario utilizar instrumentos convenientes que permitan detectar las diferencias entre los genomas de los individuos que podemos considerar normales y los genomas de los que padecen algún tipo de trastorno o enfermedad. Es preciso, además, conocer los mecanismos de expresión de estas diferencias y la repercusión de las mismas.

El genoma humano, por su tamaño, es inmanejable globalmente para la realización de experimentaciones concretas. Los trabajos puntuales sobre determinados genes o grupos de genes (recordemos que el genoma humano tiene unos 30.000 genes) precisan herramientas que permitan disponer de pequeñas fracciones de este ADN, y sobre él investigar. Aunque hay precedentes anteriores, es en los últimos tiempos cuando se aplican masivamente algunas de las técnicas (Alberts *et al.*, 2004) para esta finalidad como pueden ser, a título de ejemplo:

-Las exo y endonucleasas de restricción. Estas son enzimas, generalmente, de origen bacteriano que cortan en fragmentos de forma específica por los extremos o internamente, respectivamente, las largas cadenas de ADN. Dispuestos los fragmentos, se pueden efectuar comparaciones entre los de un individuo y los de otro, posibilitando la detección de anomalías en alguno de los tramos conseguidos.

-La confección de geles. Estos permiten la separación de cadenas de ADN según su tamaño. Dispuestas las fracciones de ADN, con la utilización de geles especiales en los que se mueven por diferentes condiciones físicas estas fracciones de material genético, se pueden encontrar diferentes composiciones moleculares.

-Marcaje con **radioisótopos**. Se pueden marcar moléculas purificadas de ADN con algún radioisótopo, que va a permitir la observación en la célula viva de fragmentos concretos de ADN, útiles para comprender, por ejemplo, la regulación génica.

-Técnicas de **hibridación**. Con esta metodología es fácil localizar secuencias concretas de ADN, que permiten detectar componentes genéticos de nuestro interés.

Estas aplicaciones tecnológicas están permitiendo en cierto modo conocer con más detalle diferentes composiciones genéticas entre los disléxicos, esenciales para comprender cómo afectan finalmente a la expresión del trastorno.

3.- Análisis estructurales de las proteínas

Las proteínas son, por lo general, grandes moléculas que realizan la mayoría de los trabajos de las células (las neuronas son un tipo específico de células). De entre las decenas de intervenciones que las proteínas ejercen en el funcionamiento celular, destacamos: la replicación y transcripción del ADN, producción y procesamiento de otras proteínas, el control de la división celular, el metabolismo, el flujo de materiales y de información hacia y desde las células…

Para el mejor conocimiento de las proteínas y su funcionamiento, destacamos algunas de las novedosas herramientas (Alberts *et al.*, 2004) que en esta línea se usan. En algún caso son herramientas con amplia historia de aplicación, pero vigentes y mejoradas, hoy día dan grandes oportunidades a la ciencia:

a) **Difracción de rayos X**. Desde hace décadas se podía conocer la serie de aminoácidos que componen las proteínas, sin embargo, la verdadera esencia de ellas radica en su estructura tridimensional, fundamental para su función biológica. La estructura de una proteína se puede conocer por difracción de rayos X.

b) **Espectroscopia de resonancia magnética nuclear**. La estructura de una proteína, que ya hemos citado como fundamental para su comprensión, también se puede determinar mediante espectroscopia de resonancia magnética nuclear, técnica muy usada para conocer la estructura de moléculas, especialmente las orgánicas.

c) Las **proteínas de fusión**. Nos interesa conocer las funciones de las proteínas. Las funciones concretas de las proteínas están condicionadas por la localización, por los desplazamientos intracelulares, por el número de moléculas proteicas concretas activas, etc. Mediante técnicas de ADN recombinante se pueden crear nuevas proteínas por unión de tramos marcadores (que permiten ser localizados), los que nos van a dar las pistas para la investigación, y tramos operativos (que son los que dotan de funcionalidad a la proteína que se quiere investigar).

Podemos afirmar que no conocemos cómo funcionan las células si no conocemos cómo funcionan las proteínas (Alberts *et al.*, 2004). El proceso de lectura, evidentemente, requiere un funcionamiento neuronal complejo, funcionamiento que está regulado por proteínas. Conocer a estas ayudará a entender el verdadero trasfondo de la dislexia como déficit neurológico.

4.- Las avanzadas técnicas de neuroimagen

La neuroimagen es una de las áreas emergentes y con más innovación tecnológica en biomedicina. Estamos ante una herramienta de investigación sustentada por un campo interdisciplinario que abarca desde el desarrollo del *software* hasta el descubrimiento de radiofármacos. La adecuada combinación de los citados elementos multidisciplinarios puede contribuir a la validación del diagnóstico de trastornos de la conducta, del aprendizaje y de afecciones psiquiátricas en general. Sin embargo, los hallazgos son en algunos casos contradictorios, problema que seguramente se solventará con las mejoras técnicas que día a día se van introduciendo.

La identificación de los sustratos subyacentes a las enfermedades mentales o a trastornos específicos como la dislexia ha sido un anhelo constante de las neurociencias. Hasta la década de los 80, datos de este tipo solo podían provenir de los estudios neuropatológicos *post mortem*. La llegada de las primeras técnicas de diagnóstico por imagen aplicadas al sistema nervioso central, los rayos X y los ventriculogramas no ofrecieron grandes cambios. Sin embargo, esta situación empezó a cambiar en la década referida.

La implantación de la **Tomografía Computarizada** (TC) permitió visualizar en vivo el tejido cerebral por primera vez y así observar atrofia cerebral y dilatación ventricular en pacientes esquizofrénicos. Más tarde, la **Resonancia Magnética** (RM) con su mayor capacidad diferenciadora de tejidos y su apreciación tridimensional ha abierto una nueva oportunidad en la identificación y cuantificación de las alteraciones estructurales de las patologías psiquiátricas, incluyendo la esquizofrenia, la depresión y el trastorno bipolar, el trastorno obsesivo-compulsivo, los trastornos de la personalidad, las demencias y las adicciones.

La **Resonancia Magnética Espectroscópica (RME)** es una técnica no invasiva que permite estudiar la función metabólica en el encéfalo humano vivo sin requerir compuestos radioactivos. La **Tomografía por Emisión de Positrones (PET)** y la Tomografía Computarizada por Emisión de Fotón Único (**SPECT**) completan junto con la **Resonancia Magnética Funcional (RMf)** el llamado "big four" de la neuroimagen funcional. Este conjunto de técnicas permiten el estudio del flujo sanguíneo en diferentes zonas del encéfalo y su metabolismo en diferentes condiciones predeterminadas por los investigadores: reposo, actividad, sueño, ojos cerrados, estímulos diversos, etc. La década de los noventa ha sido considerada la "década del encéfalo" por los múltiples avances que en ella se han producido y que entre otros factores involucrados ha tenido mucho que ver con los progresos en las técnicas de neuroimagen (Bernardo, 2000), que nos han ofrecido información estructural y funcional del sistema nervioso central. Las técnicas funcionales muestran imágenes representativas de mecanismos biológicos y/o fisiológicos del tejido nervioso, mientras que las técnicas estructurales permiten observar directamente cortes de las estructuras que conforman el sistema nervioso central (Bernardo, 2000).

Como ha quedado reflejado, la utilización del diagnóstico por neuroimagen se utilizó inicialmente ante las clásicas enfermedades psiquiátricas, pero a partir del año 2000, como veremos más adelante, se ha intensificado el estudio de estas técnicas en otras "patologías menores" como la dislexia, la hiperactividad, la discalculia, las afasias, etc.

5.- Los nuevos conocimientos sobre el desarrollo ontogenético del encéfalo

La génesis de cualquier ser humano empieza con una célula, el oocito fecundado, el cual está dotado de toda la información genética. Su genoma determinará el patrón de desarrollo hasta constituir un individuo concreto. De forma escalonada y perfectamente sincronizada generará al sujeto "planificado", dotado de billones de células, agrupadas en tejidos y con las correspondientes interacciones entre ellas (Alberts *et al.*, 2004). No olvidemos los condicionantes ambientales, que influirán decisivamente, también, en el resultado final. El gran rompecabezas de la biología del desarrollo es entender cómo ocurre esto. Para simplificar los pasos que se llevan a cabo en este proceso de desarrollo, se han identificado, al menos, los siguientes escalones:

1.- Proliferación celular.
2.- Especialización celular.
3.- Interacciones celulares.
4.- Movimientos celulares.

Partiendo de un principio esencial en la dislexia, que es la manifestación clara de un funcionamiento complejo de la mente, pero diferente entre sujetos afectados y sujetos normales, es fácil comprender que determinadas investigaciones generales sobre el desarrollo **ontogenético** llevadas a cabo en los últimos años y con innegables perspectivas de futuro permitirán apreciar la dislexia bajo diversas ópticas interesantes.

En el próximo capítulo, referiremos conceptos básicos del sistema nervioso, no obstante, conviene ahora anticipar algunas cuestiones.

Las neuronas, que pueden ser consideradas el sustrato físico de la mente, pertenecen a un tipo de célula animal muy antiguo. Su estructura en nada se parece a otros tipos celulares. Por ello, el desarrollo del sistema nervioso central plantea problemas importantes de comprensión del proceso. El encéfalo es un conglomerado de neuronas (unas 10^{11}) y glia (células de sostén y mantenimiento). Las neuronas crecen y prolongan sus axones (también conocido como cilindroeje, que es una prolongación filiforme a través de la cual viaja el impulso nervioso) y **dendritas** (prolongaciones ramificadas, generalmente más cortas que los axones, implicadas en la recepción de los estímulos) que generan la trama funcional propia de este órgano. Se supone que cada neurona establece conexión con varios miles de otras neuronas (hay 10^{14} conexiones en el encéfalo humano). Conocer el cómo y porqué de este crecimiento es esencial para entender un poco más nuestro encéfalo y, por extensión, nuestra mente.

A título de ejemplo, exponemos algunas de las nuevas técnicas y/o líneas de trabajo que reflejan el potencial que aportan estas investigaciones en el desarrollo embrionario:

1.- El conocimiento de las interacciones celulares. La interacción de las células se revela con la manipulación en embriones y su estudio posterior.

2.- La generación de animales mutantes. Estos permiten identificar los genes que controlan los procesos del desarrollo.

3.- El conocimiento de las características y **migración de las neuronas**. El funcionamiento de las neuronas está determinado por el momento y lugar en que se han creado. Las neuronas tras su especialización se desplazan (migran) hacia su posición definitiva. Su carácter y posición determinarán las conexiones que formarán. Las conexiones son esenciales para la correcta coordinación nerviosa. El crecimiento de las dendritas y de los axones se efectúa mediante el conocido cono de crecimiento que recorre un camino determinado siguiendo una serie de señales químicas que a modo de indicaciones de tráfico conducen adecuadamente estas prolongaciones. Estas señales químicas están siendo descubiertas y cada vez se comprende más su interacción con el cono de crecimiento.

4.- La influencia de la experiencia. Se sabe que la experiencia modela las conexiones sinápticas del encéfalo. Las bases moleculares de la configuración sináptica por la cual la experiencia modifica nuestros encéfalos constituyen uno de los retos centrales que el sistema nervioso plantea a la biología celular.

Conceptos básicos del capítulo 4

Título: Historia interpretativa e investigadora de la dislexia	
PRIMERA ETAPA	Hasta el año 1880 Fue un estudio Exclusivamente de la dislexia adquirida Efectuado desde la medicina Principales investigadores ⎰ Berlin Kussmaul Déjerine
SEGUNDA ETAPA	Entre 1881 y 1950 ¡La etapa de los pioneros! Fue un estudio Sobre la dislexia evolutiva Efectuado fundamentalmente por oftalmólogos Principales investigadores ⎰ Hinshelwood Morgan Orton
TERCERA ETAPA	Entre 1951 y 1970 Se trató con una visión más amplia Fue un estudio multidisciplinar Psicólogos, pedagogos, educadores, logopedas y neurocientíficos Principales investigadores ⎰ Vernon Tomatis Critcheley Geschwind
CUARTA ETAPA	Entre 1971 y 2000 Época de las teorías modernas Se amplió el campo de estudio Procesamientos fonológicos Intervención de memorias Propuestas correctoras Métodos epidemiológicos Principales investigadores ⎰ Liberman Vellutino Luria Galaburda
QUINTA ETAPA	Desde el año 2001 Explosión tecnológica Estudio sustentado en 5 pilares 1.- Secuenciación del genoma humano 3.- Estudio de proteínas 2.- Estrategias de investigación genética 4.- Neuroimagen 5.- Estudio del desarrollo ontogenético del encéfalo

Capítulo 5. Bases anatómicas y funcionales de la dislexia

Este libro tiene vocación divulgativa, por lo que pretendemos hacerlo accesible a una amplia gama de lectores. El capítulo que ahora nos ocupa intenta poner en conocimiento los resultados de las actuales investigaciones sobre el encéfalo y la dislexia, una vez esta, de forma general, ha quedado adecuadamente introducida. Para tratar este nuevo capítulo creemos procedente dar algunos detalles básicos de la anatomía y funcionamiento del sistema nervioso que faciliten una mínima comprensión a los lectores no especializados en la materia. Esta breve aportación complementa algunos de los conceptos ya expuestos en las páginas anteriores y se centra en aspectos que suponemos básicos para la mejor comprensión del capítulo. Revisando la bibliografía que al respecto está disponible, pueden escribirse miles de páginas en una monografía que trate sobre lo conocido de la anatomía y funcionamiento del encéfalo, pero seríamos ingenuos si olvidásemos que es mucho más lo que se desconoce. Se comprende el funcionamiento de una neurona, con sus orgánulos, su relación con la electricidad, la liberación y captación de neurotransmisores. Se conocen algunos circuitos neuronales elementales, pero escapa hoy día al conocimiento humano cómo se consigue una integración tan perfecta entre 10^{11} neuronas. Es decir, las aportaciones de la ciencia han revolucionado el conocimiento sobre el sistema nervioso, pero, insistimos, debemos ser modestos y aceptar que es muchísimo más lo que nos queda por comprender. El comportamiento humano y las capacidades cognitivas individuales están sujetos a numerosísimas interconexiones neuronales, experiencias previas y condicionamientos genéticos, de forma que nunca se podrá predecir con exactitud la respuesta y actitud individual.

Reconocemos como pretencioso el título del capítulo, sobre todo, en función de lo expuesto sobre el conocimiento real del encéfalo. Las nuevas técnicas de investigación nos dan detalles precisos sobre las áreas cerebrales que intervienen en determinadas tareas cognitivas, motoras o sensoriales, y se comprueba, para mayor dificultad de comprensión, que cada individuo tiene sus propio "mapa" de implicación de áreas encefálicas. La realización del mismo experimento sobre diferentes individuos permite plantear a los investigadores un patrón de funcionamiento de las áreas cerebrales que se puede considerar normal. Con ese patrón normal, por comparación, deducimos las diferencias cuantitativas y cualitativas que se dan en un individuo que presenta alguna patología, trastorno o déficit. Vamos a intentar explicar algunas de las diferencias detectadas entre la anatomía y el funcionamiento de lo que, se supone, es un encéfalo normal (el de los individuos control en los experimentos), y lo que es el encéfalo de un disléxico (diagnosticado previamente según sus manifestaciones cognitivas). Apuntamos que se da en esta situación una adecuada confluencia de los dos campos del conocimiento más implicados en la dislexia, la psicología y las neurociencias. Esto es así porque son los psicólogos quienes fundamentalmente con sus pruebas clínicas diagnostican a los disléxicos. Una vez definido con precisión el tipo de dislexia que padecen, las pruebas neurofisiológicas darán el primer paso para comprobar las diferencias entre estos sujetos y el patrón que hemos considerado previamente como normal.

En la redacción de este capítulo usaremos las comprobadas diferencias apreciadas tras la aplicación de diversas metodologías. Para una correcta comprensión del lector, introducimos unos conceptos generales de lo que conocemos sobre las neuronas, la anatomía y el funcionamiento del encéfalo. Cuando proceda, ampliaremos detalles de la anatomía y funcionamiento que pueden ser útiles para comprender lo que intentamos explicar en cada momento.

La neurona

La neurona es una célula superespecializada cuya fundamental tarea es la de recibir, conducir y transmitir señales. Las neuronas suelen ser extremadamente alargadas. Tiene tres partes fundamentales: el cuerpo celular, las dendritas y el axón. El cuerpo o soma celular contiene al núcleo y la mayoría de los orgánulos propios de cualquier célula animal. El axón, generalmente largo, conduce señales desde el soma hacia las células diana. Las dendritas (varias), más cortas y ramificadas, son como antenas que reciben señales, aunque el propio soma y el axón también pueden ejercer esta función receptora. Las señales que conducen las neuronas son casi exclusivamente eléctricas y mediante sinapsis se comunican químicamente con otras neuronas o células diana (también existen **sinapsis eléctricas**). El correcto funcionamiento de la neurona está condicionado por las numerosas células **gliales** que la rodean cumpliendo determinadas funciones básicas e imprescindibles. Por su tipología, tamaño y localización podemos distinguir numerosos tipos de neuronas (Alberts, *et al.*, 1989).

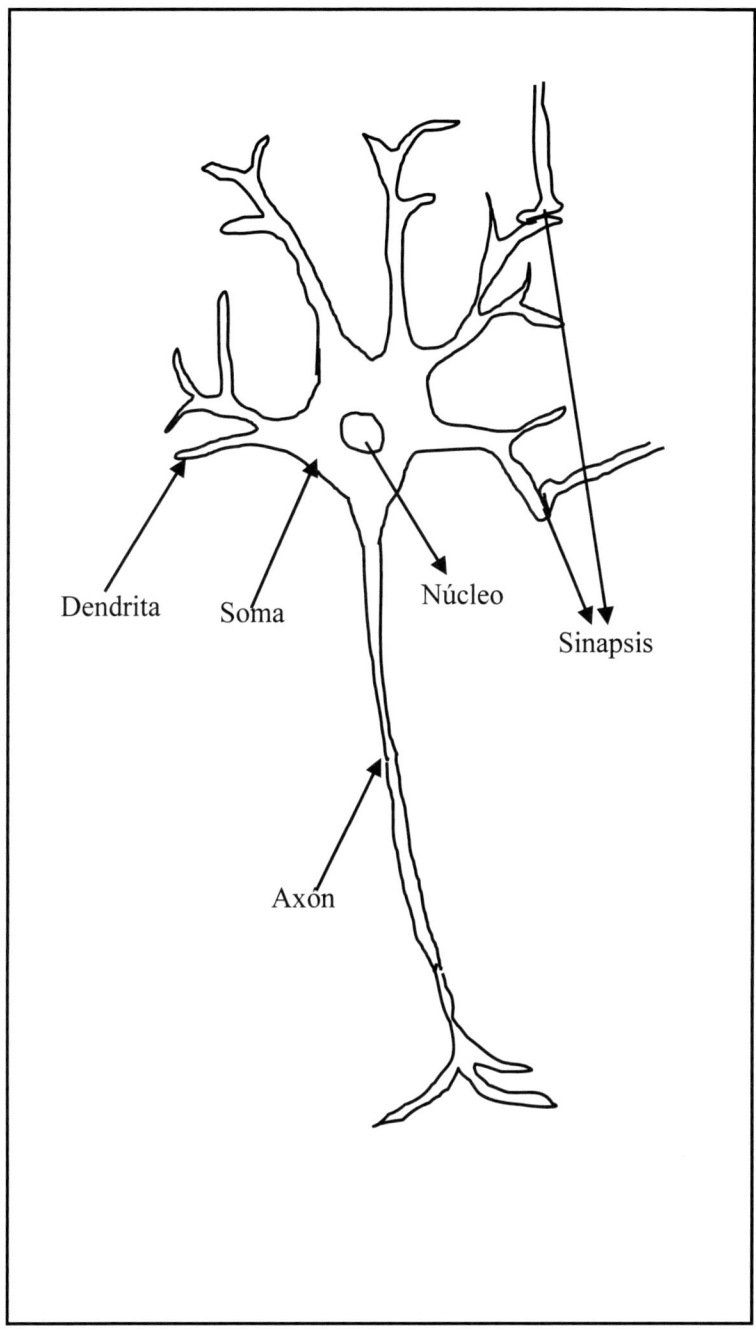

Figura 19. Esquema de una neurona. Representación básica de una neurona tipo con algunos de sus elementos más destacables.

Las sinapsis

Son estructuras básicas que controlan el paso de señales que entran, se intercalan o salen del sistema nervioso. En la mayoría de las sinapsis la señal se transmite en una única dirección, desde el axón a las dendritas y/o somas. Las neuronas, gracias a sus prolongaciones y a las sinapsis que establecen entre ellas, están organizadas en gran número de redes nerviosas que determinan las funciones particulares y globales del sistema nervioso.

Vida de las neuronas

Uno de los grandes retos de la neurociencia es conocer los mecanismos concretos por los que las neuronas encuentran su posición, emiten sus prolongaciones, estas encuentran sus destinos y finalmente se mantienen las complejas redes constituidas. La primera fase del desarrollo del sistema nervioso no difiere del resto del organismo, con programas locales de diversificación celular. Es exclusivo del sistema nervioso la constitución mediante rutas específicas de un conjunto provisional, pero muy ordenado de conexiones entre las diferentes partes, logrado mediante el crecimiento de los axones y las dendritas. En la tercera y última fase, que continúa en la vida adulta, las conexiones se ajustan y perfeccionan mediante acciones recíprocas entre los diferentes componentes del sistema nervioso (Alberts *et al.*, 1989).

Las neuronas se originan mediante un programa limitado de división celular que se resume de forma general en dos puntos: 1.- Las neuronas adultas no se dividen. 2.- Cada región del sistema nervioso se desarrolla según su propio programa.

La clave del funcionamiento del sistema nervioso está en las conexiones de las neuronas y estas dependen del día de su nacimiento. Las neuronas de la corteza cerebral nacen en el neruoepitelio que recubre los ventrículos cerebrales. Tras las mitosis (divisiones celulares convencionales), las neuronas abandonan la zona ventricular y migran a distancia considerable hacia la superficie de la corteza. Esta migración se apoya en una especie de andamio que forman células gliales denominadas radiales. En el proceso migratorio las nuevas neuronas sobrepasan a las más antiguas. De esta forma, las láminas más exteriores de la corteza cerebral son rellenadas por las neuronas más recientemente originadas. En humanos, la migración se realiza fundamentalmente entre la 11.ª y la 15.ª semana de gestación. Aunque no está muy claro, parece que las neuronas alcanzan su lugar adecuado a las 24 semanas de gestación (Ganeshwaran, Mochida, Christopher y Walsh,

2004). Veremos más adelante que la cronología de la vida de las neuronas y la migración neuronal o, mejor dicho, la anormal migración neuronal tienen implicaciones referidas a la dislexia.

Citamos seguidamente dos experimentos significativos que corroboran la importancia de la correcta migración neuronal:

1.- En el primero, Alberts y colaboradores (1989) nos cuentan cómo un ratón "reeler" (tambaleante) sirve de modelo para explicar la importancia de la ubicación de las neuronas en la regulación del comportamiento de los individuos. Este ratón mutante tiene un andar descoordinado debido a un defecto en el proceso de migración que genera, aproximadamente, un patrón inverso al esperado en un ratón normal, esto es, las neuronas más jóvenes se asientan en lugares más próximos a su lugar de nacimiento, mientras que las más antiguas ascienden hasta las capas más superficiales. Esta disposición es perfectamente detectable con simples observaciones histológicas.

2.- En el segundo experimento realizado en 1990 en ratones negros neozelandeses, se comprobó que entre el 20 y el 40 % de una cepa de estos ratones que desarrollaban una enfermedad autoinmune y que tenían importantes déficits de aprendizaje mostraban una colección unilateral de neuronas ectópicas (ubicadas en un lugar incorrecto) en la capa más superficial de la corteza cerebral con evidente displasia (alteración del tejido). Esta situación fue explicada por una posible migración neuronal anormal. Paralelamente, esta anormal migración generó la presencia de un grupo numeroso de células con VIP (polipéptido intestinal vasoactivo, un neuropéptido con diversas funciones en el sistema nervioso central) en comparación con el hemisferio no afectado (Sherman, Stone, Rosen y Galaburda, 1990).

Anatomía del encéfalo
Estructura macroscópica del encéfalo
Cuando nos hablan del encéfalo humano, evocamos la imagen de una masa gelatinosa, rosácea y rugosa. Esa aparente masa uniforme, adecuadamente analizada, tiene detalles anatómicos y funcionales específicos en cada zona, que son la base para comprender, en parte, las diferentes tareas que cada una realiza.

Encéfalo es un vocablo de origen griego que podría traducirse por "dentro de la cabeza". En su desarrollo embrionario, una vez se cierra el tubo neural, a las cuatro semanas de gestación, aparecen tres vesículas, los futuros ventrículos, en torno a los cuales se constituyen sus tres grandes regiones:

1.- **Prosencéfalo**, que posteriormente se diferencia en dos partes:

a) Telencéfalo, que incluye la corteza cerebral (lóbulos occipital, parietal, temporal y frontal), el cuerpo estriado y el rinencéfalo (corteza olfatoria).

b) Diencéfalo, que incluye el epitálamo, el **tálamo**, el subtálamo, el metatálamo y el hipotálamo.

2.- **Mesencéfalo** (encéfalo medio), en donde se encuentran los cuatro tubérculos cuadrigéminos (colículos).

3.- **Rombencéfalo**, que comprende:

a) Metencéfalo: cerebelo y protuberancia.

b) Mielencéfalo: bulbo raquídeo.

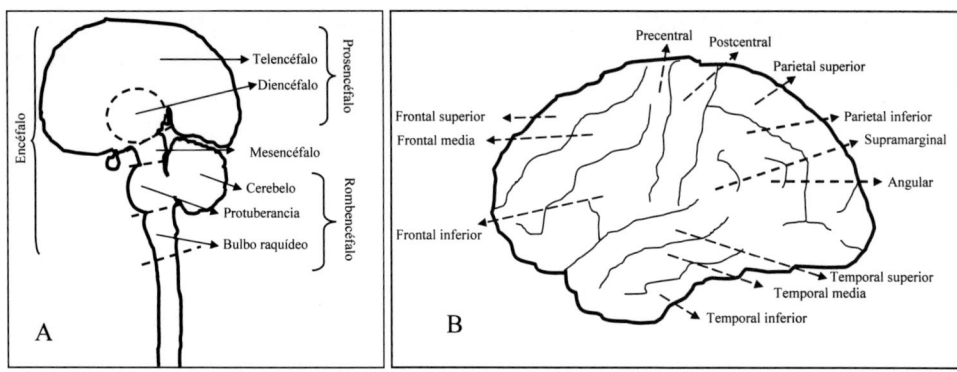

Figura 20. Regiones del encéfalo y circunvoluciones del cerebro. A: la figura representa las tres regiones del encéfalo formadas en torno a las tres vesículas primigenias durante la formación del sistema nervioso. El prosencéfalo y el rombencéfalo aparecen a su vez subdivididos. B: exteriormente son evidentes las circunvoluciones de los hemisferios cerebrales. En el esquema se representan las más significativas.

Las estructuras más evidentes son los lóbulos, cuatro en cada lado, separados por grandes **fisuras** o **surcos**, y más o menos cubiertos por los huesos craneales que llevan sus mismos nombres.

Cada lóbulo tiene una serie de circunvoluciones, también denominados "gyrus" o "giros", observables a simple vista, que son pliegues o elevaciones separados por cisuras. Los giros sobresalen formando ondulaciones, incrementando el área de la superficie cerebral al máximo.

Un aspecto macroscópico muy evidente en los cortes histológicos es la distinción de la sustancia gris y la sustancia blanca. La sustancia gris contiene los cuerpos celulares de las neuronas, las dendritas y las partes proximales de los axones. La sustancia blanca es una zona desprovista de cuerpos celulares y que contiene axones de las neuronas que están en la sustancia gris o fuera del sistema nervioso central, el nombre lo recibe de la vaina de mielina, que recubre a los axones, que en fresco tiene un color blanco brillante (Fawcett, 1988).

Estructura microscópica del encéfalo

Los microscopios ópticos han ido evolucionando y mejorando desde los primeros juegos de lentes fabricados a principios del siglo XVII. Se considera "padre" del microscopio al holandés Antonie van Leeuwenhoek (1632-1723), quien perfeccionó el instrumento usando lentes pequeñas. No obstante, fue a finales del siglo XIX cuando se comercializaron y popularizaron los microscopios y los métodos de tinción. En esas fechas, figuras tan importantes como Camilo Golgi y Santiago Ramón y Cajal iniciaron un camino inagotable de investigaciones y trabajos sobre la estructura microscópica del sistema nervioso. Como hemos indicado, el encéfalo aún sigue siendo hoy día un gran desconocido, a pesar de las novedosas y sofisticadas técnicas de estudio.

Evidentemente, lo más conocido del encéfalo es su estructura anatómica, la disposición de las neuronas, algunas conexiones entre ellas, la irrigación sanguínea… Después de más de cien años de investigación sobre el sistema nervioso se ha llegado a la conclusión de que la corteza cerebral, la sustancia gris de los hemisferios cerebrales, es la responsable de las características y del comportamiento más exclusivamente humano. La relación proporcional entre la superficie de la corteza cerebral frente al tamaño del cuerpo es en nuestra especie, sin lugar a dudas, la mayor de la naturaleza.

En los análisis microscópicos efectuados sobre esta corteza se han encontrado patrones de disposición de las neuronas. De los estudios histológicos clásicos se ha constatado que gran parte la corteza cerebral muestra seis capas de neuronas, numeradas de la I, próxima a la superficie, a la VI, más profunda (a esta organización se le denomina **neocorteza**).

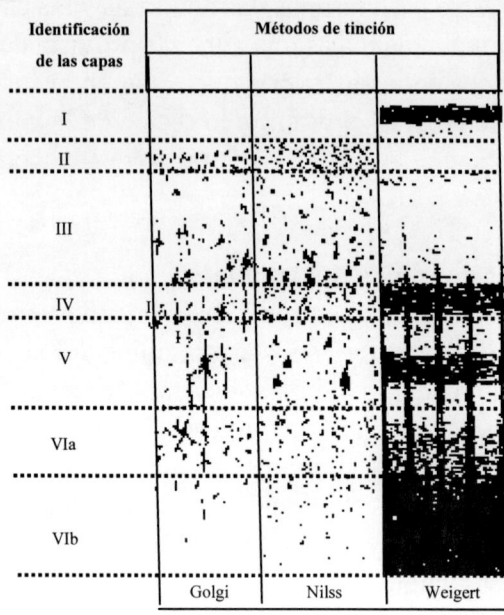

Figura 21. Capas neuronales de la corteza cerebral. Se comprueba la diferente estructura histológica de las seis capas de la corteza cerebral según las técnicas aplicadas.

Aprovechando que estas disposiciones tienen ligeras diferencias, Brodmann (1868-1918), como ya dijimos, dividió la corteza cerebral en unas 52 áreas distintas, llamadas Áreas de Brodmann (a las que nos estamos refiriendo con las letras AB), configurando el conocido mapa (Guyton y Hall, 1996).

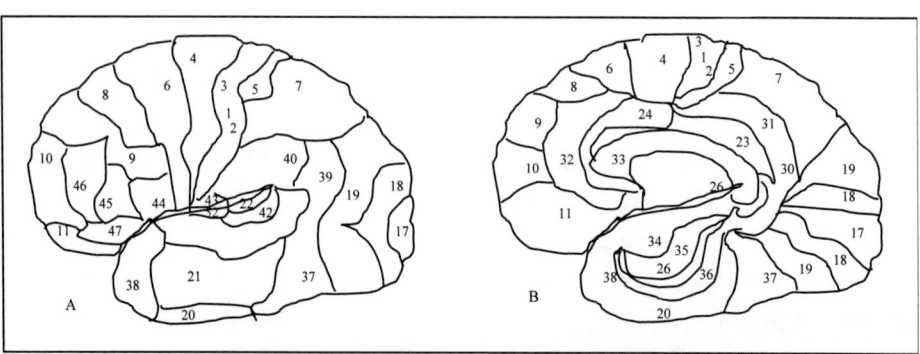

Figura 22. Áreas de Brodmann. Los esquemas recogen las localizaciones aproximadas de las correspondientes Áreas de Brodmann. En A se indican las áreas según la visión lateral izquierda del hemisferio izquierdo, mientras que en B se refieren las áreas de la cara medial del hemisferio derecho.

Este es muy utilizado, pues sus áreas numeradas sirven para referirse con concreción a las diferentes zonas funcionales de la corteza. Estas divisiones son discutidas en cuanto a su adecuada delimitación, pero son usadas frecuentemente como zonificadoras de la corteza.

Aparte de esa estructura laminar (estratos horizontales), en la llamada corteza sensorial se han identificado columnas verticales con una diferenciación funcional evidente. Cada una de ellas detecta una modalidad sensorial específica en un pequeño y diferente espacio sensorial del cuerpo.

Funcionamiento del encéfalo

La función esencial del tejido nervioso es la comunicación sustentada en la excitabilidad y la conductividad (Fawcett, 1988). Los receptores (terminaciones axonales, células especializadas) reciben un estímulo dotado de energía (mecánica, luminosa...) y lo transforman en energía eléctrica. Estos mensajes eléctricos se transmiten a centros nerviosos donde evocan en otras células nerviosas otras señales, que dan lugar a las sensaciones y a las respuestas, desde las más simples, a las más complejas. El sistema nervioso proporciona la base química y estructural de la experiencia consciente, determina la conducta y mantiene la unidad de la personalidad.

No procede en este libro extenderse en el estudio funcional del encéfalo, pero para comprensión de todos los lectores haremos una pequeña reseña de la historia y delimitaciones en el estudio de las funciones del mismo. Seguiremos el esquema que ofrece García (2002).

Antecedentes del estudio funcional

La estimulación eléctrica desarrollada por F. Krause fue el primer instrumento que se usó a principios del siglo XX para conseguir esquemas de las principales regiones de las que se obtenía respuesta. Esta investigación estaba condicionada por la búsqueda y solución de los problemas de los epilépticos. En otras líneas investigadoras ya hemos citado a P. Broca y C. Wernicke, que, junto a J. H. Jackson, a finales del siglo XIX, iniciaron e impulsaron los conceptos científicos de localización anatómica y clínica en el sistema nervioso central.

En los años 30 se sistematizó y amplió el conocimiento de las regiones corticales de las que se obtienen respuestas a la estimulación eléctrica. Continuando con esa línea de trabajo, W. Penfield y H. Jasper desarrollaron nuevos métodos de exploración de la corteza cerebral humana (electrocorticografía). Crearon el famosísimo **Homúnculo**, que era una imagen distorsionada del cuerpo humano que lo representaba sobre la corteza cerebral, relacionando la posición y el tamaño de las partes del cuerpo con la porción de corteza cerebral que controlaba los movimientos voluntarios de las zonas anatómicas dibujadas. Paralelamente se ha descrito, con los mismos criterios, el Homúnculo sensorial que refleja el espacio sensorial relativo de las diversas partes corporales representadas en la corteza cerebral. Los labios, manos, pies y órganos sexuales son considerablemente más sensibles que otras partes del cuerpo, por lo que el Homúnculo tiene labios, manos y genitales extremadamente grandes.

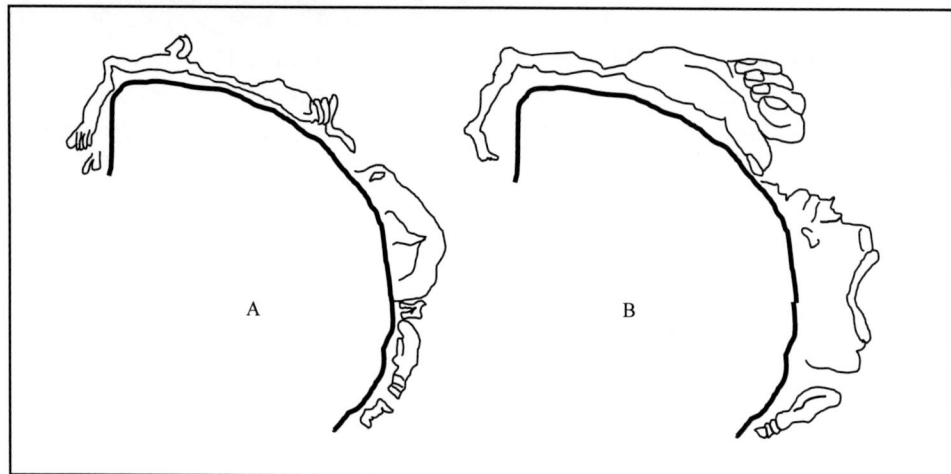

Figura 23. Homúnculos sensorial y motor. Tal como se expresa en el texto, de forma esquemática se representa la localización en la corteza sensorial (A) y motora (B) de las zonas que se corresponden con las respectivas partes anatómicas. Obsérvese la desproporción entre las diferentes estructuras (los labios están muy inervados, frente a la limitada inervación de la espalda).

Funciones radicadas en la corteza cerebral

Las localizaciones generales de las funciones corticales se han establecido mediante diversas técnicas, algunas de ellas ya introducidas en este libro y que ahora, rápidamente, recordamos:

1.- Estimulación eléctrica. 2.- Análisis *post mortem*. 3.- Resección quirúrgica (extirpación de una porción anatómica). 4.- Estudios funcionales no invasivos.

Áreas funcionales de la corteza cerebral

Con la amplia experiencia clínica e investigadora sustentada en los más de 100 años que se lleva estudiando pormenorizadamente el encéfalo, concluimos esta aproximación al funcionamiento cortical asignando a las distintas zonas corticales, correlacionadas con las áreas de Brodmann (AB), funciones claramente definidas en el momento actual (García, 2002).

1.- Corteza prefrontal

Es la zona más extensa y más desconocida. Diferenciamos varias regiones:

a) Áreas prefrontales (AB 9 a 12). Se asienta la capacidad de generación de ideas abstractas, juicio, sentimientos, emociones y personalidad.

Las lesiones en esta zona producen pérdida de iniciativa y de juicio, junto con una alteración en las emociones (tendencia a la euforia), a la vez que se pierden capacidades en el comportamiento social (se cuida menos la apariencia externa).

b) AB 46 y 47. Reciben y proyectan conexiones con las regiones de asociación sensoriales de los lóbulos parietal, temporal y occipital, conectando finalmente con la región prefrontal.

c) Área orbitaria (AB 13 y 14). Su lesión puede conducir a alteraciones afectivas y pérdida de comportamientos inhibitorios sociales, así como alteraciones en el comportamiento sexual.

2.- Corteza frontal premotora

Es una zona extensa de transición entre las áreas anteriores (donde se diseñan los movimientos) y las motoras, posteriores (que los ejecutan). Son diferenciables varias regiones:

a) AB 6 y parte de la 8. Fue descrita por Penfield como Área Motriz Suplementaria (AMS). Almacena "programas" de comportamiento motor. Es la parte que automatiza y armoniza los movimientos voluntarios. Su lesión puede no ocasionar alteraciones relevantes si la zona contralateral asume sus funciones; aunque puede provocar torpeza en la realización de movimientos y alteraciones en la marcha, similares a un síndrome parkinsoniano, sobre todo si el lugar afectado es el dominante (recuérdese lo hablado sobre la dominancia hemisférica).

b) Zona de los movimientos conjugados de los ojos (en la unión de AB 6, 8 y 9). Es una pequeña zona cuya estimulación provoca movimientos conjugados de los ojos hacia el lado contrario.

c) AB 44 y 45. Zona donde se coordinan movimientos de la zona de la cara, laringe, faringe y aparato respiratorio. En el hemisferio dominante se corresponde con el área motora del lenguaje o área de Broca. Su lesión produce imposibilidad de decir las palabras que se desean (ya hablamos en su momento de la afasia de Broca).

3.- Corteza frontal motora

En el área motora primaria (AB 4) hay una representación **somatotópica** muy constante (cada pequeña zona de la corteza motora ordena los movimientos en una región corporal concreta), que constituye el ya introducido Homúnculo de Penfield. Como es bien conocido, cada hemisferio controla principalmente los movimientos del lado contralateral del cuerpo. En esta región se localizan las neuronas piramidales gigantes, que originan la vía piramidal, que lleva las órdenes de los movimientos voluntarios hacia las neuronas localizadas en la médula espinal. Es la parte final efectora de los movimientos que se desean realizar. La lesión o ablación genera una pérdida irreversible de la movilidad voluntaria de la zona afectada correspondiente, excepto si la región interesada corresponde a la cara (dado que tiene representación bilateral).

4.- Corteza parietal o sensorial

En el lóbulo parietal hay varias zonas funcionales, todas ellas dedicadas a recibir información sensitiva:

a) Área sensitiva primaria (AB 1, 2 y 3). Esta área presenta una distribución somatotópica similar al área motora primaria prerrolándica (situada delante de la cisura de Rolando). La zona de la laringe, faringe y perineo (región anatómica que en el hombre abarca desde los testículos al ano) tiene una representación bilateral. Tras una lesión en esta zona se pierde todo tipo de sensibilidad en la zona contraria del cuerpo, aunque posteriormente se va recuperando la sensibilidad dolorosa, de temperatura, de tacto..., pero no se recupera jamás el sentido de la posición, la localización táctil, sensación de peso, percepción de textura, discriminación entre dos puntos...

b) Área de asociación sensitiva (AB 5 y 7). Su función es recibir e integrar modalidades sensitivas, comparándolas con la experiencia previa. También es en esta región donde se tiene la conciencia del propio esquema corporal, cuyo incorrecto funcionamiento está ligado, como hemos comentado, y más adelante ampliaremos, a la dislexia.

c) Área de asociación sensorial (AB 39 y 40). El AB 39 es el giro angular y el AB 40 es el giro supramarginal, que rodean la parte más posterior de la cisura de Silvio. Su función es integrar e interrelacionar la información sensitiva, auditiva y visual. En el hemisferio no dominante colabora en la función de reconocimiento tridimensional y esquema corporal. En el hemisferio dominante forma parte del Área de Wernicke, varias veces citada en nuestro texto por ser el área de integración del lenguaje, cuya lesión provoca una afasia sensitiva y el síndrome de Gersmann (disfasia, dislexia, disgrafía, discalculia, confusión derecha-izquierda, agnosia digital...).

5.- Corteza occipital o visual

Con dos zonas perfectamente conocidas:

a) Corteza visual primaria (AB 17). Está situada alrededor de la **cisura Calcarina**. Es un área de proyección primaria donde termina la vía óptica.

b) Corteza de asociación visual (AB 18 y 19). Rodean el AB 17. Su función es integrar información visual y compararla con experiencias previas, de forma que su lesión impide reconocer objetos en el campo visual contralateral.

6.- Lóbulo temporal

Es una estructura más compleja que los anteriores lóbulos. Se pueden diferenciar varias zonas corticales:

a) Área auditiva primaria (AB 40 y 41). Recibe información bilateral, aunque su lesión provoca una mayor dificultad de reconocer los sonidos en el oído contralateral.

b) Área de asociación auditiva (22 AB). Su función está relacionada con la interpretación de los sonidos, forma parte del área de Wernicke. Se corresponde con la región más posterior del primer giro temporal. Está conectada con el área de Broca y recibe información del lóbulo occipital y de la zona auditiva temporal, permitiendo entender el lenguaje escrito y hablado.

7.- Neocorteza posterior y basal (AB 20, 21 y 37)

Conectan áreas visuales con el circuito límbico (estructura común en los mamíferos asociada con la olfacción, las emociones, la conducta y otras funciones autónomas).

8.- Neocorteza anterolateral

Está muy relacionada con las estructuras mediales temporales, pertenecientes al rinencéfalo. En este sentido, parece que pueden tomar parte en determinados procesos de memoria y comportamiento.

9.- Rinencéfalo

Estructura relacionada con el olfato, que ha evolucionado en el ser humano para convertirse en una zona de asentamiento de la actividad motora instintiva (autónoma y visceral) y del comportamiento (emociones y memoria); constituye el inicio del circuito límbico, formación muy compleja, que ocupa la cara interna de los hemisferios cerebrales y que se extiende hasta el cíngulo (haz de fibras que envuelven el cuerpo calloso).

10.- El complejo amígdalo-hipocámpico

Es la estructura cortical más antigua filogenéticamente hablando. Se conoce la estrecha relación del complejo nuclear amigdalino (amígdala) con las emociones y el comportamiento, así como del hipocampo con la memoria. Las exploraciones neuropsicológicas han ido delimitando el lado dominante como el lugar de asentamiento de los procesos que intervienen en la memoria verbal, mientras que en el lado no dominante la memoria va a estar en relación con procesos visioespaciales.

11.- Lóbulo de la ínsula

Es una zona de corteza cerebral enterrada en el valle silviano y tapada por los lóbulos frontal y temporal. Su función aún está por determinar adecuadamente.

El resto de la corteza parece estar en relación con funciones autónomas y viscerales.

Hemos visto previamente que los centros sensitivos y motores, que están perfectamente localizados por su correlación directa con los órganos sensoriales y efectores, ocupan menos de la mitad de la corteza cerebral del hombre. El resto son áreas de asociación, de más difícil determinación anatómica, que coordinan las áreas motoras y las sensoriales. Son las grandes áreas de asociación (prefrontal, occipitoparietotemporal y límbica) que están implicadas mediante complejos sistemas de conexión con el lenguaje, el aprendizaje y la memoria (Kandel *et al.*, 2001).

¿Están localizados anatómicamente los módulos cognitivos del proceso lector?

Las numerosas observaciones clínicas permitieron establecer diferentes clasificaciones de la dislexia. Todas ellas se basan en el reconocimiento implícito de que el proceso de la lectura se desarrolla siguiendo una estructura modular y que el incorrecto funcionamiento de alguno de estos módulos es responsable de alguna de las formas de dislexia. Es lógico pensar que esos módulos teóricos tienen su ubicación concreta en el encéfalo humano siendo un reto actual definir con exactitud esas localizaciones y el verdadero sustrato anatómico y funcional que justifica el defecto en la lectura. Creemos que conviene hacer una pequeña observación que, seguro, no se ha escapado a los lectores: cuando las ciencias cognitivas definen un módulo en el proceso lector (léxico fonológico, léxico visual, sistema semántico…), el módulo está asentado en nuestra mente y está probada su existencia teórica por las diferentes respuestas estudiadas minuciosamente en cientos de individuos. Los estudios neurobiológicos no van a aportarnos la delimitación exacta de la localización de cada "módulo". Los módulos debemos entenderlos más que como lugares encefálicos, como procesos encefálicos que pueden suponer la interacción de neuronas ubicadas en diferentes zonas, pero que adecuadamente unidas dan una de las respuestas necesarias para completar el proceso lector.

Esta propuesta modular está apoyada, además, por estudios que demuestran que la base funcional y estructural de los encéfalos disléxicos difiere entre los individuos que leen, bien lenguajes alfabéticos, bien lenguajes logográficos. Siok, Perfetti, Jin y Tan (2004), en un estudio sobre lectores chinos, comprobaron mediante imágenes de resonancia magnética funcional (RMf) que los niños con deficiencias lectoras, frente al grupo control, evidenciaron trastornos funcionales en el giro frontal medio del hemisferio izquierdo (fundamentalmente AB 6 y 46), permitiendo asociar esta zona a los problemas de lectura del idioma chino (logográfico). La dislexia en sujetos con lectura en chino se manifiesta por dos déficits: uno relativo a la conversión de la forma gráfica a su sonido correspondiente, y otro relativo a la recuperación del significado (semántica). Ambos procesos son críticamente mediados por el giro frontal medio izquierdo, que funciona como un centro de lectura en chino que coordina e integra información sobre los distintos caracteres escritos y verbales en la memoria de trabajo espacial. Este hallazgo da una idea fundamental en la fisiopatología de la dislexia, por lo que sugiere que en lugar de tener un origen universal, la anomalía biológica que perjudica a la lectura tiene un componente cultural. La ubicación del daño es diferente según el sistema de escritura utilizado. En concreto, según este trabajo se ha comprobado que los niños chinos con problemas en la lectura (logográfica) disponen de un volumen menor de sustancia gris en el giro izquierdo medio frontal (fundamentalmente AB 6 y 46), región que se ha demostrado que juega un importante papel en la lectura en chino.

Es evidente que la lectura logográfica requiere el uso de estructuras nerviosas diferentes a las que hemos propuesto para la lectura alfabética, consideración que justifica la propuesta modular en los procesos que de forma encadenada o paralela se ejecutan en el proceso lector y por tanto permiten contestar con un sí aplastante a la pregunta que encabeza este apartado, pero con las consiguientes particularidades individuales que veremos más adelante.

¿Qué características se esperan de un encéfalo disléxico?

Cabría pensar que un disléxico manifiesta dificultades al leer porque en las zonas encefálicas relacionadas con esta actividad dispone de un número menor de neuronas, o que estas son menos activas, o que son funcionalmente defectuosas, o que carecen de un neurotransmisor necesario, o que sus conexiones no son ni adecuadas ni suficientes... A la vista de los avances tecnológicos e investigadores sobre el sistema nervioso cabe pensar que en las próximas décadas se averiguarán con más detalle los verdaderos sustratos anatómicos y funcionales de la dislexia.

Hoy podemos comprender cómo diferentes partes del encéfalo se activan de forma distinta entre disléxicos y normoléxicos (comprobado con técnicas de neuroimagen). Los grados de diferente activación, así como la concreta localización de las zonas cerebrales que evidencian la dislexia no son absolutamente determinantes, pues son muchas las variables individuales que se dan en los patrones de activación. Conocemos también algunos trabajos efectuados en animales con deficiencias en los procesos de aprendizaje que pueden darnos pistas sobre la estructura y el funcionamiento peculiar de los disléxicos. Otros trabajos interesantes, aunque no muy numerosos, son los análisis *post mortem*. No se han efectuado autopsias con la única finalidad de averiguar la etiología de la dislexia, solo en casos en que este trastorno se expresaba acompañado de alguna otra patología que requería su estudio, ha permitido disponer de datos referentes a la dislexia con este tipo de investigaciones.

El encéfalo de un individuo que tenga dislexia debe ser en cierto modo diferente al de un individuo que no la padezca, no obstante, la capacidad plástica del sistema nervioso genera patrones diversos en los disléxicos. Es decir, por su propia constitución el tejido nervioso adapta su estructura ante lesiones repentinas o deficiencias en su formación. Thompson (1992) recuerda las consideraciones que en 1982 realizó Geschwind sobre las lesiones cerebrales y el momento en que ocurren. Sugiere Geschwind que las lesiones intrauterinas tempranas son completamente diferentes de las lesiones cerebrales tras el nacimiento. En el momento del nacimiento, el sistema nervioso posee una gran plasticidad y ante una lesión del hemisferio izquierdo, el derecho puede hacerse cargo de las funciones lingüísticas. Sin embargo, si las células nerviosas mueren o no consiguen alcanzar su posición prefijada en la corteza antes del nacimiento, estarán definitivamente ausentes. Las células que sobreviven envían dendritas para llenar las posiciones no ocupadas por las células que resultaron dañadas durante la migración neuronal en el desarrollo temprano. Este autor afirma, por tanto, que la dislexia es un problema de migración neuronal. Las conclusiones de Geschwind conviene relativizarlas, ya que las realizó tras analizar dos cerebros *post mortem* de disléxicos con el inconveniente de que uno de ellos padecía, además, convulsiones.

En la temprana infancia, una lesión unilateral importante que afecte al hemisferio izquierdo generará afasia. Con el tiempo se recupera gracias a la plasticidad neuronal. Podemos extrapolar el hecho descrito y pensar que una ligera lesión en los primeros años en el hemisferio izquierdo no produce dislexia, la capacidad recuperadora del encéfalo lo evita (Duffy y Geschwind, 1988). No obstante, si la lesión es bilateral, no hay recuperación plástica y se manifestará dislexia. Está claro que las lesiones tienen diferente respuesta atendiendo a la edad en que se producen. Si la lesión se produce en un adulto, este se ve privado de alguna capacidad particular, mientras que otras capacidades y actitudes permanecerán más o menos intactas. Si por el contrario la lesión ocurre en la infancia, se produce una recuperación, pero a expensas de otras capacidades, lo que genera finalmente un conjunto mediocre (Duffy y Geschwind, 1988). Si la lesión ocurre en fetos, disminuye una facultad particular, mientras que otras regiones cerebrales pueden mejorar sus capacidades iniciales.

Evidencias anatómicas y funcionales en los diversos módulos del proceso lector

Hemos destacado que el conocimiento que tenemos del funcionamiento del encéfalo es alto en los aspectos básicos: transmisión de información desde los órganos de los sentidos y transmisión de información desde los centros motores. Pero es aún muy desconocido el funcionamiento integrador, la creación de pensamientos, la formación de la memoria, la explicación de comportamientos complejos. La lectura precisamente se encuentra entre esos procesos complejos de los que conocemos ciertos matices, pero estamos lejos de comprender total y correctamente todo el proceso que se requiere para el desarrollo de la misma.

El modelo modular de lectura que seguimos establecía cuatro compartimentos: procesamiento perceptivo, procesamiento léxico, procesamiento sintáctico y procesamiento semántico. Los dos primeros procesos son relativamente bien conocidos, pero según ascendemos, los procesos sintácticos y semánticos son más complejos neuronalmente, más difusos en la localización y por tanto mucho más desconocidos.

Aceptando que existe una disfunción, una anomalía estructural, una inadecuada conexión en alguna parte del encéfalo de los disléxicos, vamos a analizar, en concordancia con los módulos lectores que hemos aceptado como propuesta de consenso en nuestro libro, la forma en que se coordinan los resultados neuroanatómicos y neurofuncionales con la propuesta modular elegida.

El trastorno de la dislexia, aparte de los condicionantes ambientales que pueden agravarlo, atenuarlo o incluso disimularlo, como ya hemos indicado, debe provenir de un funcionamiento anormal de una o más partes del encéfalo. Este funcionamiento no puede, como ya ha quedado claro, considerarse una patología, ya que en los miles de años de la existencia humana, para quienes la hubieran padecido, si hubieran tenido que leer, no habría supuesto ninguna traba para su desarrollo individual y social. En la reconversión o exaptación de esas estructuras nerviosas para adaptarlas al proceso lector es donde se manifiestan las deficiencias, son anomalías discretas que ahora la ciencia quiere definir adecuadamente. Ya hemos postulado que una parte del encéfalo tiene un funcionamiento anormal cuando no tiene la velocidad de trabajo que se espera, cuando las conexiones entre diferentes partes se efectúan de forma limitada, cuando la integración de los procesos neurológicos no es totalmente eficiente…

Es fundamental conocer que, a pesar de la coherencia teórica del sistema modular elegido, no todos los individuos tenemos localizados anatómicamente los correspondientes módulos en los mismos lugares anatómicos. Por ejemplo la dominancia hemisférica, de la que hablaremos con más detalle en el próximo capítulo, no es universal. Nos recuerdan Rondal y Serón (1991) que entre un 90 y un 96 % de los individuos diestros manuales tienen dominancia hemisférica izquierda para el lenguaje. En el caso de los zurdos, el 70 % tiene al hemisferio izquierdo como dominante para el lenguaje, mientras que un 15 % tiene al derecho y el otro 15 % no presenta clara dominancia. Esta distribución porcentual está en sintonía con la citada en el capítulo 1, tomada de Salgado de la Teja (2008). Por tanto, si no existe modelo unitario en la dominancia hemisférica, tampoco se manifestará en la localización de los "módulos" de lectura, por lo que hemos de ser consecuentes con esta realidad que relativiza los resultados en función de la configuración funcional de cada individuo. A pesar de lo expuesto, el uso en las investigaciones de grupos control numerosos permite establecer el patrón tipo de regularidad anatómica y funcional para, sobre él, evidenciar las discrepancias que puedan mostrar los disléxicos.

Son numerosísimas las investigaciones que se han efectuado para localizar áreas cerebrales implicadas con la dislexia, a título de ejemplo, para completar este apartado citamos dos separadas cronológicamente, pero interesantes para nuestra exposición:

1.- Mediante estudios de neuroimagen, Flowers, Wood y Naybor (1991) fueron pioneros en constatar la hipótesis de la activación anormal del hemisferio izquierdo en tareas de lenguaje detectada en disléxicos.

2.- Benítez-Burraco (2007) nos indica que estudios mediante neuroimagen determinan que una lectura fluida solo se da cuando existe una interacción correcta de al menos tres sistemas de procesamiento del hemisferio izquierdo: el sistema anterior (fundamentalmente región inferior del lóbulo frontal –AB 6, 44 y 45–), el sistema parietotemporal dorsal (giro angular, giro supramarginal y zona posterior de la región superior del lóbulo temporal –AB 22, 39 y 40–) y el sistema occipitotemporal ventral (diversas áreas de los giros temporal medial y zona occipital medial –AB 21 y 18–).

Migración neuronal y dislexia

Con la intención de localizar lesiones cerebrales, anormales estructuras celulares, incorrectas conexiones u otras deficiencias que justifiquen las manifestaciones de la dislexia se han efectuado numerosas investigaciones que son el apoyo fundamental para redactar esta parte del libro. Son convergentes muchos estudios que relacionan la dislexia con la migración neuronal o, mejor dicho, con la incorrecta migración neuronal. Veremos que la dislexia parece caracterizarse por la presencia de anomalías en el patrón normal de migración de las neuronas que afectan, entre otras, fundamentalmente a las áreas perisilvianas del hemisferio izquierdo; los estudios de neuroimagen han confirmado la existencia de estas anormalidades estructurales. Además, es cada vez más evidente que la inadecuada migración deja unas huellas perceptibles con más detalle según mejoran las técnicas aplicadas para su detección. Recuperamos, seguidamente, cinco trabajos de las decenas de estudios que relacionan la dislexia y la incompleta o deficiente migración neuronal:

1.- Nos cita Thompson (1992) un trabajo de Wilsher de 1981, donde expresa anticipadamente a las evidencias posteriores que los disléxicos no tienen anormalmente localizadas las funciones en el hemisferio izquierdo, lo que ocurre es que son disfuncionales, y obviamente no es que todo el hemisferio izquierdo sea disfuncional, lo es en la conexión específica entre sonido y símbolo escrito. La tasa de procesamiento de la información es más baja en este tipo de pacientes. Está describiendo una conexión débil que como hemos visto puede ser una consecuencia de la migración neuronal incorrecta.

2.- Por su parte, Duffy y Geschwind (1988) citan trabajos de Galaburda y Kemper, que encontraron anomalías en el diseño de la arquitectura celular del área de Wernicke. Detectaron islas de células nerviosas que habrían fracasado en su migración hacia la corteza cerebral. Se trata de un estudio limitado a tres disléxicos, pero los tres presentaban esta característica. Aunque, lógicamente, el número de sujetos investigados no es significativo, la presencia en los tres de estas anomalías apuntaba ya inicialmente la relación entre la dislexia y la migración neuronal incorrecta.

3.- En el año 1992, Rossen, Sherman, Richman, Stone y Galaburda afirmaron que las supuestas incorrectas migraciones neuronales dejan como huella unas ectopias distinguibles histológicamente. Ellos plantearon un original experimento que invitaba a considerar que las ectopias que ellos observaban son fruto de algún tipo de daño en la corteza cerebral. En su trabajo, a ratas recién nacidas se les efectuaba una herida punzante en determinado lugar, comprobando más tarde que esas heridas generaban ectopias que, por otro lado, eran similares a las observadas en algunos adultos en los que no se practicó intervención previa. Esto hizo suponer que las ectopias son como cicatrices que deja algún tipo de daño en la corteza cerebral, independientemente del origen del mismo. Inicialmente este trabajo parece en cierto modo contradictorio, o al menos divergente con las propuestas explicativas de las ectopias como defectos de la migración neuronal. No obstante, es preciso decir que en el desarrollo ontogenético de las ratas, tras el nacimiento sigue desarrollándose parte del proceso migratorio de las neuronas, mientras que en el hombre como ya hemos dicho queda concluida la migración a la 24.ª semana de gestación.

4.- Galaburda y Cestnick (2003) nos citan estudios anatómicos en encéfalos disléxicos y trabajos diversos en modelos animales que demuestran que existen anomalías cerebrales destacadas que pueden explicar algunos de los trastornos conductuales que se detectan en los disléxicos. Las principales anomalías afectan al desarrollo de la corteza y producen alteraciones focales de migración celular que pueden tener efectos en las conexiones que generan funcionamientos deficientes en los circuitos y modificaciones de la estructura del tálamo (por plasticidad). Más adelante citaremos nuevamente esta referencia para indicar que existen diferencias entre sexos en el tipo de plasticidad talámica que desarrollan en respuesta al daño cortical. En esa misma línea, citan los autores de referencia que en modelos animales (ratas), algunos problemas de desarrollo en la migración neuronal generan cambios secundarios en la corteza cerebral como respuestas a supuestas migraciones anormales y que finalmente suponen deficiencias en el procesamiento del sonido, aspecto que ya hemos referido como ligado a determinadas tipologías de dislexia.

5.- Aunque en el capítulo 7 hablaremos de la genética y la dislexia, sí conviene adelantar que el gen DYX1C1 ha sido identificado como el gen que provoca susceptibilidad para la dislexia al tener algún papel en el control de la migración neuronal durante la embriogénesis. Está demostrada la relación de este gen con el aprendizaje en los roedores (Tapia-Páez *et al.*, 2008).

Déficit en los procesos perceptivos

El modelo modular de lectura propuesto por Cuetos (2006) establece que los procesos perceptivos incluyen desde la fijación ocular sobre los textos, hasta la identificación de las palabras por su composición de letras y/o su contorno gráfico.

Anticipamos que no va a ser en el funcionamiento incorrecto de este módulo donde se encuentran la mayoría de los disléxicos. En este momento está bastante consensuado que la mayoría de los disléxicos tienen dificultades en el procesamiento fonológico. No obstante, conviene no olvidar que históricamente fue considerada la dislexia como una "ceguera" específica frente a las palabras. Por ello, procede exponer algunas de las constataciones sobre deficiencias perceptivas que pueden justificar la manifestación de la dislexia de forma directa, o bien que pueden tener repercusión indirectamente en manifestaciones de la dislexia ligadas a módulos lectores superiores. Como hemos reconocido, algunos de los aspectos que mejor conocemos del sistema nervioso son las vías sensitivas y motoras; mientras que resulta más difuso el conocimiento de las funciones integradoras superiores. Los procesos perceptivos en la lectura son relativamente bien conocidos. Para mejor comprensión del lector, introducimos los aspectos funcionales básicos de las vías perceptivas implicadas en la lectura, nociones que son complementarias de algunas otras consideraciones expuestas previamente en el texto.

Vías visuales

Sabemos que la luz, reflejada de los objetos que están en nuestro campo de visión, penetra por el sistema óptico y llega a la retina, donde los conos (responsables de la visión en color) y bastones (principales responsables de la visión en la oscuridad) descomponen en sus membranas unas sustancias químicas provocando la excitación de sucesivas neuronas en la propia retina y más tarde en las fibras del nervio óptico; excitación que llega a la corteza cerebral visual. El camino que sigue la excitación nerviosa hasta la corteza visual precisa ser comentado con mayor detalle por su presunta implicación con algún tipo de dislexia. La retina tiene una compleja organización neuronal. Las células ganglionares son las que van a emitir finalmente las prolongaciones nerviosas que forman el nervio óptico. Se estima que 60 bastones y 2 conos convergen en una fibra. Sin embargo, en el centro de la fóvea (interior deprimido de la **mácula lútea**) solo hay conos y el número de fibras que parte de esta zona es igual al número de células presentes, lo que explica el alto grado de agudeza visual que tenemos cuando percibimos a través de la fóvea (Guyton y Hall, 1996).

Se han diferenciado tres tipos de células ganglionares, W, X e Y, cada una con una función distinta. Las células W son pequeñas, y transmiten señales por sus fibras (axones) a una velocidad lenta (8 m/s) siendo su campo de recepción muy amplio. Estas células son sensibles en la detección de movimientos direccionales en cualquier zona del campo visual. Las células X transmiten las señales a una velocidad moderada (14 m/s), tienen campos pequeños, siendo las principales responsables de la transmisión de la imagen visual. Las células Y son las de mayor tamaño y transmiten sus señales a gran velocidad (50 m/s), solo representan el 5 % de las células ganglionares y sus señales proceden de una amplio campo de recepción retiniano. Se considera que estas células informan rápidamente de cualquier fenómeno anormal que ocurre en el campo de visión, sin embargo, no lo hacen con precisión.

Las células ganglionares con sus prolongaciones hacen que los impulsos nerviosos salgan de la retina por los nervios ópticos. En el quiasma óptico las fibras de la mitad nasal de cada retina se cruzan al lado contrario, donde se unen a las fibras que vienen de la zona temporal de la retina, formando las llamadas cintillas ópticas.

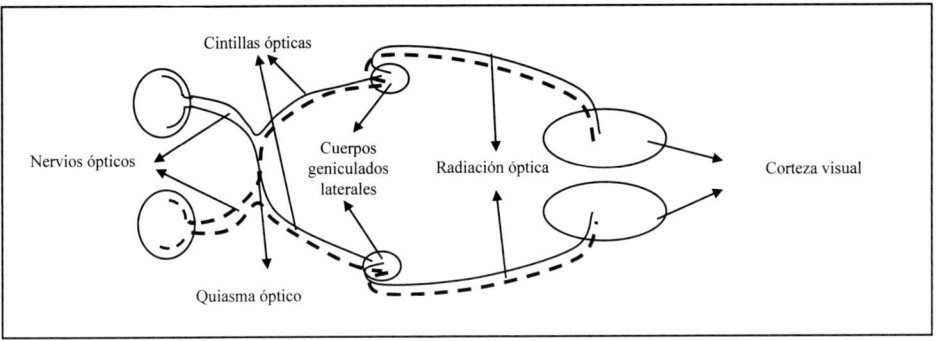

Figura 24. Vías visuales. Tras la conversión de las ondas luminosas en impulsos nerviosos, estos siguen el trayecto que indica la figura. Se muestra una proyección bilateral con la distribución de las sensaciones recibidas en la retina según reflejan las líneas de diferente trazado.

Gran parte de las fibras del nervio óptico acaban en el núcleo geniculado lateral dorsal (en el extremo dorsal del tálamo). Las fibras de cada cintilla hacen sinapsis en el núcleo citado, desde él sale la radiación óptica hacia la corteza visual primaria (área calcarina del lóbulo occipital, AB 17). Otras fibras visuales van a áreas menos evolucionadas del encéfalo: al hipotálamo (posiblemente para controlar los ritmos circadianos), hacia los núcleos pretectales (para desencadenar movimientos reflejos: pupila y de enfoque), hacia el colículo superior (para el control de los movimientos globales de los ojos) y hacia el núcleo geniculado lateral ventral del tálamo y regiones basales del encéfalo circundantes para controlar aspectos del comportamiento. El núcleo geniculado lateral dorsal cumple dos misiones: transmite información visual desde la cintilla óptica a la corteza visual y desarrolla un control de paso, es decir, controla la cantidad de información que puede pasar a la corteza (Guyton y Hall, 1996). Con análisis histológicos se ha comprobado que el núcleo geniculado lateral dorsal se compone de seis capas de neuronas perfectamente distinguibles y numeradas de I a VI: las capas II, III y V reciben información de la porción temporal de la retina del mismo lado y las capas I, IV y VI del lado contrario. Es interesante saber que funcionalmente podemos encontrar otra división de las capas. Las capas I y III se denominan magnocelulares, porque contienen neuronas grandes, que reciben casi todas sus aferencias de las grandes células ganglionares del tipo Y de la retina. Este sistema magnocelular proporciona una rápida vía de comunicación hasta la corteza visual, pero es ciega al color, transmite solo información en blanco y negro, siendo su transmisión punto a punto muy limitada (hay pocas células ganglionares tipo Y y sus dendritas se extienden ampliamente en la retina). Las capas II, IV, V y VI se llaman **parvocelulares,** contienen un gran número de neuronas de pequeño a medio tamaño (reciben aferencias de las células ganglionares de la retina del tipo X, que transmiten el color y conducen con precisión la información espacial punto a punto, pero a una baja velocidad) (Guyton y Hall, 1996).

La información que llega a la corteza visual (AB 17) tiene un patrón característico. Las señales que parten de la mácula (zona de la retina especializada en la visión fina) acaban cerca del polo occipital, mientras que las señales de las zonas más periféricas terminan en círculos concéntricos por delante del polo y a lo largo de la **cisura calcarina**. Las áreas visuales secundarias, también llamadas áreas de asociación visuales, se sitúan de forma concéntrica a la corteza visual primaria. Las señales secundarias llegan a estas áreas para un análisis pormenorizado e integrador del campo de visión.

Como gran parte de la sustancia gris de la corteza cerebral, la corteza visual primaria tiene seis capas de neuronas histológicamente distintas, tal como se indicó al hablar de la estructura microscópica del encéfalo. Las fibras de la radiación óptica (última porción de la vía óptica, que conecta el núcleo geniculado lateral y la corteza visual) terminan fundamentalmente en la capa IV. Las señales que vienen de las células Y terminan en la capa $IVc\alpha$ (subdivisión de la capa IV) transmitiéndose las señales verticalmente desde esta hacia la superficie cortical o hacia niveles más profundos. Las fibras de las células X terminan en IVa y $IVc\beta$ (recordemos que son fibras que transmiten la visión precisa y en colores).

La corteza visual tiene miles de columnas verticales de neuronas, constituyendo cada una de ellas una unidad funcional. Las señales, que como hemos dicho acaban en la capa IV, se procesan inicialmente en las propias columnas. Al abandonar la corteza visual primaria, la información es transmitida y analizada en dos direcciones diferentes que se extienden por las áreas visuales secundarias. La concreción de la posición tridimensional, la forma aproximada y el movimiento se analizan en la parte dorsal, mientras que los matices visuales y el color (funciones relacionadas con el reconocimiento de letras) se interpretan en la zona ventral de las áreas visuales secundarias.

Sistema magnocelular y dislexia

Conocido el flujo de la información visual a través de las vías magnocelular y parvocelular, tal como hemos citado previamente, ha habido numerosos estudios en disléxicos que han intentado relacionar este trastorno con un inadecuado funcionamiento de la vía magnocelular. Varios estudios de comportamiento demuestran que los disléxicos responden mal a las pruebas que requieren un rápido procesamiento visual. En primates, la transmisión de la información visual de bajo contraste se efectúa, como hemos citado, por la vía rápida, magnocelular, mientras que la información visual de alto contraste se efectúa por la vía lenta, parvocelular.

Para justificar lo expuesto en el párrafo anterior incorporamos seis referencias bibliográficas, que implican a la vía magnocelular, bien de forma directa, bien de forma indirecta en las manifestaciones de la dislexia.

Estudios que relacionan directamente la dislexia y la vía magnocelular

1.- Galaburda y Cestnick (2003) refieren detalladamente un estudio de 1991 donde se comprobó que los disléxicos responden bien (potenciales visuales evocados) en pruebas que valoran la vía lenta, la de alto contraste; mientras que tienen dificultades en las vías rápidas, las de bajo contraste.

2.- Entre las pocas autopsias practicadas a disléxicos se observa que las células en la capa magnocelular del núcleo geniculado lateral son anormalmente pequeñas en comparación con las que se encuentran en las capas parvocelulares y magnocelulares de los sujetos control (Kandel *et al.*, 2001). Se ha llegado a cifrar en un 30 % la reducción de tamaño, diferencia de volumen que también se ha detectado en las vías de conducción acústica, donde existen paralelamente vías de transmisión rápida y lenta.

3.- En un estudio sobre la adaptación del parpadeo, parece probado psicofísicamente que en los disléxicos hay una anomalía en los circuitos que unen el tálamo con la corteza. Se supone que hay una primera respuesta anormal en la vía magnocelular, que podría producirse en paralelo con un déficit en el procesamiento cognitivo de la palabra (Johnston *et al.*, 2008).

4.- Se ha constatado (Galaburda y Cestnick, 2003) que los disléxicos muestran déficit en varias tareas visuales, como localización visual (especialmente en el campo visual izquierdo), el procesamiento visual temporal (la percepción del movimiento), la sensibilidad al contraste visual y la habilidad en detectar blancos visuales. Estas debilidades pueden afectar a la tarea lectora. Lo más estudiado son los trastornos que suponen incapacidad de percibir movimientos y contraste en objetos presentes en el campo visual, tareas que se atribuyen al funcionamiento de la vía magnocelular del sistema visual. Un buen número de disléxicos tienen fallos en el procesamiento de señales de bajo contraste y del movimiento.

Estudios que relacionan indirectamente la dislexia y la vía magnocelular

1.- Una de las numerosas características de los disléxicos es su falta de fluidez lectora. La reciente introducción de la **estimulación magnética transcraneal** (TMS), con la que se crean lesiones transitorias, prueba la relación causal entre la vía magnocelular y la fluidez en la lectura (Laycock y Crewther, 2008). Este estudio implica a la vía magnocelular en la conducción y activación de mecanismos de atención en las regiones de orden superior en los disléxicos.

2.- En un estudio (Barnes, Hinkley, Masters y Boubert, 2007), 30 adultos con dislexia y 30 individuos control de equivalente edad fueron comparados en dos tareas de reconocimiento de imágenes, una lineal y otra con rotación. En ambos casos se buscaba el efecto de representación mental de esas imágenes. El análisis indicó diferencias significativas en el rendimiento de los dos grupos. El grupo de disléxicos mostró una susceptibilidad reducida en las representaciones, tanto en dirección lineal como rotativa. Se comprobó que la vía visual magnocelular es necesaria para que la representación se realice, con la utilización subsiguiente de lo que los autores llaman memoria de reconocimiento de imágenes, que puede ser equivalente a la denominada memoria icónica. Los resultados destacan que el déficit en el procesamiento espacial y temporal puede contribuir al perfil del disléxico, justificando la implicación indirecta de la vía magnocelular en el trastorno.

Otros problemas del flujo de la información visual

En el proceso de lectura, Stanley y sus colaboradores afirman que la persistencia visual de un disléxico es mayor que la de un normoléxico, pudiendo en algún caso la imagen visual interferir con el siguiente estímulo entrante. La secuenciación de la información visual se produce de forma que entre cada dos estímulos hay un intervalo. Descubrieron estos autores que este intervalo es mucho mayor en los disléxicos que en los lectores normales (Thompson, 1992). Esto explicaría los movimientos erráticos que se observan en los disléxicos y de los que ya hemos hablado.

Memoria y dislexia

Dentro del módulo de los procesos perceptivos se incluye, según Cuetos, (2006) la memoria icónica y las memorias a corto y a largo plazo, esta última usada como "biblioteca de consulta". Es por tanto conveniente reseñar las pruebas que determinan un deficiente funcionamiento de éstas en relación con la dislexia.

Anticipábamos en el capítulo 1 que la mayor dificultad de los afásicos de Broca es que no pueden unir adecuadamente elementos de diferentes partes de una frase. Para poder llevar a cabo esta unión, es preciso guardar el primer elemento en la memoria, para luego unirlo al segundo y así sucesivamente. Esto sugiere que el área de Broca y las regiones adyacentes participan en la memoria verbal a corto plazo, necesaria para la adecuada comprensión de las frases. En concordancia con esto, Gayán (2001) nos recuerda que Naidoo en 1972 observó que los disléxicos tenían problemas de memoria, en concreto con la capacidad de almacenamiento; también, dentro de sus planteamientos, Thompson (1984) señaló que los disléxicos tienen una menor capacidad de almacenamiento que los lectores normales. Es ya clásica la evidencia de que los lectores con problemas, y entre ellos los disléxicos, tienen una memoria auditiva que se disipa antes que en los sujetos control (Thompson, 1992).

Seguidamente citamos cuatro estudios que nos pueden dar algún tipo de información práctica sobre la dislexia y la memoria:

1.- Kandel y colaboradores (2001), como indicamos en el capítulo 1, citaban estudios con PET (tomografía por emisión de positrones) en los que se observaba como un individuo, al analizar una frase que exige el uso de la memoria a corto plazo para su comprensión, muestra mucha más actividad en las AB 44 y 45, que cuando tiene que comprender frases en que no se requiere ese esfuerzo recuperador.

2.- Con el uso de técnicas de diagnóstico por neuroimagen (RMf) se detectó en los disléxicos una mayor actividad en el hemisferio izquierdo, concretamente en la región posterior superior temporal (AB 22) y en la región inferior parietal (AB 40) en tareas de pseudopalabras y tonos puros que en los lectores normales (Conway *et al.*, 2008). Recordemos que los adultos con dislexia fonológica tienen importantes dificultades con la lectura de pseudopalabras que requieren el uso de la memoria auditiva de trabajo (memoria a corto plazo que utilizamos de forma casi instantánea a las percepciones).

3.- Recientes hallazgos (Ahissar, 2007) sugieren que la eficiencia de la memoria de trabajo se ve afectada por un solo tipo de deterioro en la dinámica de la percepción, que puede ser, tal vez, la base de la amplia gama de dificultades que presentan los disléxicos. Este déficit puede justificar los problemas fonológicos, efectos negativos en la memoria de trabajo, dificultades visuales y auditivas, además de la mayor sensibilidad de los disléxicos al ruido externo (interferencias diversas sobre la capacidad de concentración).

4.- Steinbrink y Klatte (2007) nos recuerdan que el déficit en la memoria verbal a corto plazo ha sido identificado como un factor que enfatiza los desórdenes de lectura y deletreo. En este trabajo, los resultados sugieren que las dificultades de los lectores con problemas no surgen de una evitación del bucle fonológico, sino de su uso ineficiente. Esto podría explicarse alternativamente, y así lo discuten los autores, por una versión inestable de las representaciones fonológicas en la memoria a largo plazo.

Déficit en el procesamiento léxico

El procesamiento léxico se corresponde con el segundo gran módulo del protocolo lector, necesario para extraer el significado de las palabras propuestas en los textos. Esta recuperación del significado se alcanza por dos rutas ya presentadas: la visual y la fonológica. La primera permite leer palabras conocidas que, tras el contraste en el "léxico visual" y consulta en el "sistema semántico", se pueden leer y entender. La ruta fonológica que, recordamos brevemente, consistía en un reconocimiento rápido de las letras que componen las palabras, posteriormente estos grafemas se convierten en fonemas, que seguidamente se agrupan formando el conjunto de sonidos que componen una palabra, con él se consulta el léxico auditivo y posteriormente el sistema semántico para extraer el significado de la palabra propuesta.

Introdujimos en el capítulo 1 la afasia de conducción y expresábamos que los pacientes que la sufren comprenden frases sencillas y tienen habla inteligible, pero no pueden repetir frases de forma literal, cometen parafasias fonémicas y tienen dificultades para dar nombre a imágenes u objetos. La afasia de conducción se manifiesta, según indicamos, por lesiones en las áreas de Brodmann 39 y 40, pudiendo extenderse a la corteza auditiva primaria izquierda (AB 41 y 42), la ínsula (AB 13 y 14) y la sustancia blanca subyacente. Dijimos que este sistema de conexiones parece formar parte de la red que se necesita para unir los fonemas en palabras y coordinar las articulaciones del habla, lo que nos da pistas para localizar el sistema de conversión de grafemas a fonemas y la articulación del habla.

La bibliografía consultada constata que de las diferentes clases de dislexia, la fonológica es la más frecuente. Esta dislexia se debe a un incorrecto funcionamiento de uno o varios de los pasos implicados en la ruta correspondiente. Esta modalidad de dislexia se evidencia fundamentalmente ante la lectura de pseudopalabras, palabras funcionales, palabras que no tienen representación semántica y palabras que se proponen por primera vez al aprendiz de lector. En ellos se materializan muchos de los errores típicos de los disléxicos.

Recogemos siete estudios que localizan determinadas anomalías anatómicas y/o funcionales en lugares que se estima que pueden estar relacionados con la dislexia fonológica:

1.- Brunswick, Macrory, Price, Frith y Frith (1999) citan un trabajo de 1997 de Rumsey y colaboradores, los cuales estudiaron mediante PET (tomografía por emisión de positrones) efectos ante tareas de lecturas de palabras y pseudopalabras en disléxicos. Recordemos la directa relación que existe entre la dislexia fonológica y la dificultad en la lectura de pseudopalabras. En este estudio encontraron diferencias significativas frente a los grupos controles. Los disléxicos mostraron reducción de la actividad en la mitad de la corteza temporoparietal posterior, en particular, en el giro superior y medio izquierdo temporal (AB 21, 22 y 42), áreas relacionadas obviamente con la ruta fonológica.

2.- En un análisis mediante RMf (Shaywitz *et al.*, 1998), tanto en individuos disléxicos, como normoléxicos en tareas fonológicas, se comprueba una hipoactivación en regiones posteriores (área de Wernicke, giro angular y la corteza estriada: AB 22, 39, 40 y 17) y una relativa sobreactivación en el giro frontal inferior (AB 44 y 45). Atendiendo a estos patrones de activación, los autores dan por probado que el daño que genera la dislexia, o al menos en muchos casos, tiene base fonológica.

3.- En otro estudio se comprobó que leer palabras, o formas semejantes a letras, activa de forma selectiva las áreas corticales izquierdas extraestriadas (zona adyacente a la AB 17) anteriores a la corteza visual (AB 18), lo que supone que el proceso de formación de palabras y otras operaciones visuales complejas necesitan esta región (Kandel *et al.*, 2001), en donde pudiera estar asentado el sistema de conversión de grafemas a fonemas.

4.- Los sujetos con dislexia fonológica, según nos transcriben Galaburda y Cestnick (2003), manifiestan sus signos por un incorrecto desarrollo del encéfalo antes del nacimiento, datos que coinciden con postulados ya reseñados en este texto. Estos autores indican que estudios efectuados en lactantes prueban que los sistemas necesarios para el procesamiento de los sonidos lingüísticos y no lingüísticos ya funcionan en el momento de nacer y que los problemas auditivos que afectan a dichos procesamientos aparecen muy pronto, antes del nacimiento. Recuerdan que investigaciones efectuadas en encéfalos de 10 sujetos disléxicos evidencian que existen en sus encéfalos malformaciones corticales y subcorticales que tienen sus orígenes sobre la mitad del periodo gestacional, el periodo que hemos reconocido como activo en la migración celular hacia la corteza cerebral. Estas malformaciones se encuentran en áreas vinculadas a procesamientos fonológicos, incluso en el borde temporoocci-pital conocido como "área visual" de la forma de la palabra. Además, se han localizado estas malformaciones en algunos núcleos del tálamo (geniculado medio y geniculado lateral).

5.- Quaglino y colaboradores (2008) con el uso de RMf han encontrado un deficiente procesamiento fonológico en sujetos disléxicos. Analizaron las conexiones entre AB 40 y AB 37 con la corteza frontal inferior (AB 44/45) en el hemisferio izquierdo. Como resultado obtuvieron diferencias en los patrones de conexión entre los sujetos disléxicos y los sujetos control, especialmente hubo una relación causal entre dislexia y las conexiones que unen AB 37 y AB 44/45, conexiones que se supone que intervienen, como hemos dicho, en el procesamiento fonológico. Este estudio confirma que no solo la dislexia se manifiesta por malformaciones locales, sino por las conexiones entre las diferentes zonas encefálicas.

6.- En un estudio con pacientes que tenían daño en las regiones perisilvianas (AB 40, 41, 42, 43...) (Rapcsak *et al.*, 2008), se comprobó que presentaban manifestaciones propias de la dislexia y de la disgrafía. Los resultados, según estos autores, sugieren que la dislexia fonológica y la disgrafía son manifestaciones de un déficit central o de una modalidad fonológica independiente y no del resultado de daños inespecíficos de los componentes cognitivos dedicados a la lectura y ortografía. Estos resultados, además, dan soporte empírico al modelo de "componentes compartidos de procesamiento del lenguaje escrito", según el cual, el mismo sistema cognitivo central da apoyo tanto a la lectura, como a la escritura. Esto supone que la dislexia fonológica y la disgrafía pueden ser producidas por el daño en una serie de regiones corticales perisilvianas, en consonancia con los modelos de encadenamiento secuencial y paralelo del procesamiento fonológico. Recordemos que hemos asignado a la ruta fonológica al menos cuatro componentes o pasos que de forma encadenada y/o paralela deben desarrollarse.

7.- Como última cita, recordamos que se han realizado en adultos estudios de **imágenes con tensor de difusión** (DTI, diffusion tensor imaging) para analizar la microestructura de la sustancia blanca en disléxicos. Este trabajo ha evidenciado diferencias importantes entre grupos con y sin dislexia en tractos bilaterales específicos de sustancia blanca en el lóbulo frontal, lóbulo temporal, lóbulo occipital y en el lóbulo parietal (áreas asociadas al procesamiento fonológico), que es congruente con los estudios previos de conectividad en el giro inferior frontal bilateral (Richards *et al.*, 2008).

Déficit en el procesamiento sintáctico

Admite Cuetos (2006) que la existencia de este tercer módulo es discutida por algunos autores, pero en definitiva él lo incorpora y, por tanto, nosotros lo sometemos a su valoración anatómica y funcional. Estamos ante un procesamiento que eleva enormemente la complejidad neuronal. Recordemos que en este procesamiento es necesario llevar a cabo tareas tales como: 1.- Análisis detallados del orden de las palabras. 2.- Interpretación de las palabras funcionales que contribuyen a asignar las funciones de las palabras o grupos de palabras a las que preceden. 3.- Acceso al significado de las palabras. 4.- Interpretación correcta de los signos de puntuación. Estas tareas deben procesarse, bien en forma lineal, bien en forma paralela, pero en todo caso implicando a grandes áreas encefálicas de difícil delimitación y concreción, pues estamos en una serie de procesos en gran medida compartidos con el lenguaje verbal. La amplia extensión del encéfalo implicada en este procesamiento abarca diversas zonas de la sustancia gris y determina un papel esencial de los tractos que las conectan. Entre estos se encuentra la **vía dorsal**, que conecta el área de Broca con la región temporal superior, que ya dijimos que es deficiente, tanto en animales como en niños antes del dominio del lenguaje (Friederici, 2009).

Hemos indicado al menos en dos ocasiones que el área de Broca y las regiones adyacentes participan en la memoria verbal a corto plazo, necesaria para el procesamiento sintáctico correcto. Volvemos a recordar que imágenes de PET demuestran que cuando a un paciente se le encomienda que analice una frase que exige el uso de la memoria a corto plazo para comprenderla correctamente, tiene mucha más actividad en las áreas descritas (Broca y adyacentes), que cuando tiene que comprender frases que no requieren ese esfuerzo recuperador (Kandel *et al.*, 2001).

Citamos en el capítulo 1 que el área de Wernicke (AB 22, 39 y 40) está al servicio de la gramática, que a su vez tiene como subcomponente la sintaxis. Nos recuerda Cuetos (2006) que a la dificultad del procesamiento sintáctico se le denomina "agramatismo", evidente en los afásicos de Broca. Todo ello corrobora la participación de amplias áreas cerebrales y con ello se complica la correcta delimitación de las áreas funcionales, así como sus deficiencias, que tienen que ver con el déficit del procesamiento sintáctico.

Déficit en el procesamiento semántico

El procesamiento semántico ya fue presentado como último módulo del protocolo lector. Con él se nos permite comprender el texto leído, extraer el significado e integrarlo en nuestra memoria. Con la estructura sintáctica deducimos el significado de una frase, pero esta estructura es rápidamente olvidada. Lo que perdura es el fondo del mensaje sin que recordemos con exactitud la estructura sintáctica que lo aportó.

Al recibir un mensaje disponemos de información previa a la que unimos la nueva aportación. La adquisición de información por un lector se ve favorecida si tiene conocimientos previos sobre el tema leído, lo que Cuetos (2006) denominó "esquemas". Estos esquemas facilitan la comprensión.

Es lógico suponer, como ya dijimos del procesamiento sintáctico, que la sustentación de este módulo, que podemos llamar superior, radica en los otros tres y sus bases anatómicas ya no están tan localizadas (se extienden por casi toda la corteza), de forma equivalente a como están extendidas las áreas relativas al lenguaje. Las pruebas hasta ahora diseñadas no son capaces de mostrar diferentes patrones de activación y/o hipoactivación para valorar el procesamiento semántico. Hemos visto que cuando a un sujeto se le somete a pruebas con palabras y pseudopalabras se detecta rápidamente su respuesta mediante técnicas de neuroimagen. Actualmente no disponemos de instrumentos que puedan detectar sensibilidades diferentes, ante pruebas de comprensión, que relacionen esta con áreas cerebrales que expresen comportamientos funcionales diferentes entre disléxicos y normoléxicos.

No obstante, podemos recordar lo que dijimos en el capítulo 1 al hablar de la afasia transcortical sensitiva (es diferente de la afasia de Wernicke), en la que las personas que la padecen tienen un habla fluida, con deficiencia en la comprensión y, además, encuentran enormes dificultades para la denominación de objetos. Estamos ante la manifestación de un defecto en la recuperación semántica, con capacidades fonológicas y sintácticas aún relativamente conservadas. Parece que es fruto de una lesión en algunas partes de la unión de los lóbulos temporal, parietal y occipital, que conectan las áreas del lenguaje perisilvianas con las partes de la corteza cerebral subyacentes (Kandel *et al.*, 2001).

Cerebelo y dislexia

El cerebelo (*cerebro pequeño*) es una región anatómicamente muy bien definida del encéfalo, que tiene como función principal la de integrar las vías sensitivas y las motoras. Posee una gran cantidad de haces nerviosos que lo conectan con otras estructuras encefálicas y con la médula espinal. El cerebelo modula la fuerza y la disposición del movimiento y está implicado en las habilidades motoras (Kandel *et al.*, 1996). Está situado sobre la protuberancia, y la conexión con el tronco cerebral se realiza mediante tres tractos, los pedúnculos cerebelares. Macroscópicamente es evidente la división del cerebelo en tres lóbulos. En su corteza, como en la cerebral, también se disponen las neuronas formando capas, destacando entre ellas las típicas células de Purkinje.

Dado que esta estructura nerviosa no tiene un papel relevante en las capacidades cognitivas del hombre, ha pasado prácticamente desapercibida y, por ello, ha sido menos estudiada en la experimentación sobre capacidades cognitivas, por lo que en las localizaciones de los módulos lectores no ha sido considerada.

A pesar de lo expuesto, hemos comprobado que existen determinados trabajos que relacionan al cerebelo con la dislexia; citamos seguidamente algunos de ellos:

1.- En el 2001, Nicolson, Fawcett y Dean plantearon la hipótesis del déficit cerebelar en la dislexia, basada en que el test de comportamiento y de neuroimagen indicaba que la dislexia estaba asociada con deterioros cerebelares en el 80 % de los casos, proponiendo los autores que los desórdenes en el desarrollo cerebelar pueden ser la causa de los defectos en la lectura y en la escritura de los disléxicos.

2.- En un artículo de Finch, Nicolson y Fawcett (2002) se nos recuerda que recientes investigaciones asocian la dislexia con determinadas anomalías en el cerebelo. En su estudio se hace un análisis del cerebelo de cuatro individuos diagnosticados con dislexia y cuatro controles. Se observaron secciones transversales y se valoraron la densidad de las células de Purkinje y células en la oliva inferior (estructura del bulbo raquídeo que envía proyecciones al cerebelo) y células del núcleo dentado (núcleo profundo del cerebelo). Se observó una significativa diferencia entre los dos grupos investigados en los lóbulos anterior y posterior y en la oliva. No se encontraron diferencias en el lóbulo floculonodular ni en el núcleo dentado. Aun siendo precavidos en la generalización de los resultados, dado el bajo número de disléxicos estudiados, y el tipo de muestra, conviene tener en cuenta dichos resultados y valorar las posibles futuras investigaciones que determinen la relación entre el cerebelo y la dislexia.

3.- Eckert y colaboradores en 2003 consideraron que el cerebelo es una de las localizaciones más importantes donde se observan diferencias estructurales entre los disléxicos y los grupos controles en estudios de neuroimagen. Este estudio puede haber demostrado que las anomalías en un circuito cerebelar frontal (de la parte superior) están asociadas con las tareas de denominación rápida y automática.

4.- Para comprobar el alcance de la hipótesis del déficit cerebelar en la dislexia, citado en el punto uno de este apartado, se hicieron estudios en los que se evidenció que los disléxicos muestran una debilidad clara en el test cerebelar cuando se comparan con grupos controles. Se demostró que en la dislexia existe hiperactividad del comportamiento cerebelar (Kasselimis, Margarity y Vlachos, 2007). No obstante, como este estudio incluía a niños con déficit de atención/hiperactividad (TDAH) y contenía algunos datos confusos, los autores indican que aún queda por determinar si la función cerebelar está relacionada, o no, con la dislexia y con la velocidad del lenguaje oral.

Conceptos básicos del capítulo 5

Título: Bases anatómicas y funcionales de la dislexia		
NEURONAS	Disponemos de 100.000.000.000	
	Tras su nacimiento, migran	
	La migración correcta es esencial	

ENCÉFALO	**PARTES**	Prosencéfalo	
		Telencéfalo ⟶	Lóbulos cerebrales, cuerpo estriado y rinencéfalo
		Diencéfalo ⟶	Tálamo, epitálamo, hipotálamo y subtálamo
		Mesencéfalo ⟶	Colículos
		Rombencéfalo	
		Metencéfalo ⟶	Cerebelo y protuberancia
		Mielencéfalo ⟶	Bulbo raquídeo

Base química y estructural de experiencia consciente y de la personalidad

La corteza cerebral está zonificada funcionalmente

La anomalía biológica de un disléxico depende del tipo de lengua que lee

Está probada una activación cerebral diferente entre disléxicos y normoléxicos

LESIONES CEREBRALES

Intrauterinas (gestación)
   Efectos permanentes. Las partes no afectadas tienen más capacidad
Tras el nacimiento
   Se repara el daño, pero resulta un conjunto mediocre
En edad avanzada
   Se pierde la capacidad concreta

La dislexia supone un mal funcionamiento del encéfalo, pero no es una patología

MIGRACIÓN NEURONAL INCORRECTA Y DISLEXIA

Se conoce la disposición incorrecta de neuronas en disléxicos
Presencia de ectopias
Se conocen genes ligados a la dislexia que influyen en la migración

LOCALIZACIÓN DE LOS MÓDULOS LECTORES AFECTADOS EN LAS DIFERENTES DISLEXIAS

La dislexia resulta de un déficit en algún módulo de la lectura

En el procesamiento perceptivo
   Afectada la vía magnocelular. En los disléxicos responden peor las vías rápidas
   Peor contraste de imagen
   Menor persistencia de la memoria a corto plazo
En el procesamiento léxico
   Ante pruebas fonológicas
      Baja la actividad en AB 17, 21, 22, 39, 40 y 42
      Aumenta la actividad en AB 44 y 45
      Se detecta una peor conexión entre AB 37 y AB 44/45
   En la conversión grafemas/fonemas
      Aumenta la activación del AB 18
En el procesamiento sintáctico
   Amplia extensión cerebral afectada, entre otras AB 22, 39, 40, 44 y 45
   La vía dorsal, una importante conexión, es más débil
En el procesamiento semántico
   Casi toda la corteza afectada, regiones equivalentes a la del lenguaje

CEREBELO Y DISLEXIA

Existe relación entre dislexia y algún deterioro del cerebelo
Se ha detectado una mayor activación cerebelosa

Capítulo 6. Asimetría hemisférica, sexo y dislexia

Hemos creído oportuno incluir este capítulo, pues, como vamos a demostrar seguidamente, la lateralización, que tiene que ver con la asimetría anatómica y funcional del cerebro, así como el sexo de los individuos juegan un relevante papel en las manifestaciones de la dislexia. Procede analizar cómo y por qué la dislexia tiene una repercusión diferente en hombres y en mujeres. Aún más evidente es la distinta penetrancia de la dislexia entre los diestros, zurdos, mixtos y sujetos con lateralidad cruzada, como ya explicaremos detalladamente. Los primeros estudios sobre la dislexia ya se percataron de estas discrepantes distribuciones.

Dominancia hemisférica y lateralidad

Nos resulta fácil comprender que nuestro cuerpo tiene una lateralización motora evidente. Cuando sin proceso formativo previo golpeamos un balón, apartamos un obstáculo, lanzamos una piedra, abrimos una puerta, apretamos un tornillo… tenemos tendencia repetitiva a usar casi siempre la misma mano y el mismo pie. Si lo hacemos con la izquierda somos zurdos, y diestros en caso contrario. Existe, no obstante, un apreciable número de individuos a los que inicialmente les resulta indiferente su preferencia motora, los llamaremos ambidiestros o mixtos. No conviene olvidar que hay zurdos para una extremidad y diestros para la otra.

Más difícil nos resulta entender que existe lateralidad sensorial, pero con ingeniosas pruebas se ha demostrado que tenemos, igualmente, preferencia en el uso de un ojo y un oído para las labores propias de estos órganos.

Thompson (1991) entiende por lateralidad la preferencia individual por una mano, un ojo, un pie y un oído, basada usualmente en algún tipo de cuestionario de lateralidad. Reproduce este autor datos sobre estudios en la población de Estados Unidos efectuados por McBurney y Duna, en 1976, y en Gran Bretaña efectuados por él mismo y otros colaboradores, en 1980, que muestran la preferencia en el manejo de las manos:

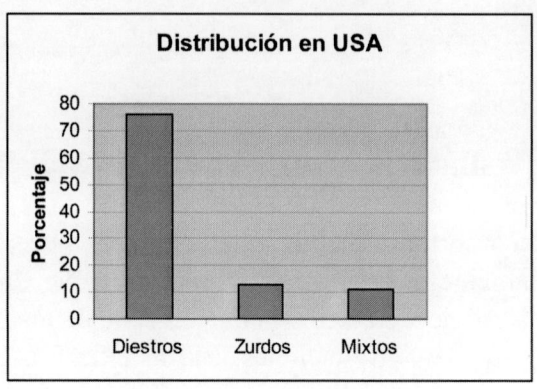

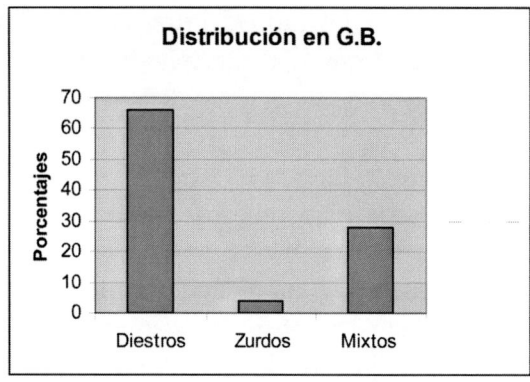

Si estos datos los comparamos con los que a continuación insertamos, según Thompson (1991), referentes a la dominancia manual entre disléxicos, sobran explicaciones para entender por qué tratamos la lateralidad en este libro sobre dislexia.

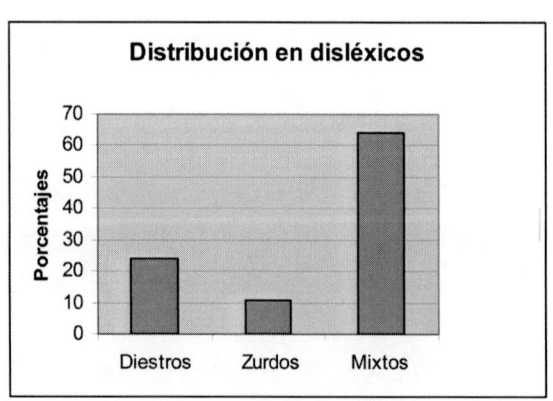

Es de sobra conocido que la acción mecánica de nuestra mano izquierda tiene su origen en la corteza primaria motora derecha, igual ocurre con el pie. Varios autores han descrito, como veremos más adelante, a individuos que tienen lateralidad cruzada, es decir, que tienen preferencia por una mano, un pie, un ojo y un oído que no siempre se localizan en el mismo lado. El número de combinaciones posibles es bastante numeroso. Comprobaremos que estos, junto con los mixtos o ambidiestros, son muy susceptibles de padecer dislexia.

En la percepción visual no se evidencia una lateralización sensorial apreciable en los estudios de las vías sensitivas. Existe, como hemos expuesto detalladamente en el capítulo anterior, una ordenada distribución de las vías nerviosas que surgen de cada ojo para acabar, sin perder el orden, en cada uno de los dos hemisferios, unas discurriendo íntegramente por el mismo lado, y otras cruzando hacia el lado contrario. No obstante, tenemos tendencia a usar un ojo preferentemente frente al otro.

En la percepción auditiva, las vías nerviosas se distribuyen en los dos hemisferios, pero en este caso, cada oído tiene ligera preferencia para proyectar, previos relevos neuronales correspondientes, hacia el hemisferio opuesto. También está probada la preferente utilización de un oído frente al otro y en este caso, como acabamos de indicar, potenciada por la mayor implicación del hemisferio contralateral.

Está probado que los niños al nacer no tienen dominancia definida, los dos hemisferios son idénticos, y así se mantiene la situación hasta los 8 meses, a partir de ese momento se inicia el proceso de dominancia que se estima debe concluir a los 6 años (Fernández, Llopis y Pablo de Riesgo, 1989). Concluimos, por tanto, que durante la primera infancia se desarrolla un sistema complejo para trabajar en sincronía, pero inmediatamente se desarrolla el hemisferio dominante y la igualdad desaparece (*Dislexia y dificultades de aprendizaje*, 1994). La dominancia hemisférica está ligada al lenguaje y dijimos que el aprendizaje de la lectura debe iniciarse cuando se comprueba que el niño tiene "madurez", calificativo muy usado por los educadores. Podemos suponer que esta "madurez" es el momento en que ya está clara en cada individuo su dominancia hemisférica. Se considera que la asimetría funcional hemisférica no puede ser conceptualizada en términos dicotómicos, sino de forma gradual. No vamos a encontrar un hemisferio todopoderoso frente a otro mudo (Bausela, 2005). Sabemos que cada hemisferio tiene posibilidades varias y la cuestión que se plantea es su mayor o menor aptitud para llevar a cabo unas u otras tareas en el procesamiento de la información.

Hemos citado la teoría de Tomatis (1979) sobre la exclusiva responsabilidad del oído en la dislexia, hoy día desechada, pero hace una propuesta que parece interesante; propone que el oído derecho es el dominante (envía más fibras al hemisferio izquierdo) en la mayoría de los individuos, ejerce de piloto y se encuentra designado para informar a la corteza emisora dominante, que es la izquierda. La respuesta controlada para articular el lenguaje responde al influjo fundamental de la vía recurrente derecha (recordemos que es una rama del nervio vago [X par craneal], que por el lado derecho sigue un camino más corto). Esta fijación derecha, según el autor, puede inducir la dominancia del hemisferio izquierdo.

Hay argumentos que apoyan la especialización funcional, por ejemplo, analizando veteranos de la Segunda Guerra Mundial con lesiones cerebrales se observó que el hemisferio derecho funciona de una forma más difusa. También está demostrado, como dice Bausela (2005), que el daño en el hemisferio derecho produce mayor deterioro visioespacial. Finalmente podemos citar a los pacientes con disociación cerebral (individuos a los que se les ha dividido el cuerpo calloso para tratar de aliviar las epilepsias graves). En ellos la conexión entre hemisferios ha sido eliminada y se observa un comportamiento diferente de cada hemisferio al procesar la información que selectivamente se les hace llegar a cada uno de ellos.

El giro de Heschl (AB 41 y 42), en el hemisferio izquierdo, es estructuralmente diferente al del hemisferio derecho y, en especial, la cara superior del lóbulo temporal es mucho más grande (área de Wernicke, plano temporal). Este mayor tamaño puede apreciarse a simple vista al examinar cortes del cerebro. Hay diferencias en cuanto al grosor, pero también en cuanto al tipo de células y a su estructura (Thompson, 1992). La dominancia hemisférica lleva aparejada asimetría anatómica y neuroquímica, pues según nos cuentan Duffy y Geschwind (1988) también se han comprobado al menos tres diferencias químicas en el encéfalo:

1.- La noradrenalina presenta una mayor concentración en el núcleo pulvinar izquierdo, región del tálamo que interviene en el lenguaje.

2.- Se ha encontrado mayor cantidad de noradrenalina en regiones somatosensoriales del tálamo derecho.

3.- Se han cuantificado diferentes niveles de síntesis de acetilcolina en el primer giro temporal izquierdo.

Por lo expuesto, sabemos que cuando un individuo es diestro para su mano y pie, tiene dominancia el hemisferio izquierdo. Estadísticamente está probado que la mayoría de los individuos tienen dominante el hemisferio izquierdo. Ocurre que es la falta de dominancia la que genera la supuesta predisposición a la dislexia. Nos reproduce Thompson (1992) ciertas aseveraciones que se corresponden con lo expuesto:

-La lateralidad inconsistente refleja una falta de dominancia cerebral.

-La lateralidad inconsistente da lugar a confusión direccional.

-La lateralidad cruzada genera confusión direccional, provoca dificultades de barrido visual y puede afectar a la integración hemisférica.

Veremos en este mismo capítulo como la determinación sexual tiene diferentes patrones en la penetrancia de la dislexia, citaremos algunas teorías que intentan explicar esta diferencia con base en la circulación hormonal, pero también ha quedado demostrado que las niñas tienen una lateralización más rápida que los niños (Rondal y Seron, 1991). No olvidemos que hemos insistido varias veces sobre la precocidad de las niñas en el lenguaje.

La dominancia lateral en humanos tiene modelos similares en la naturaleza. En animales inferiores se ha comprobado que el encéfalo presenta una distribución asimétrica de dopamina (Duffy y Geschwind, 1988). En un estudio de Le May, de 1976, tal como nos citan Rondal y Seron (1991), efectuado sobre 17 grandes simios, demuestra que en 16 de ellos existe una evidente asimetría hemisférica.

El lenguaje, los hemisferios y otras funciones lateralizadas

Con todas las salvedades que ya hemos expresado sobre la localización de funciones en diferentes lugares del encéfalo, a título meramente informativo distribuiremos entre los dos hemisferios funciones que de forma general están asentadas en cada uno de ellos. Al nacer, como hemos dicho, los dos hemisferios son iguales. En la infancia se desarrolla un sistema complejo para trabajar en sincronía, pero rápidamente se desarrolla el hemisferio dominante para cada una de las tareas y la igualdad desaparece. Pero esta desigualdad no se expresa de la misma forma en cada individuo.

El lenguaje, nuestro lenguaje, que es una de las funciones cerebrales que nos hace humanos, está lateralizado, en él se evidencia asimetría funcional. Ya vimos en el estudio del comportamiento del lenguaje que tras la transitoria inactivación del hemisferio cerebral izquierdo con la inyección de un barbitúrico en la arteria carótida (Test de Wada), se perdía momentáneamente la capacidad de hablar. A pesar de la plasticidad y capacidad cerebral para recolocar funciones que se pierden en la infancia por ablación y/o daños importantes, se ha comprobado que niños a los que se les ha extirpado un hemisferio tienen un curioso comportamiento frente al lenguaje. Al conservar solo el hemisferio derecho muestran trastornos del lenguaje, comprenden la mayoría de las frases de una conversación, pero tienen dificultades en la interpretación de construcciones más complejas (por ejemplo, oraciones pasivas). Si conservan solo el hemisferio izquierdo no tienen dificultades ni siquiera con oraciones complejas. Diferente comportamiento se detecta en momentos previos y posteriores a la infancia. Si se produce una extirpación del hemisferio izquierdo en un adulto, supone pérdida permanente del lenguaje, mientras que si se extirpa en un lactante, este aprende a hablar con fluidez (Kandel *et al.*, 2001). La capacidad adaptativa del niño, con su encéfalo "moldeable", permite que en edades tempranas puedan aprender varios idiomas perfectamente, mientras que los adultos arrastran acentos y errores gramaticales para toda la vida. También es conocido el caso de los niños de padres sordos, a los que se les supone privados de estímulos lingüísticos, pues pueden recuperar el habla si se exponen al lenguaje antes de la pubertad. Cuando se les somete al proceso de aprendizaje después de esta edad, tienen enormes dificultades.

Es universal la aceptación de que el lenguaje demuestra la asimetría funcional del encéfalo, pero debe quedar claro que el lenguaje es una capacidad evolutiva que aparece varios meses después del nacimiento sustentada en otra capacidad preexistente. La asimetría del encéfalo, por tanto, se manifiesta con el lenguaje.

Funciones localizadas en el hemisferio derecho

Está consensuado que principalmente el hemisferio derecho procesa las imágenes, los símbolos, los colores, la música, el ritmo, la capacidad espacial. Desde el punto de vista del comportamiento se establece que el hemisferio derecho no tiene miedo, no juzga; pero sí siente (*Dislexia y dificultades de aprendizaje*, 1994). Se considera que este hemisferio hace procesamientos globales, holísticos (trata los conceptos desde todos los puntos de vista posibles). En los procesos comunicativos reacciona frente a los estímulos no verbales, como pueden ser el tono de voz, los ruidos, las formas complejas y los diseños. Ejerce una percepción visioespacial y una síntesis de la información. Está en él asentado el razonamiento matemático

(Artigas-Pallarés, 2002). Los niños, que son más intuitivos que reflexivos, para resolver problemas usan el hemisferio derecho.

Lesiones en la parte anterior del hemisferio derecho repercuten en una entonación inadecuada, mientras que la lesión en la parte posterior del mismo hemisferio genera dificultades de interpretación del tono emocional del habla de otras personas. También el hemisferio derecho desempeña un papel en la pragmática del lenguaje. Los lesionados en el hemisferio derecho no comprenden bromas, no saben utilizar un lenguaje adecuado al medio social en que se desenvuelven. Esto genera rechazo social por su comportamiento extraño.

Funciones localizadas en el hemisferio izquierdo

El hemisferio izquierdo es analítico, lógico, ejerce funciones de orientación en el espacio y en el tiempo, habla, tiene miedo y juzga lo que ocurre (*Dislexia y dificultades de aprendizaje*, 1994). El hemisferio izquierdo es dominante para funciones lingüísticas en casi todos los diestros y en buena parte de los zurdos, desarrolla un procesamiento secuencial, interviene en las observaciones y los análisis de detalles. Está localizado en él el procesamiento y producción del lenguaje, la lectura, las relaciones entre sonidos y símbolos, la secuenciación de movimientos (Artigas-Pallarés, 2002). El estilo cognitivo del hemisferio izquierdo es típico de adultos.

Los hemisferios y la dislexia

Como la distribución estadística de la lateralidad motora tiene el comportamiento que hemos descrito anteriormente, procede considerar que la asimetría funcional de los hemisferios tiene que relacionarse necesariamente con la dislexia. Orton, en 1937, fue el primero que sugirió que la lateralidad o la dominancia manual mixta estaban asociadas de alguna manera con los problemas de tipo disléxico. Suponía que la lateralidad mixta se relacionaba con una "dominancia" no claramente delimitada de las funciones cerebrales (Thompson, 1992). Orton en sus investigaciones observó que en los disléxicos se manifestaba una lateralización defectuosa del lenguaje, sus pacientes eran en muchos casos de dominancia cruzada (ojo, mano, pie), también había numerosos ambidiestros. Orton plantea que si no existe una adecuada lateralización, se proyectan dos imágenes sobre las dos cortezas y la no **escotomización** (término que hace alusión a la ocultación inconsciente) de una de ellas origina dificultad en la lectura (Tomatis, 1979). En otros textos se indica que la falta de dominancia unilateral pone al sistema nervioso central en estado de confusión, lo que genera que ambos hemisferios trabajen doblemente y ello puede desencadenar dislexia (*Dislexia y dificultades de aprendizaje*, 1994). Hay consenso en que cuantas más pruebas se hagan para valorar la lateralidad de los individuos, aumenta el número de los mal lateralizados. Sabemos que las referencias espaciales son esenciales para la lectura y para la escritura; un diestro usa su mano derecha como referente, un mal lateralizado no lo puede hacer con determinación y tiene dudas que pueden desembocar en una incorrecta lectura (Fernández *et al.*, 1989).

Ya quedó claro en los primeros capítulos que las lesiones en el hemisferio izquierdo afectan al área del lenguaje, repetimos una vez más, la lectura es una modalidad de lenguaje. Por su parte, las lesiones del hemisferio derecho generan trastornos visioespaciales. Ambas situaciones nos permiten suponer que los niños con lateralidad mal definida suelen presentar dificultades en el lenguaje o en la orientación. Esta indefinición desemboca en una predisposición negativa en el campo pedagógico (Fernández *et al.*, 1989), que concuerda con la evidencia de que los disléxicos pueden ser diestros en unas pruebas y zurdos en otras, siendo esta situación prueba de la indefinición referida.

Wilsher, en 1981, indica que la razón por la que los disléxicos tienen dificultades con las "tareas del hemisferio izquierdo" (nombrar, codificar y de secuenciación) no reside en que estén anormalmente localizadas, sino en que están normalmente localizadas, pero son disfuncionales, coincidente con lo ya expuesto. Esto no quiere decir que el hemisferio izquierdo sea totalmente disfuncional, dado que esto incluiría dificultades en el habla y en las demás formas del lenguaje (Thompson, 1992).

Incorporamos seguidamente ocho citas referentes a estudios que indican la indefinición o confusión hemisférica ante manifestaciones propias de los disléxicos:

1.- La explicación justificativa a la escritura en espejo, a la confusión de "b" con "d", así como a la anormal presencia de zurdos entre los disléxicos se puede encontrar en un inadecuado desarrollo de los hemisferios (Kandel *et al.*, 2001).

2.- Se ha comprobado que los disléxicos suelen tener mejor oído izquierdo, en contra de la generalidad de individuos, lo que implica desventaja en el control audioverbal. El disléxico parece daltónico a los colores sónicos (diversas modalidades de cada sonido). En cuanto a la localización espacial del sonido, los disléxicos son muy torpes y muestran alto grado de incertidumbre (Tomatis, 1979).

3.- Thompson (1992) nos reproduce las sugerencias de Newton, que, en 1974, supone que la lateralidad cruzada da lugar a dificultades para crear o comprender series, barridos visuales y seguir la direccionalidad, elementos básicos para una buena lectura.

4.- Ya citamos en capítulos previos que el neurólogo de la Universidad de Harvard, Norman Geschwind, junto a sus colaboradores hicieron importantes aportaciones a la dislexia, comparando ambos hemisferios descubrieron cierta relación entre el trastorno y la simetría del "Planum Temporale" (región hemisférica posterior a la corteza auditiva), donde debería haber asimetría. En estudios generales, la mayoría de los individuos, el 65 %, muestran asimetría, mientras que en el 24 % aparece, anómalamente, simetría entre ambos hemisferios (Gayán, 2001).

5.- Galaburda y Kemper comprobaron que había simetría en el "Planum Temporale" del cerebro de un disléxico que murió accidentalmente a los 20 años (Gayán, 2001).

6.- En sintonía con el caso expuesto anteriormente, mediante análisis por neuroimagen, en otro texto (*Dislexia y dificultades de aprendizaje*, 1994) se indica que Geschwind y Galaburda demostraron ausencia de asimetría del "Planum Temporale" en disléxicos.

7.- En niños chinos, tras realizar el análisis VBM (*voxel-based morphometry*), el volumen de la sustancia gris en el giro medio frontal del lado izquierdo fue significativamente más pequeño en lectores disléxicos que en los individuos normales (Siok *et al.*, 2004).

8.- Se han efectuado mediciones de secciones histológicas que incluyen el área visual primaria (AB 17) en autopsias de sujetos disléxicos y normoléxicos, comprobándose que en estos últimos las neuronas son más grandes en el hemisferio izquierdo. Además, los cerebros de los disléxicos no tenían la asimetría propia de los normoléxicos (Jenner, Rosen y Galaburda 1999).

Como curiosidad, y por su condicionante ambiental en el origen de la mala lateralización, citamos a Tomatis (1979), quien propone que la dislexia aparece durante la escolarización por incompatibilidad del niño con el medio social. Su huida ante la estructura social implica disolución de la lateralidad que en ese momento estaba consolidándose.

Signos de la dislexia relacionados con la dominancia hemisférica
Cuando en el capítulo 3 citábamos la amplia lista de signos que suelen manifestar los disléxicos, algunos de ellos, según lo expuesto en este ca-

pítulo, están relacionados con la dominancia inespecífica hemisférica. Los recordamos ahora:

1.- La inversión de algunas letras.

2.- La escritura esporádica en espejo.

3.- La frecuente mala orientación espacial.

4.- El reconocimiento pobre o incompleto de su esquema corporal.

5.- La falta de definición adecuada de la dominancia ocular, motora y auditiva es elemento clave en la definición de un disléxico.

Citábamos también predisposiciones favorables en los disléxicos, comentando que podrían desarrollar mejor otras actividades asentadas en el hemisferio derecho. Recordamos que decíamos que algunos autores insisten en considerar que el disléxico es un ser inteligente que se tiene que desenvolver en un mundo que para él está mal integrado (Tomatis, 1979). Suelen los disléxicos mostrar actitudes positivas en trabajos de diseño, en interpretación de signos y la expresión esquematizada les resulta fácil (Corlu *et al.*, 2007).

Sexo y dislexia

Una breve referencia entre el lenguaje y el sexo aparece en el capítulo 1. Comentamos el dimorfismo sexual en nuestra especie, que aparte de diferencias anatómicas conlleva una sutil diferencia en el comportamiento comunicativo. Sabemos que es más temprano el dominio del lenguaje en las niñas, y que, además, suelen manifestar mejor fluidez verbal y más riqueza en el vocabulario. Todos los autores reconocen una precocidad genética a nivel de desarrollo del lenguaje a favor de las niñas.

Dado que la dislexia es una manifestación de una modalidad del lenguaje, también en los primeros estudios sobre este trastorno se comprobó un hecho incuestionable: la dislexia tiene mayor penetrancia en varones que en mujeres. Hinshelwood constató esta evidencia hace más de 100 años. Está perfectamente contrastado clínicamente que la dislexia afecta en mayor medida a los varones que a las mujeres y son muchas las referencias bibliográficas que recogen esta situación (Rondal y Seron, 1991; Camino, 2005; Duffy y Geschwind, 1988). En estas se hacen indicaciones sobre los porcentajes que delimitan la penetrancia de la dislexia según el sexo, así se ha manejado la cifra del 13,7 % de los chicos que la padecen, frente al 8,3 % de las chicas, y en la cuantificación global de los disléxicos se estima que un 66 % de ellos son varones (Thompson, 1992). En otros trastornos del lenguaje, como puede ser la tartamudez, la proporción entre chicos y chicas llega a ser 4/1 (Suárez *et al.*, 2006).

De forma previa a las consideraciones anatómicas y funcionales que veremos más abajo, inicialmente se explicó esta penetrancia diferente según el sexo por la connotación hogareña de la lectura, más propia, según criterio de los autores, del sexo femenino; mientras que los niños focalizan sus preocupaciones en el mundo que les rodea, no encontrando la misma satisfacción en los libros (Thompson, 1992).

Desarrollando un apartado sobre dislexia y seriación comentamos en el capítulo 3 la propuesta de Bakker. Este autor atribuye a los disléxicos una mala percepción del orden temporal, que llama POT. Sus primeros resultados indicaron que existían moderadas correlaciones entre el POT y la lectura, posteriormente se comprobó la presencia de un efecto evolutivo y que las niñas desarrollaban antes este tipo de habilidades (Thompson, 1992).

Ahora que discutimos la diferencia sexual y la dislexia, conviene explicar ciertos aspectos ontogenéticos que creemos interesantes. En el hombre, como en muchos mamíferos, el encéfalo es femenino o quizás neutro "por defecto" (Kandel *et al.*, 2001). Las características masculinas del encéfalo se deben al desarrollo influenciado por las hormonas testiculares en un momento dado del periodo de gestación. Está comprobado que los encéfalos son sexualmente diferentes y esta discrepancia depende fundamentalmente de las hormonas actuantes. Nos parece lógica la diferencia encefálica en el control de las **gónadas** y en el comportamiento sexual, pero también se observan otras diferencias en funciones cognitivas. Estas últimas diferencias son más difíciles de explicar, pero con toda seguridad existen (Kandel *et al.*, 2001). En un momento precoz del desarrollo embrionario, varones y mujeres son idénticos, las gónadas están indiferenciadas. Está localizado, en el brazo corto del **cromosoma** Y, uno o varios genes conocidos como Factor Determinante del Testículo (FDT), que hará que esta gónada primigenia indiferenciada se transforme en testículo. Antes de que este factor inicie su acción programada, en el embrión coexisten el **conducto de Wolf**, que si se desarrolla dará origen a las estructuras sexuales masculinas, y el **conducto de Müller,** que en caso de desarrollarse dará lugar a las estructuras sexuales femeninas. Ante la actuación del FDT, se empiezan a diferenciar los testículos que producen la hormona de inhibición del conducto de Müller (HIM), impidiendo el desarrollo de los órganos femeninos. Por otra parte, la producción inicial de

testosterona colabora en el desarrollo completo del conducto de Wolf. En línea con la situación inicial de estructuras indiferenciadas, los mismos tejidos embrionarios pueden formar genitales externos femeninos o masculinos. Serán finalmente masculinos si interviene la dihidrotestosterona (DHT). Se ha comprobado que en el encéfalo la circulación hormonal también genera ligeras diferencias sexuales. Esta diferenciación sexual del encéfalo dependiente de las hormonas va a provocar comportamientos masculinos o femeninos. Las diferenciaciones de comportamiento masculino conllevan actitudes paternas, de territorialidad, de agresividad y adquisición de mayor peso corporal; en definitiva, de significativo componente reproductivo. La diferente constitución del encéfalo es perceptible en análisis histológicos; por ejemplo, el núcleo sexualmente dimórfico del área preóptica tiene un volumen cinco veces mayor en varones que en mujeres. También, el número de neuronas del esplenio del cuerpo calloso es mayor en ratas hembras y están testadas diferencias sexuales en neuropéptidos y neuromoduladores en varias regiones encefálicas (Kandel *et al.*, 2001).

Está demostrado que hay diferencias sexuales en las funciones cognitivas: los hombres realizan mejor tareas visioespaciales y las mujeres, como hemos anticipado, las tareas verbales. No podemos olvidar que estamos hablando de características generales que estudiadas estadísticamente aportan numerosas excepciones a esta regla. Una de las diferencias sexuales cognitivas más aplastante es el razonamiento matemático avanzado, donde los niños superan a las niñas en una proporción 13/1. Además, en el hombre la función cerebral parece estar más lateralizada. Las mujeres tienen más probabilidades de recuperar el habla tras un ictus que haya afectado a áreas corticales del lenguaje (Kandel *et al.*, 2001).

Es una cuestión fundamental en neurociencias explicar la diferente penetrancia de la dislexia según el sexo de los individuos. Considerando que existe una disfunción, una anomalía histológica, un daño… que genera dislexia, la ciencia debe encontrar la razón por la que varones y mujeres tienen diferente grado de afección. Seguidamente citamos cuatro referencias que nos aclaran este punto:

1.- En un estudio con gemelos, donde los varones tenían problemas específicos del lenguaje, se postula que los efectos en el útero de las hormonas gonadales podrían ser los responsables de la simetría anormal que se observa en la región perisilviana (Plante, Swisher y Vance, 1989). A esta altura del texto ya sabemos que la región perisilviana es fundamental para la manifestación de la dislexia, y que su anormal simetría bilateral es también elemento clave en ese trastorno.

2.- Nos dicen Herman, Galaburda, Fitch, Carter y Rosen (1997) que la inducción de microgiros (disminución de tamaño de los giros cerebrales) mediante daños por congelación en la corteza de ratas neonatales provoca un efecto diferente en el procesamiento auditivo de machos y hembras. En los primeros se detecta un incorrecto funcionamiento, mientras que las hembras están libres de esta deficiencia de procesamiento. Prueba esto que un mismo daño encefálico específico tiene diferente respuesta dependiendo de si el individuo dañado es un macho o una hembra.

3.- Según Galaburda y Cestnick (2003) los **estrógenos**, hormonas femeninas, protegen frente a la **plasticidad patológica**; por ello, los varones están menos protegidos frente a la plasticidad patológica y manifiestan mayores estragos neuropsicológicos. Este mecanismo, cuando es eficiente, permite la correcta reorganización del tejido nervioso ligeramente lesionado. Las mujeres resisten mejor que los varones los daños en la corteza, posiblemente, además, por efectos directos o indirectos de la testosterona en los varones. Ya citamos este artículo previamente, para explicar que existen diferencias sexuales en el tipo de plasticidad talámica que se desarrolla en respuesta al daño cortical, concluyendo que las mujeres resisten mejor los daños de la corteza.

4.- En otros textos (*Dislexia y dificultades de aprendizaje*, 1994) se propone, en sintonía con otras aportaciones mencionadas en este libro, que la dislexia es fruto de un fracaso en la última migración neuronal, ligada con la pérdida de la asimetría fisiológica del "Planum temporale". El defectuoso funcionamiento de la **apoptosis** (muerte celular programada) motivado por la acción de la testosterona desemboca en una anatomía simétrica del "Planum temporale" en ambos hemisferios, fenómeno, obviamente, más frecuente en varones.

Conceptos básicos del capítulo 6

Título: Asimetría hemisférica, sexo y dislexia

DOMINANCIA O LATERALIDAD

MOTORA

Mayor y mejor capacidad de manejo de las extremidades de un lado

En torno al 70% de la población es diestra con la mano

Las órdenes a las extremidades derechas surgen de la corteza cerebral izquierda

Existen individuos ambidiestros, manejan con igual destreza ambas manos

SENSORIAL

Tenemos predisposición a usar uno de los ojos y uno de los oídos

LATERALIDAD CRUZADA

Se da ante: Cualquier combinación de ojo, oído, mano y pie dominante, siempre que se distribuyan entre ambos lados

DOMINANCIA ENCEFÁLICA

No empieza a definirse hasta los 8 meses

A los 6 años ya está total y definitivamente establecida

La falta de dominancia, y la dominancia cruzada están asociadas a la dislexia

El lenguaje evidencia la asimetría funcional del encéfalo

El lenguaje se asienta en la mayoría de los individuos en el lado izquierdo.

ASENTAMIENTO DE FUNCIONES

Hemisferio derecho	Hemisferio izquierdo
Procesa imágenes y colores	Es analítico y lógico
Interpreta la música	Orienta en espacio y tiempo
Aprecia el ritmo	¡Tiene miedo!
Sustenta la capacidad espacial	Establece juicios
¡Siente!	Sustenta el lenguaje y la lectura
Creación de diseños	Analiza los detalles
Razonamiento matemático	Secuenciación de movimientos

SEXO Y DISLEXIA

Las chichas son más precoces con la lengua

Las hormonas guían la diferenciación sexual del encéfalo y además:

Los estrógenos protegen del daño

La testosterona "facilita" daños en el encéfalo

190

Capítulo 7. Genética y dislexia

El premio Nobel de química de 1980, Paul Berg, compartido con otros investigadores, expresó en un simposio sobre el cáncer que "toda enfermedad humana es de origen genético". Berg exageró, pero es cada vez más evidente que, directa o indirectamente, todas las enfermedades y trastornos humanos (cáncer, disfunciones psiquiátricas, susceptibilidad a las infecciones…) están arraigadas y/o condicionadas por los genes; queda por determinar cuáles son esos genes y cómo actúan (Merz, n.d.). Hoy se conocen cientos de dolencias que tienen base genética directa. Se han clonado los genes de la anemia falciforme, de la fibrosis quística, de la hemofilia, de la distrofia muscular, de la fenilcetonuria y de otros trastornos. Se pueden identificar sin dificultad a los padres portadores de los genes responsables de estas enfermedades y trastornos. Se dispone de pruebas genéticas para cientos de enfermedades hereditarias, número que va creciendo día a día (Klug, Cummings y Spencer, 2006).

Definida la dislexia como un trastorno, recordando la relación que esta tiene con el desarrollo del sistema nervioso y comprobando la presencia y transmisión entre familiares, es evidente que hay una base genética que subyace en la dislexia. Por tanto, estimamos necesario introducir un capítulo que aborde la dislexia desde la óptica de los estudios genéticos.

Genética

La genética (término relacionado etimológicamente con "descendencia") es el campo de la biología que trata de comprender cómo la herencia biológica se transmite de una generación a la siguiente y cuáles son los mecanismos por los que estos procesos diseñan las particulares características de cada individuo. Podemos afirmar que vivimos en la era de la genética, constituye el corazón de la biología y es actualmente la disciplina elegida para conocer las funciones y disfunciones de los sistemas biológicos. Todo empezó cuando el agustino Gregor Mendel, en el siglo XIX, estableció, en sus estudios con el cultivo de guisantes, los principios fundamentales de la genética, principios que regulan la transmisión de determinados caracteres de generación en generación. En los primeros años del siglo XX, otros autores determinaron que la herencia depende de la información almacenada en unos factores discretos que llamamos genes. Los genes se transmiten de padres a hijos en vehículos, los cromosomas, constituidos fundamentalmente por una larga cadena de ADN. El ADN forma largas moléculas, configurando algo que recuerda a una escalera. Esta particular escalera estructuralmente presenta unos precisos giros configurando finalmente una doble hélice. Cada cadena de la hélice es una molécula lineal, las unidades básicas de esta molécula se llaman **nucleótidos**. El ADN utiliza 4 nucleótidos diferentes, según estén formados por las bases nitrogenadas **adenina**, **guanina**, **timina** y **citosina** (en la nomenclatura genética se identifican respectivamente con las letras A, G, T y C). Estas 4 bases nitrogenadas son el alfabeto genético o el **código genético** que en distintas combinaciones finalmente secuencian los aminoácidos de una proteína. Uno de los grandes descubrimientos biológicos fue la comprensión de que los peldaños de esa "escalera" están constituidos por las uniones de las bases A y T, o bien G y C. Esta relación complementaria A/T y G/C es esencial para la función genética. Es la base para la replicación del ADN, como también lo es para la expresión génica (Klug *et al.*, 2006). El ARN (ácido ribonucleico) es otro ácido nucleico, químicamente similar al ADN, con la salvedad de que la base **uracilo** (identificada con la letra U) reemplaza a la timina (T). El ARN en general es de cadena sencilla y forma estructuras complementarias con el ADN.

Dogma central de la genética

Conocemos como transcripción el paso de información del ADN al **ARNm**. El ARNm se une a un ribosoma y tras ser leído por este se sintetiza una proteína (largas cadenas de aminoácidos) en el proceso que denominamos traducción. Estos procesos, junto con la duplicación del ADN, constituyen el "dogma central de la genética". Con un alfabeto de solo cuatro letras, los genes dirigen la síntesis de proteínas específicas que son la base de todas las funciones biológicas y también de la morfología de los seres vivos.

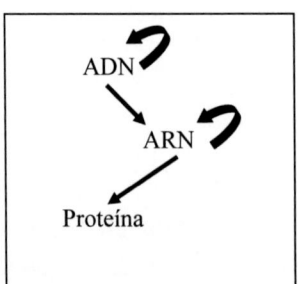

Figura 25. Dogma central de la genética. El dogma central de la genética queda definido por la capacidad autorreplicante del ADN y del ARN (este en determinadas condiciones), y el flujo de información genética desde el ADN a la proteína, pasando por el ARN.

El gen

Un gen es considerado como la unidad de almacenamiento de información genética (unidad básica de la herencia). Habitualmente está constituido por miles de pares de bases que por diferentes procesos de transcripción, corte y empalme, y posterior traducción ordenan la síntesis de una proteína. En ese proceso, determinados tramos de ADN parecen no tener una función concreta, ya que son cortados y eliminados (los **intrones**), mientras que otros tramos (los **exones**) son los que verdaderamente portan la información para la final traducción a proteínas. Los genes se disponen en los cromosomas ocupando una posición determinada, llamada *locus*, en plural *loci*. En humanos y en los seres más evolucionados, los cromosomas forman parejas y proporcionan la base de la herencia biparental. Al formarse los gametos (unión de una célula reproductora masculina con una célula reproductora femenina), los genes se distribuyen según los postulados de Mendel. El éxito del estudio de Mendel se debió a la elección de caracteres que dependían de un solo gen, lo que facilitó su trabajo deductivo. No obstante, la inmensa mayoría de los caracteres humanos son **multigénicos**. Para entender mejor el comportamiento de un carácter multigénico hacemos un pequeño paréntesis refiriéndonos a uno de ellos, uno de los más estudiados en humanos, pero no por ello totalmente comprendido, el color de la piel. Su **fenotipo** (apariencia observable de un determinado carácter), es decir, la tonalidad de la piel en cada individuo depende de la intervención de varios genes y según la aportación de cada uno resultan las numerosas graduaciones del color en la piel humana. A este fenómeno hereditario se le conoce con el nombre de "herencia multigénica" o "herencia cuantitativa". Su estudio, comprensión y predicción conlleva complejidad en el diseño e interpretación de las investigaciones precisas. La genética debe hacer un esfuerzo aún mayor cuando el "entorno" o "**ambiente**" influye en el grado de expresividad de este tipo de caracteres. Para consuelo de los investigadores se ha probado que la distribución de caracteres, tanto mendelianos, como multigénicos, sigue unas reglas que logran explicarse con métodos estadísticos, por lo que un buen diseño y un número suficiente de sujetos investigados acaban aportando datos significativos y aprovechables en los trabajos científicos (Klug *et al.*, 2006). En las investigaciones de caracteres multigénicos, no siempre se conoce la secuencia y la localización exacta de todos los genes implicados. Son necesarias numerosas investigaciones para ir delimitando los genes y su localización.

Del genoma al individuo. Conceptos básicos

Cada especie y, más concretamente, cada individuo dentro de cada especie están determinados por su genoma, el cual determina el tamaño, la forma, las propiedades bioquímicas y el comportamiento de las células, que en su totalidad constituyen de forma prácticamente irrepetible cada sujeto (Alberts *et al.*, 2004). Mendel, sin conocimientos moleculares de genética, comprobó como algún carácter (por ejemplo: el color del guisante) se transmitía de forma dominante o recesiva a las siguientes generaciones. Las plantas hijas reciben una doble aportación parental. A las formas diferentes de cada gen se les denomina **alelos** y se transmiten de padres a hijos, pero no siempre manifiestan las relaciones de dominancia/recesividad que observó el agustino. En los guisantes que estudió Mendel, por ejemplo, uno de los alelos porta el carácter "piel rugosa" y otro, el carácter "piel lisa"; la combinación de ellos, junto con la dominancia que corresponda, genera el fenotipo observable. Como hemos apuntado, muchos de los fenotipos son resultado tanto de la expresión genética como del ambiente y son numerosísimas las excepciones a los principios mendelianos, sobre todo en humanos. Estas excepciones de los principios mendelianos se estudian en la llamada "ampliación de la genética mendeliana" (Klug *et al.*, 2006).

En todo el genoma humano se han detectado variaciones en las secuencias de nucleótidos, con una frecuencia aproximada de 1 de cada 200. Estos cambios están localizados en sitios específicos, provocando diferentes efectos genéticos. La información de un gen se concreta en la secuencia de nucleótidos, secuencia que por diversos mecanismos físicos, químicos y/o biológicos puede cambiar por sustituciones, delecciones (pérdida), translocaciones (cambio de lugar), etc. A estos cambios se les denomina **mutaciones**, esenciales en la evolución y en la generación de diversidad entre los individuos. Las mutaciones pueden funcionar de diversas formas, cada cambio puede crear un alelo distinto. Los humanos somos **diploides** (tenemos una doble aportación cromosómica, una de cada parental), solo podemos portar dos alelos para cada gen concreto, pero una población globalmente considerada puede disponer de muchas formas alternativas de ese gen, es decir, muchos alelos, que de forma aleatoria, pero rigurosamente estadística se van combinando de dos en dos en cada individuo. Cuando un gen tiene tres o más alelos, lo denominamos multialélico.

Dada la particular naturaleza de la dislexia, recordamos algunos conceptos necesarios para comprender el desarrollo de los estudios e interpretación de los resultados que explican las bases genéticas de este trastorno. En la dislexia se produce "interacción genética", varios genes influyen sobre una característica concreta; es, por tanto, equivalente al ya introducido carácter multigénico. También puede manifestarse epistasis (del griego *interrupción*) cuando la expresión de un gen o de un par de genes enmascara o modifica la expresión de otro u otros genes. Cuando un gen evita que se exprese otro, se le denomina epistático, por contraposición a los alelos del segundo lugar se les denomina hipostáticos (los enmascarados). Se denomina **polimorfismo** a cada una de las series de nucleótidos distintas en que puede mostrarse un gen. Cuando este interviene directamente en un carácter, cada uno de los polimorfismos lo hace de forma diferente. Finalmente introducimos el concepto **pleiotropía**, situación que se manifiesta cuando la expresión de un solo gen tiene efectos fenotípicos en más de un carácter, según donde se exprese; esto es, puede, por ejemplo, determinar el color de un órgano e influir en el tamaño de otro.

El estudio genérico de los genes. Su localización

Comprendidas las bases moleculares de los resultados mendelianos se desplegó una espectacular búsqueda de los genes. Nuestras células somáticas poseen 23 pares de cromosomas, tenemos un juego de cromosomas heredado de nuestro padre y otro juego heredado de nuestra madre. Cada uno de los genes está localizado, salvo en el caso de los cromosomas sexuales, en cada uno de los cromosomas homólogos. Por tanto, poseemos dos copias de cada gen, los alelos ya citados. En el mejor de los casos para la investigación, su expresividad está condicionada por las situaciones de dominancia, recesividad y codominancia; pero otras veces cada gen es uno más, entre los muchos que conjuntamente definen gradualmente un carácter. En cualquier caso, es objeto de la genética localizar cada uno de estos genes, conocer la secuencia de nucleótidos, comprender los mecanismos de expresión, su regulación, su grado de intervención y, finalmente, comprobar cuáles son los efectos anatómicos y funcionales de cada combinación de ellos.

La ciencia ha hecho un amplio y multidisciplinario esfuerzo para comprender el funcionamiento de los genes, su localización y sus variantes individuales, los alelos. Cada cromosoma dispone de miles de genes que están situados en posiciones fijas a lo largo de su doble cadena. Si no hay entrecruzamiento, los alelos presentes en un cromosoma homólogo (dos cromosomas son homólogos cuando observados durante la mitosis tienen la misma apariencia) se segregan unitariamente en la formación de los gametos. En la meiosis (proceso de división celular que origina células reproductoras) los entrecruzamientos entre homólogos generan gametos recombinantes que incrementan la variación genética. La proximidad de genes en los cromosomas incrementa enormemente su segregación conjunta. Los mapas cromosómicos fijan esquemáticamente la localización relativa de los genes y usan como base las distribuciones estadísticas de los entrecruzamientos entre homólogos. Un mapa cromosómico sirve para caracterizar ordenadamente los genes de un organismo.

En el estudio multidisciplinario del genoma humano ha habido, como hemos reseñado, una importante gesta, que ha permitido en 2003 la secuenciación completa del mismo. Ahora queda por determinar con exactitud la localización de los casi 30.000 genes que, se supone, componen nuestro genoma, sus interacciones y los alelos que para muchos genes existen. En el caso de los humanos, denominamos mapeo genético a la localización lo más exacta posible de los genes entre los 46 cromosomas que componen nuestro **cariotipo** (microfotografía o representación gráfica que expone de forma ordenada todos los cromosomas de una célula).

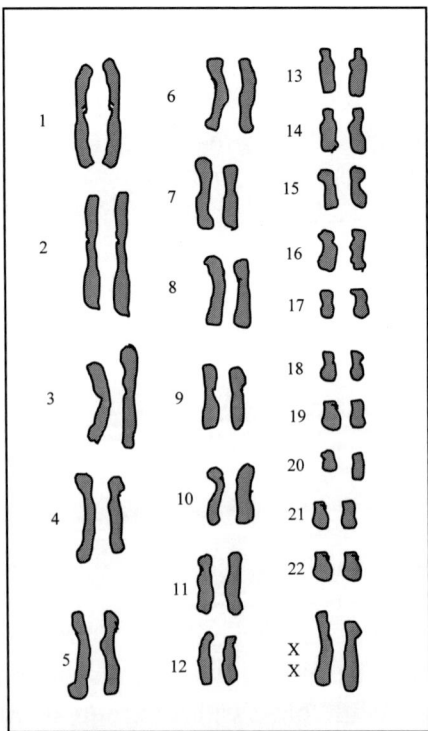

Figura 26. Cariotipo humano. Representación ordenada de todos los cromosomas de una célula somática humana (en este caso de una mujer). Los cromosomas están numerados y emparejados con su correspondiente homólogo.

El mapeo del genoma humano comenzó realmente en 1911, cuando el gen responsable de la ceguera para los colores rojo y verde (el daltonismo) fue asignado al cromosoma X, **cromosoma sexual** que determina con su doble presencia el sexo femenino. Esta asignación se efectuó al observar cómo la "ceguera" era transmitida a los hijos por madres que veían los colores normalmente. Las mujeres, que tienen dos cromosomas X, están protegidas de este trastorno porque tienen una copia normal del gen en su segundo cromosoma X; a diferencia de los hombres, que solo tienen un cromosoma X, emparejado al cromosoma Y. Lógicamente la asignación de genes en los cromosomas sexuales X e Y ofrece cierta facilidad frente a los localizados en los restantes cromosomas, a los que por contraposición a los sexuales se les denomina **somáticos**.

Con similares criterios de observación, algunos otros trastornos que afectan solamente a los varones fueron ubicados también en el cromosoma X, pero los otros 22 pares de cromosomas permanecieron virtualmente inexplorados hasta finales de los años 60. En aquella época, los biólogos fusionaron células humanas y de ratón para crear "células híbridas" y encontraron que estas células mostraban cierta "inquietud" expulsando a determinados cromosomas humanos hasta que solamente uno o unos pocos cromosomas humanos perduraron. La localización de cualquier proteína humana reconocible e identificada en tales células necesariamente debería haber sido producida por los genes situados en los cromosomas humanos persistentes. La repetición de hibridaciones y el reducido número de cromosomas humanos que permanecían en las células híbridas permitió a los científicos asignar cerca de 100 genes a cromosomas específicos (Merz, 2008).

Un importante avance en la localización de genes fueron los "bandeos cromosómicos", técnicas desarrolladas en los años 70. La más útil de ellas produce un patrón diferencial y repetitivo en cada uno de los cromosomas. Este método genera bandas denominadas "G", visibles al microscopio, que permiten observar cualquier anormalidad cromosómica que a ese nivel puede ser detectada, como son las "grandes" translocaciones. Estas bandas surgen de la digestión de cromosomas mitóticos con la enzima proteolítica tripsina seguida de una tinción con giemsa (por ello el nombre de bandas "G"). La reacción refleja la heterogeneidad y complejidad de los cromosomas. Los cromosomas se identifican con su número (del 1 al 22 y las letras X e Y para los sexuales). Cada cromosoma tiene dos brazos, porciones separadas por el **centrómero,** punto en el que se constriñen en su estado mitótico.

Al brazo pequeño se le denomina con la letra "p" y al brazo largo con la letra "q". Dentro de cada brazo se detectan diversos niveles de organización diferenciados por la tinción específica de cada cromosoma (que podemos llamar tramos, regiones o, más comúnmente, *loci*) según la disposición de las bandas "G". Estos niveles se identifican numéricamente, tal como puede verse en la figura que representa al cromosoma X. El cromosoma X tiene 8 y 11 regiones en su brazo corto y largo, respectivamente. Si se nos identifica el *locus* Xq28, sabemos que se trata de una región del cromosoma X, que está en su brazo largo en el nivel 2 y en el subnivel 8 (Klug *et al.*, 2006).

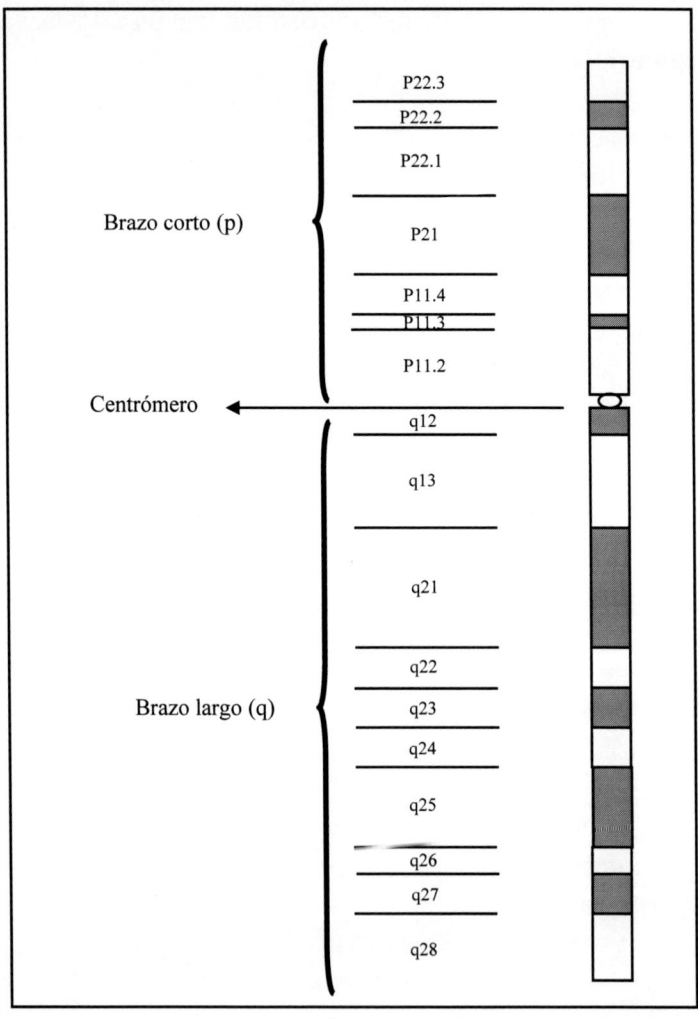

Figura 27. Representación del cromosoma X. Se muestra el patrón de bandas G del cromosoma X y la denominación de cada una de las regiones que se observan.

La identificación de un *locus* con esta estrategia fue un enorme avance en la investigación, pero aún es bastante imprecisa, pues estos *locus* tienen millones de bases y puede que decenas de genes. Es preciso afinar más en la determinación de la localización de los genes, cuestión que poco a poco se va resolviendo (Klug *et al.*, 2006).

En el Proyecto Genoma Humano, del que ya hemos hablado, se han identificado 3.200 millones de pares de bases, pero, de ellas, solo el 5 % de las secuencias generan proteínas. A fecha de 2006, el 40 % de los genes localizados no tenía función conocida. Una característica importante de nuestro genoma es la presencia de muchísimos intrones. No obstante, cada gen tiene sus peculiaridades, los genes que codifican las histonas, proteínas que ayudan al empaquetamiento del ADN, no tienen intrones, mientras que el gen de la "titina", una proteína muscular, dispone de 234 intrones. También por efectos de diferentes procesos de expresión génica, entre el 40 y el 60 % de los genes pueden producir más de una proteína.

La dislexia tiene un trasfondo multigénico y un carácter cuantitativo (está condicionada por varios genes responsables cada uno de diversos grados del trastorno). Para investigar cada uno de ellos se usan los QTL (del inglés **Quantitative trait locus**), que son lugares de cromosomas en donde se encuentran cada uno de los genes que de forma cuantitativa contribuyen a la dislexia. No debemos olvidar que el trastorno, a su vez, está condicionado por factores ambientales, por ello es difícil cuantificar el efecto individual de cada uno de los genes implicados. La identificación de los *loci* (QTL) nos da información de cuántos genes están implicados en ese carácter y el grado de participación.

En la localización de los QTL se buscan relaciones estadísticas entre secuencias de ADN concretas e individuos que tienen cierto tipo y/o grado de dislexia. Se mide el grado de dislexia en cada individuo de la población investigada e identifican los genotipos distintos utilizando marcadores de ADN, como pueden ser los **PLFR (polimorfismos de longitud de fragmentos de restricción),** que más abajo se explican. Posteriormente se usan análisis estadísticos (con ayuda de ordenador en las muestras numerosas), para examinar las correlaciones entre los marcadores y el grado de dislexia. Cuando un marcador de ADN está ligado a un QTL entonces los genotipos que difieren en dicho *locus* marcador también diferirán en el grado del trastorno. En este caso el *locus* marcador y el QTL cosegregan, van siempre de la mano, decimos que están ligados. Una vez se localizan numerosos QTL para la dislexia, podemos construir el mapa genético, inicial y revisable, con la posición de los genes implicados, aun estando en cromosomas diferentes.

La referida variación en la composición de nucleótidos en cada gen, que en definitiva va a ser el soporte de la diferencia individual, permite a los laboratorios crear diferentes fragmentos de ADN, que al ser cortados por enzimas de restricción, forman los ya citados polimorfismos de longitud de fragmentos de restricción (PLFR). Estos fragmentos se pueden usar para cartografiar el *locus* cromosómico de una enfermedad genética, que mediante pruebas de ensayo y error permiten dilucidar qué fragmento está implicado con la enfermedad investigada. En investigación sobre humanos, es preciso contar con una familia cuyos miembros afectados se distribuyan al menos en tres generaciones para mejor seguimiento del carácter hereditario.

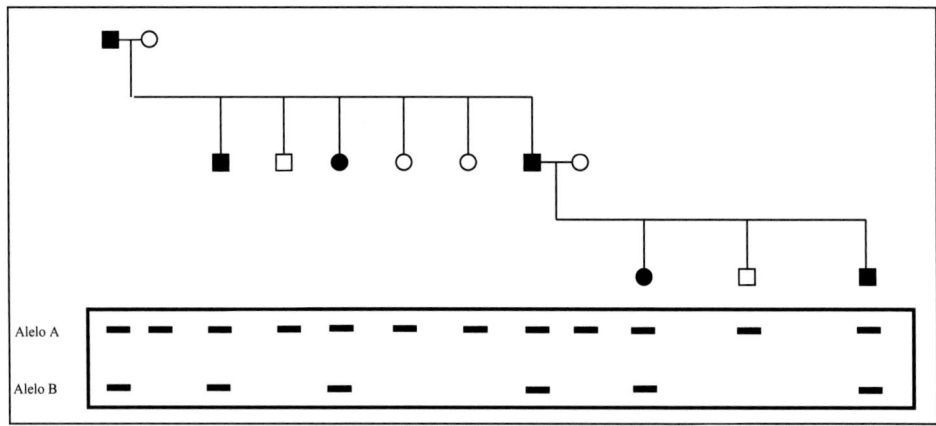

Figura 28. PLFR y el análisis de ligamento. Tras el corte del ADN con enzimas de restricción se generan diferentes fragmentos dependientes de los lugares en donde se produce la rotura (condicionada por el orden de los nucleótidos). Estos fragmentos se pueden separar por diversos métodos y evidenciar en cada sujeto diferente patrón de fragmentos formados. Se representa una parte de un árbol genealógico que muestra (figuras oscuras) los sujetos que padecen una determinada enfermedad genética que se expresa (de forma dominante) en las tres generaciones. El esquema, por simplicidad, solo recoge la separación de dos fragmentos de ADN (alelos A y B). Los sujetos afectados reciben el alelo A y el alelo B, mientras que los sanos reciben los dos alelos A. Por el análisis de la transmisión del alelo B queda demostrado que el alelo B y el alelo mutante que genera la enfermedad están ligados en el mismo cromosoma. Esta localización de un alelo mutante en un cromosoma, por análisis de RPLF, es el inicio del cartografiado de un gen.

Posibilidades de la genética

Descubierto el dogma fundamental de la genética, conocido el código genético, comprendidos varios de los mecanismos de expresión genética... parecían intuirse numerosas soluciones a cientos de enfermedades humanas.

Es fundamental desarrollar pruebas y tratamientos para las enfermedades genéticas, pero el uso de análisis y terapias génicas plantea problemas éticos difíciles de resolver. Las tecnologías actuales permiten hacer un análisis amplísimo con clips de ADN donde se analizan miles de genes distintos de forma simultánea, esto permitió localizar y comprender la influencia de determinados genes ante algunas patologías. La terapia génica tuvo inicialmente grandes fallos e incluso provocó alguna muerte (Klug *et al.*, 2006), por ello ahora está en letargo, pero cuando se solventen los problemas y se concrete la tecnología para aplicar veremos seguramente un resurgir de la terapia génica, sobre todo para aquellas enfermedades graves o incluso letales en el periodo fetal.

Genética, ambiente y dislexia

Atribuir a la dislexia un origen genético complementa las teorías neuro-biológicas y cognitivas que en este libro se recogen. Se ha supuesto que los caracteres complejos y aquellos que se expresan en diferentes grados proce-den de la interacción de factores ambientales y genéticos, como se supone que ocurre con la dislexia.

Cualquier desarrollo del encéfalo anormal, bien por problemas estructura-les o de desequilibrio químico, puede estar causado de una forma u otra por un desajuste genético. La influencia genética del trastorno no determina ab-solutamente su padecimiento, es precisa la interacción de factores genéticos y ambientales para explicar y comprender los caracteres humanos complejos, como ocurre con la dislexia. La identificación de los genes que afectan directa o indirectamente a la dislexia y la localización de su actividad en el encéfalo nos podrá aportar tratamientos más directos y permitirá entender el funciona-miento de las habilidades cognitivas, así como la influencia que sobre ellas ejerce el ambiente.

El párrafo anterior nos permite determinar que las disfunciones neurona-les y/o las conexiones incorrectas están fundamentalmente provocadas por la expresión genética, pero las condiciones ambientales, como pueden ser la educación prelectora, el método de enseñanza, la implicación familiar, etc., pueden condicionar el fenotipo final de alguien que está, a priori, "condena-do" a la dislexia. En el siguiente capítulo, cuando afrontemos el tratamiento de la dislexia volveremos a incidir sobre lo que genéricamente conocemos como factores ambientales. Adelantamos ahora que encauzando adecuada-mente los aspectos "ambientales", la dislexia tendrá una menor evidencia por la plasticidad y adaptación del sistema nervioso (Gayán, 2001) del que ya hemos hablado y volveremos a hablar en este libro.

Aunque comprendemos que establecer la participación en la dislexia de los factores ambientales y de los condicionantes genéticos es difícil, recogemos tres estimaciones que aventuran la influencia de cada compo-nente:

1.- Gayán (2001) cita estudios en gemelos que han conducido a señalar que aproximadamente el 50 % de las diferencias individuales en la habilidad de leer se fundamentan en factores genéticos y el 50 % restante se deben a factores ambientales.

2.- Schumacher y colaboradores (2007) recogen en su trabajo una estimación que sitúa en un tramo entre un 40 y un 80 % la influencia relativa de la heredabilidad en la manifestación de la dislexia.

3.- Benítez-Burraco (2007) cita trabajos que proponen que los factores genéticos son responsables de entre un 30 y un 70 % de la variabilidad en la capacidad de lectura existente en el seno de una población dada.

Hay por tanto consenso en determinar que el fenotipo disléxico se muestra finalmente como fruto de la interacción genética, que es determinante, y la influencia del ambiente, que podría aliviar, o en el peor de los casos, agravar sus manifestaciones.

En los orígenes de la historia investigadora de la dislexia, a principios del siglo XX, ya se hicieron suposiciones de su carácter hereditario, recordemos la postura de Hinshelwood recogida en este texto. Orton, en los años 30 y 40, apreció también mayor concentración de disléxicos en ciertas familias. Hermann, por su parte, en 1959, comparó gemelos y mellizos con dislexia, concluyendo que la dislexia era una condición hereditaria (Gayán, 2001). En 1971, Salden, según recoge Thompson (1992), manifiesta de una forma atrevida, como se ha podido demostrar después, que en la dislexia hay dominancia variable en herencia de niños y recesividad en herencia de chicas intentando justificar la diferente penetrancia ya constatada entre ambos sexos. Añade este autor, para justificar la penetrancia del fenotipo, que es más fácil el emparejamiento entre individuos de similar comportamiento cognitivo, encauzando así con más eficacia la transmisión del trastorno. El enamoramiento parece más fácil entre jóvenes disléxicos, que sienten entre sí la complicidad de su peculiar forma de ser. Sabemos que este tipo de emparejamiento es un recurso para la persistencia de un carácter (tal como se hace en el manejo de animales y plantas para formar nuevas razas y/o variedades).

Más adelante citaremos estudios recientes de ligamiento genético (los ya citados QTL) y confeccionaremos una tabla que identifique los *loci* candidatos para ser responsables de la transmisión y expresión genética de la dislexia. En ningún caso debemos olvidar que trastornos como la dislexia tienen una naturaleza genética muy compleja.

Puntualizamos que calificar una enfermedad o un trastorno como genéticos no supone que sea incurable. Procede encontrar pautas de corrección, así la miopía y la diabetes tienen evidentes componentes genéticos y se curan o alivian mediante el uso de lentes o la aplicación de insulina, respectivamente (Gayán, 2001). Es evidente que conocer los genes implicados en la dislexia puede y debe ayudarnos a mejorar el conocimiento del trastorno y su posible tratamiento.

Localización de genes responsables de la dislexia

La diversidad de signos y grados en que se manifiesta la dislexia supone la predicción de su carácter multigénico. A lo largo de la última década de investigación en este campo se han ido aportando trabajos que identifican lugares cromosómicos ligados al trastorno, si bien en algunos casos, otros estudios, casi de forma inmediata, han desmentido las localizaciones iniciales. Los **análisis de ligamiento** y de asociación han determinado la existencia de al menos nueve regiones cromosómicas potencialmente relacionadas con este trastorno. Es conocido que los análisis de ligamiento sobre humanos tienen ciertas connotaciones, como es el tamaño reducido de la muestra, la heterogeneidad genética y limitaciones propias de los métodos estadísticos que deben ser tenidos en cuenta a la hora de considerar la consistencia de los resultados. No obstante, la aplicación de los análisis multivalentes confirma los resultados que más abajo se indican. Los primeros estudios que determinaban estos lugares (*locus / loci*) referían zonas que podían abarcar entre decenas y centenas de genes. Investigaciones posteriores han ido delimitando el espacio cromosómico y se han llegado a identificar genes concretos directamente relacionados con la dislexia. Con metodología similar se han identificado dos

"SLI *loci*" (Specific Language Impairment), lugares del trastorno específico del lenguaje.

Los genes relacionados con la dislexia deben ser aquellos que codifican proteínas que tienen implicaciones en el crecimiento, la migración, la diferenciación, la adhesión y, en definitiva, con la función celular. Las disfunciones descritas en el capítulo anterior y las anormales disposiciones de las células de las que ya hemos hablado son, necesariamente, consecuencia de la expresión y/o interacción génica. Citamos más abajo referencias de cada uno de los genes o lugares que tienen, hasta el momento de redacción de este libro, relación directa con la dislexia.

Antes de desarrollar aspectos básicos sobre los nueve *loci* citados, referimos ahora dos ejemplos de genes que tienen relación con alguna disfunción cerebral y de forma indirecta con la dislexia:

1.- La heterotopía periventricular (PH) es una patología que se diagnostica observando radiográficamente los característicos nódulos heterotópicos que están compuestos por neuronas desordenadas sobre el ventrículo lateral del encéfalo. La epilepsia es el síntoma más frecuente de los pacientes que padecen PH. Curiosamente estos pacientes suelen expresar, además, dislexia. Se ha determinado que los genes asociados a la PH son Filamin A y ARFGEF2. Los efectos de estos genes parecen provocar defectos de adhesión y menos consistencia en el recubrimiento de los ventrículos cerebrales y del canal central de la médula espinal durante el desarrollo del sistema nervioso central. Concretamente, se ha comprobado que Filamin A provoca PH en las mujeres y resulta letal en los varones (Lu y Sheen, 2005).

2.- El desarrollo de las células magnocelulares, presentes tanto en la vía auditiva como en la visual, ambas relacionadas con la dislexia, puede estar condicionado por un gen o genes. Se ha descrito una clara base genética en el desarrollo de las grandes células que intervienen en las vías auditiva y visual, habiéndose identificado, en el brazo corto del cromosoma 6, genes que secuencian para el Complejo Mayor de Histocompatibilidad (CMH), relacionado con el reconocimiento de tejidos propios, de clase 1 (el CMH es una región de genes muy polimórficos cuyos productos se expresan en las superficies de varias células). Está demostrado que el desarrollo magnocelular se ve afectado por estos productos que actúan con efectos negativos sobre los propios tejidos de los sujetos que tienen ese gen o genes.

En casi todos los fenotipos humanos se detecta una intervención multigénica, como ocurre con el desarrollo magnocelular. Estas células necesitan grandes cantidades de ácidos grasos poliinsaturados para preservar la flexibilidad de la membrana permitiendo que los cambios conformacionales de las proteínas canal sean rápidos (comportamiento derivado de otros efectos genéticos concretos). Hemos ligado la dislexia con deficientes funcionamientos de estas vías de transmisión rápida, por contraposición, se detecta un mejor desarrollo del sistema parvocelular, que a su vez puede explicar la predisposición de los disléxicos en las apreciaciones holísticas y capacidades artísticas (Stein, 2001).

Finalmente, para explicar que en determinados casos la existencia de genes concretos produce proteínas diferentes según la pauta de procesamiento alternativo, citamos un estudio interesante efectuado sobre *FOXP2*. *FOXP2* es el primer gen ligado a una variante hereditaria del trastorno específico del lenguaje y parece codificar una proteína que inhibe la transcripción de un gen que interviene en la regulación del desarrollo y funcionamiento de determinados circuitos córtico-talámicos-estriatales. La proteína FOXP2 tiene un alto grado de versatilidad en vivo en lo referente a la interacción con el ADN, ya que sus diferentes isoformas (cada uno de los productos de los diferentes procesamientos) son biológicamente funcionales. Se ha comprobado que el gen *FOXP2* es operativo durante el trascendental desarrollo embrionario, aunque también durante la fase adulta. La participación en el desarrollo y funcionamiento de los circuitos que están asociados a la planificación motora, al comportamiento secuencial y al procesamiento del aprendizaje, así como con la exactitud de los modelos de procesamiento lingüístico, prueba cómo un gen con sus variantes alélicas viables puede generar individualidades cognitivas diferenciables (Benítez-Burraco, 2008), como nos puede ocurrir con la dislexia.

Locus asociados con la dislexia

Los nueve *loci* que a fecha actual han sido considerados responsables de la dislexia se denominan correlativamente DYX1 a DYX9. No nos debe sorprender el número de *loci* implicados, sobre todo si tenemos en cuenta la constatada y referida existencia de subtipos de dislexia detectados al evaluar la respuesta fonológica, la capacidad de decodificación fonológica, la ortografía, la capacidad de deletreo y la lectura de palabras. Tampoco nos debe sorprender que en futuras investigaciones se detecten otros *loci* diferentes. Insertamos seguidamente un cuadro que describe la localización de los 9 *loci*, e identifica, cuando procede, los genes implicados e identificados de cada lugar.

Locus	Ubicación	Genes identificados
DYX1	15q21	DYX1C1
DYX2	6p22 6p22.2 6p21-p22	DCDC2 KIAA0319
DYX3	2p15-p16	MRPL19 C2ORF3
DYX4	6q11.2-q12	
DYX5	3p12-q13	ROBO1
DYX6	18p11.2	
DYX7	11p15.5	DRD4 HRAS SCT STIM1 MTR1
DYX8	1p34-p36	
DYX9	Xq27.3 Xq26-q27	

Locus 1

Mediante análisis de ligamiento, se identificó el primer *locus* relaciona-do con la dislexia (DYX1). Está situado en 15q21 (Benítez-Burraco, 2007 y Schumacher *et al.*, 2007) y parece que influye en la capacidad de lectura de palabras aisladas y el deletreo. Benítez-Burraco (2007) cita el análisis mole-cular realizado por Taipale y colaboradores en 2003, mediante el que se han identificado algunos de los genes existentes en esta región cromosómica. De entre ellos, el gen que más interés suscitó fue el DYX1C1, constituido por 10 exones, con un tamaño de alrededor de 78 kilobases. Paralelamente se ha identificado un ARNm, de 1.993 pares de bases, que codifica una proteína de 420 aminoácidos, la cual carece de homología frente a otras proteínas cono-cidas. Resulta interesante la presencia en esa proteína de tres dominios TPR (repeticiones tetratricopeptídicas) en su porción carboxiloterminal (uno de los extremos de la proteína). Estos dominios suelen intervenir en la interacción proteína-proteína, lo que nos permite pensar que esa molécula debe operar como un factor regulador dentro de complejos multiproteicos. Se conocen otras proteínas que con estos dominios están relacionadas dentro de los axones con la regulación de la transmisión del impulso eléctrico y la sinapsis (Be-nítez-Burraco, 2007). Existen otros patrones de maduración alternativos que darían lugar a diferentes ARNm (de tamaños entre 1 y 5 Kb), que codificarían distintas proteínas truncadas (que les falta algún tramo final de aminoácidos).

La proteína DYX1C1 ha sido detectada en el pulmón, en el hígado, en los testículos y en el sistema nervioso. En el sistema nervioso se ha localizado concretamente en los núcleos de algunas neuronas y de algunas células gliales de la corteza cerebral. Esta proteína podría relacionarse con el mantenimiento de la funcionalidad de la célula. En propuestas más recientes se ha sugerido que la proteína podría intervenir en la regulación de la migración neuronal radial (Benítez-Burraco, 2007).

La relación entre el gen DYX1C1 y la dislexia se constata por la detección en individuos disléxicos de hasta ocho polimorfismos diferentes en la secuencia del gen, dos de los cuales parecen estar asociados de forma inequívoca con el trastorno. El primero de dichos polimorfismos afecta a la región promotora del gen, alterando la secuencia con capacidad de unión a proteínas que participan en la regulación de la transcripción de otros genes, alguno de los cuales está relacionado con los procesos de aprendizaje, tal como se ha descubierto en ratas. El segundo de los polimorfismos provoca una terminación prematura de la traducción de ARNm, resultando una proteína no funcional. Es precisamente el tramo no sintetizado el responsable de la normal migración neuronal radial. No obstante, reconocen los autores de estos trabajos que la posible vinculación entre la dislexia y este gen sigue siendo problemática, pues la proporción de disléxicos que presentan alguno de los dos polimorfismos citados es relativamente baja. Por otro lado existe un porcentaje significativo de individuos afectados por el trastorno en los que la secuencia del gen es la misma que en los individuos sanos. Además, se han caracterizado individuos que presentan diversas alteraciones de la secuencia del gen, que no parecen manifestar el fenotipo esperado, como sucede curiosamente en la propia familia estudiada por Taipale y colaboradores (2003). Estos individuos, en particular, manifiestan algún otro tipo de trastorno cognitivo, bien en forma de problemas de aprendizaje, bien disponiendo de un menor cociente intelectual (Benítez-Burraco, 2007).

Otros estudios han encontrado proteínas implicadas en el control de la transcripción del gen DYX1C1 y han detectado diferencias alélicas de este gen que pueden influir notablemente en la regulación del mismo. Se ha comprobado, en roedores, la relación de ese gen con el control de la migración neuronal durante la embriogénesis y los consecuentes efectos de aprendizaje (Tapia-Páez, Tammimies, Massinen, Roy y Kere, 2008). Otro estudio en roedores ha detectado malformaciones de desarrollo que repercuten en déficits relativos a procesos auditivos y de aprendizaje (Threlkeld et al., 2007). Concluyen estos autores que, en el útero, un **ARNi** (ARN que inhibe la transcripción de genes) del gen DYX1C1 provoca las malformaciones referidas probando la hipótesis de ligamiento entre el gen DYX1C1 y los desórdenes de migración, similares a lo visto en los cerebros de los disléxicos.

Añadimos que la región 15q21, donde está localizado el *locus* 1, se ha relacionado con el déficit de atención/hiperactividad (TDAH) (Schumacher *et al.*, 2007), permitiendo establecer relación entre la dislexia y el TDAH, contribuyendo el *locus* DYX1 a los dos trastornos.

Locus 2

El segundo *locus* para la dislexia (*DYX2*) se localiza en la región 6p22. En él se encuentra un QTL relacionado con la manifestación de varios componentes del trastorno, entre los que se encuentran aspectos fonológicos y ortográficos. Este QTL está situado entre los marcadores *D6S464* y *D6S27* (Benítez-Burraco, 2007). Coinciden Francks y colaboradores (2004) al determinar que la región cromosómica 6p22.2 está asociada a la dislexia, identificando, al menos en esta región, los genes TTRAP, KIAA0319 y THEM2.

En los últimos años se han identificado, además, dos genes asociados a la dislexia que podrían corresponderse con el *locus DYX2*. En esta región se han detectado dos agrupaciones de genes. La primera incluye a DCDC2, junto con UMP y KAAGA y la segunda incluye KIAA0319, que está acompañado de TTRAP y THEM2. Analizamos con más detalle consideraciones importantes de estos dos genes:

1.- DCDC2 está situado concretamente en la región cromosómica 6p22.1. Determinados polimorfismos de este gen han sido asociados directamente a la dislexia, concretamente delecciones del intrón 2 de este gen. Estas delecciones eliminan diversos tramos de ADN repetitivos que se unen a proteínas que regulan la transcripción de genes, alguno de ellos asociados con el desarrollo cerebral, más concretamente con la extensión de los axones necesaria para establecer las conexiones nerviosas precisas durante la etapa embrionaria. Benítez-Burraco (2007) cita a Schumacher y colaboradores (2006), los cuales han confirmado la asociación del gen DCDC2 con la variante más grave de la dislexia. El gen codifica una proteína que cuenta con dos dominios doblecortina. Este gen participaría en la regulación de la migración neuronal, aunque su papel no parece esencial, sino más bien modulador. Se manifiesta en una amplia zona encefálica y su patrón de expresión espacial parece ser el mismo en los individuos disléxicos y en los normoléxicos. Esto nos hace suponer que los disléxicos presentan una variante anormal del gen, un alelo que interviene en el trastorno. Esta variante podría estar causada por una mutación responsable de una desregulación de la función de la proteína, posiblemente por una modificación de los niveles normales de expresión del gen, y no debido a una pérdida de esta. Esta situación se puede corresponder con las deficiencias funcionales detectadas en los sujetos disléxicos, provocadas por sutiles modificaciones en el patrón migratorio de las células en la corteza cerebral en formación (Benítez-Burraco, 2007). Se ha estudiado en ratas el efecto del gen DCDC2, asociándose a desórdenes en la migración neuronal, similares a lo observado en los disléxicos (Burbridge *et al.*, 2008).

2.- KIAA0319 está localizado en la región cromosómica 6p22.2, muy próxima a la identificada en el párrafo anterior. Este gen se expresa fundamentalmente en el tejido nervioso y codifica una proteína de membrana que, se cree, interviene en procesos de interacción y adhesión entre las neuronas. En determinados haplotipos (grupo de alelos que se transmiten unitariamente dentro de un *locus*) se ha constatado la existencia de una disminución en el nivel de expresión del gen (Benítez-Burraco, 2007). Se ha considerado que las mutaciones del gen KIAA0319, relevantes en el caso de la dislexia, no serían de carácter estructural. La proteína que codifica el gen KIAA0319 contiene varios tramos en su configuración estructural (alguno de ellos atraviesan la membrana) que pueden mediar la interacción entre neuronas y células gliales durante la migración neuronal. No obstante, hay otras dos isoformas que carecen del dominio transmembrana, esto nos hace suponer que dicho gen influye en las interacciones célula-célula y también estará implicado en procesos de señalización (Velayos-Baeza, Toma, Paracchini y Monaco, 2007a). En el desarrollo de la neocorteza de fetos de ratones y humanos se han detectado diferentes patrones de expresión. En ratas, la interferencia con KIAA0319 conduce a la alteración de la migración neuronal en la neocorteza, constando que es un gen requerido para el desarrollo cerebral (Paracchini *et al.*, 2006). Velayos-Baeza y colaboradores (2007a) han detectado diferentes patrones de expresión del gen KIAA0319, en dos de ellos, los identificados como B y C, les falta el exón 19, que codifica el dominio transmembrana. Las proteínas resultantes de estas variantes son secretadas y deben tener funciones de señalización. En ratón y rata se han detectado solo algunas variantes equivalentes a aquellas encontradas en los genes humanos (Velayos-Baeza *et al.*, 2007b).

También ha quedado demostrada una relación directa entre la región cromosómica 6p21-p22 con el déficit de atención/hiperactividad (TDAH) (Schumacher *et al.*, 2007).

Como no se ha podido demostrar plenamente la existencia de una relación causal directa entre la dislexia y una disfunción de las proteínas codificadas por los genes *DCDC2* o *KIAA0319*, se considera, por el momento, que ambos genes constituyen factores de riesgo, cuya relevancia dependerá del fondo genético del individuo en cuestión (Benítez-Burraco, 2007).

Locus 3

El tercer *locus* identificado para la dislexia (DYX3) está situado en el cromosoma 2, posiblemente en la región 2p16-p15 (Benítez-Burraco, 2007 y Schumacher et al., 2007). En un estudio con familias finlandesas se confirma esa ubicación y se definen los genes que generan susceptibilidad para la dislexia: MRPL19 y C2ORF3 (Anthoni *et al.*, 2007). Este *locus* cuenta con otras asignaciones de localización, habiéndose sugerido que puede ubicarse en la región 2p11 (Benítez-Burraco, 2007).

Locus 4

El cuarto *locus* (*DYX4*) está situado en la región 6q11.2-q12. Schumacher y colaboradores (2007) citan un estudio categorial (estudio estadístico no cuantitativo) y de mapeo de características cuantitativas a través de la identificación de un QTL efectuado en 96 familias canadienses. Este QTL está especialmente asociado con la capacidad de deletreo y de codificación fonológica (Benítez-Burraco, 2007 y Schumacher *et al.*, 2007).

Locus 5

El quinto *locus* relacionado con la dislexia (*DYX5*) se corresponde con la región cromosómica 3p12-q13. Un gen localizado en esta región es *ROBO1,* constituido por 29 exones con un tamaño de 240 kilobases que codifica una proteína que podría intervenir en la regulación del crecimiento de los axones que cruzan de un hemisferio cerebral al otro. Es posible la existencia en vivo de diferentes isoformas (presenta maduraciones alternativas del ARNm), las cuales podrían desempeñar funciones distintas (Benítez-Burraco, 2007). Hannula-Jouppi y colaboradores (2005) han comprobado que este gen dirige la orientación del axón, modificando el receptor del mismo en los disléxicos, suponiendo que el trastorno podría deberse a una insuficiencia parcial del gen ROBO1 en algunas familias. Sugieren, por tanto, que una ligera alteración de los axones que cruzan la línea media que separa ambos hemisferios u otras funciones de ROBO1 pueden manifestarse en los humanos como dificultades lectoras.

Benítez-Burraco (2007) cita determinados trabajos sobre el comportamiento de genes ortólogos de Robo1 (genes homólogos de distintas especies, que descienden de un único gen de un ancestro común), en diversos animales:

1.- En *Drosophila,* una mosca*, Robo* codifica un receptor de membrana relacionado con una cadena de transducción (proceso por el que una interacción externa provoca una respuesta celular) de señales responsable de la regulación del crecimiento de axones y dendritas.

2.- En *Xenopus laevis*, una rana, *Robo,* con sus diferentes interacciones, condiciona de forma más precisa la velocidad y el sentido del crecimiento de los axones. Se evita de esta forma la confusión provocada por una posible competencia entre las señales atractivas y repulsivas que van dirigiendo el crecimiento de los axones.

3.- En el ratón, el gen *Robo* se expresa durante el desarrollo embrionario en la corteza cerebral y tálamo. Presuntamente participa en la organización de las fibras que proyectan fuera de la corteza cerebral y en las conexiones talamocorticales. Recordemos que han sido bastantes los autores que han destacado la importancia que para el lenguaje tienen los circuitos córtico-estriado-corticales, que facilitan el procesamiento de la información cortical en los ganglios basales (relacionados con la fonación o la sintaxis) y que es devuelta nuevamente a la corteza a través del tálamo (Benítez-Burraco, 2007).

Estos resultados sobre la función de *Robo1* son coherentes con la observada deficiencia estructural en la sustancia blanca de la región temporoparietal, observada en los individuos que padecen el trastorno; deficiencia que está acompañada con un menor nivel de expresión del gen *Robo1* en ellos (Benítez-Burraco, 2007).

Locus 6

El sexto *locus* (*DYX6*) para la dislexia se corresponde con la región cromosómica 18p11.2. No nos consta que se haya logrado identificar concretamente gen alguno con esa localización. Este *locus* está situado en las inmediaciones de la región centromérica del cromosoma 18 y parece ser uno de los más prometedores desde el punto de vista de la significación estadística del análisis de ligamiento (Benítez-Burraco, 2007). Estudios con QLT efectuados en familias de Gran Bretaña y de Norteamérica prueban estadísticamente su implicación tras meticulosas pruebas de lectura de palabras (Schumacher *et al.*, 2007).

Locus 7

El séptimo *locus (DYX7)* relacionado con la dislexia está ubicado en la región cromosómica 11p15.5, al que apuntan diversos análisis de ligamiento citados por Benítez-Burraco (2007). Conocemos la lógica imprecisión que acompaña al análisis de ligamiento para localizar de forma concisa un *locus*. Esta región es muy rica en genes, resultando, por tanto, especialmente difícil determinar con precisión la identidad del gen o genes implicados. No obstante, se han propuesto varios candidatos:

1.- DRD4, gen responsable de la codificación del receptor D_4 de la dopamina (neurotransmisor del sistema nervioso) que parece tener relevancia estadística en el análisis del ligamiento. Este gen se expresa en zonas relacionadas anatómicamente con el procesamiento lingüístico y la memoria (hipocampo y corteza frontal). Algunas variantes polimórficas de este gen se han relacionado con el déficit de atención/hiperactividad (TDAH), aunque nos recuerda Benítez-Burraco (2007) que no ha sido posible, hasta el momento, detectar de modo específico un ligamiento estadísticamente significativo entre la dislexia y alguno de los alelos del gen asociado al TDAH. Esto supone que en la dislexia podrían estar implicadas otras variantes polimórficas del gen, pero no ligadas al TDAH; incluso podría tratarse de algún gen próximo.

2.- HRAS, gen que codifica una GTPasa (guanosina trifosfatasa, una superfamilia de enzimas) que interviene en la cadena de transducción de señales implicadas en el crecimiento y la diferenciación de las neuronas. También intervienen en la mejora de la eficacia de la sinapsis (que puede durar horas o días) y en la plasticidad sináptica. La mutación de este gen se ha relacionado también con el autismo, enfermedad de tipo cognitivo y por ello, en cierto modo, relacionada con la dislexia.

3.- SCT, gen de la secretina, que codifica un neuropéptido de la familia del péptido intestinal vasoactivo (VIP)/ glucagón, imprescindible para el correcto desarrollo encefálico.

4.- y 5.- STIM1 y MTR1 (TRPM5), genes que están presuntamente implicados en la dislexia, pues sus productos participan en diversos procesos de interacción celular y transducción de señales comprometidas con la respuesta celular frente a los estímulos externos.

Locus 8

El octavo *locus (DYX8)* para la dislexia parece corresponderse con la región cromosómica 1p34-p36 (Benítez-Burraco, 2007). Schumacher y colaboradores (2007) citan tres investigaciones que han probado el ligamiento de este *locus* con el trastorno, especialmente cuando se han valorado sus aspectos fonológicos. Además de Kovel y colaboradores (2008), intentando probar lo publicado sobre ligamiento genético en tres *loci,* confirman la susceptibilidad de la dislexia relacionada con el brazo corto del cromosoma 1, concretamente en la región 1p36, según su estudio en más de 100 familias holandesas, reconociendo dificultad para ligar de forma incuestionable estos *loci* con la dislexia.

Locus 9

El noveno *locus* (DYX9) está situado en Xq27.3 (Benítez-Burraco, 2007). Menos concreta es la localización que indican Schumacher y colaboradores (2007), que lo ubica en la región cromosómica Xq26-q27, avalado en este caso por dos estudios, uno sobre 29 individuos en Holanda y otro sobre 89 familias en Gran Bretaña.

Otras regiones asociadas a la dislexia

Como hemos indicado, a la vista de las actuales investigaciones, las nueve regiones (DYX1 a DYX9) citadas no están de forma absoluta e incuestionable ligadas a la dislexia. Es preciso concretar más las investigaciones para aclarar estas relaciones propuestas. Además, otras regiones pueden ser incorporadas a la lista anterior, entre ellas está la 13q12, asociada a problemas de lectura, y la 2q22, ligada con la decodificación fonológica (Schumacher *et al.*, 2007). Añadimos finalmente la existencia de trabajos que han detectado genes que tienen un doble efecto (dislexia y déficit de atención/hiperactividad –TDAH–) localizados en los *loci* 14q32, 13q32 y 20q11 (Schumacher *et al.*, 2007).

Conceptos básicos del capítulo 7

Título: Genética y dislexia
Existen cientos de enfermedades genéticas conocidas

DOGMA CENTRAL DE LA GENÉTICA

La información está   Se transcribe a   Se traduce a

ADN $\longrightarrow$ ARN $\longrightarrow$ Proteínas

La genética mendeliana explica la transmisión de caracteres influenciados por un solo gen
La ampliación de la genética mendeliana explica el comportamiento de caracteres multigénicos

MAPEO GENÉTICO

Localiza los genes en los cromosomas

Se inició en 1911 en los cromosomas sexuales X e Y
En los años 60 se usaron "células híbridas"
En los años 70 se realizaron los bandeos cromosómicos
En la dislexia se están usando los QTL

LA DISLEXIA TIENE INFLUENCIA GENÉTICA Y AMBIENTAL

Influencia genética	Influencia ambiental
Entre un 40 y 80%	Entre un 20 y un 60%

GENES Y DISLEXIA

ESTÁN LOCALIZADOS NUEVE LUGARES

Locus	Ubicación	Genes identificados
DYX1	15q21	DYX1C1
DYX2	6p22 6p22.2 6p21-p22	DCDC2 KIAA0319
DYX3	2p15-p16	MRPL19 C2ORF3
DYX4	6q11.2-q12	
DYX5	3p12-q13	ROBO1
DYX6	18p11.2	
DYX7	11p15.5	DRD4 HRAS SCT STIM1 MTR1
DYX8	1p34-p36	
DYX9	Xq27.3 Xq26-q27	

214

Capítulo 8. La rehabilitación de la dislexia

Conocemos numerosos ejemplos de enfermedades y trastornos humanos que desde la antigüedad han sido tratados y en cierta medida resueltos con soluciones adecuadas. La complejidad de los trastornos dificulta el diseño del remedio. Este se nos antoja más difícil de definir si el trastorno tiene un trasfondo genético, pero en contra de esta suposición, hemos citado enfermedades de evidente componente hereditario, como son la miopía y la diabetes, que con un elemento físico (unas lentes) y con un fármaco (la insulina), respectivamente, se resuelven o alivian. Además, hemos sido testigos de mejoras y avances en el diseño y eficacia de las primeras soluciones. Frente a la miopía se ha conseguido reducir el grosor de las lentes, eliminar reflejos, instalarlas en el propio ojo, o incluso con cirugía, corregir convenientemente la óptica del ojo. En los tratamientos frente a la diabetes conocemos que existen líneas de investigación que han diseñado dispositivos de dosificación de la insulina y que otras buscan la implantación de células secretoras de insulina que recuperen la funcionalidad pancreática. Otra sorprendente solución a un problema genético se logra modificando aspectos ambientales concretos. En la fenilcetonuria (alteración por la que el organismo no puede metabolizar el aminoácido tirosina, provocado por la carencia de la enzima fenilalanina hidroxilasa), con una dieta determinada se logra buen pronóstico, probando que la interacción adecuada entre los genes y el ambiente puede resolver un trastorno (Kandel *et al.*, 2001).

La dislexia, trastorno definido y comprendido en las últimas décadas, tiene un menor bagaje investigador sobre los tratamientos y remedios de la misma. No obstante, por equiparación a lo acontecido con otros trastornos cognitivos, estamos seguros de que en los próximos años se irán definiendo programas de recuperación diversos, hasta encontrar los más eficaces, que finalmente alivien o resuelvan sus manifestaciones.

Plasticidad neuronal y la recuperación de la dislexia

En los capítulos previos hemos citado en varias ocasiones, pero siempre de forma superficial, el concepto "plasticidad neuronal"; por ello, consideramos esencial desarrollar nuevamente, ahora con más profundidad, este fenómeno. Conceptualmente "plasticidad neuronal" es la capacidad de reorganizar circuitos neuronales y de modificar funciones celulares condicionadas por la necesidad de adaptación a los cambios externos e internos que los individuos experimentan, bien en su vida cotidiana, bien tras ser sometidos a protocolos terapéuticos adecuadamente diseñados. La plasticidad de las células permite reparar circuitos, integrar otras áreas y responder a las afecciones o problemas que puedan surgir. La capacidad del sistema nervioso para adaptase a los cambios externos tiene relación directa con la capacidad de aprendizaje.

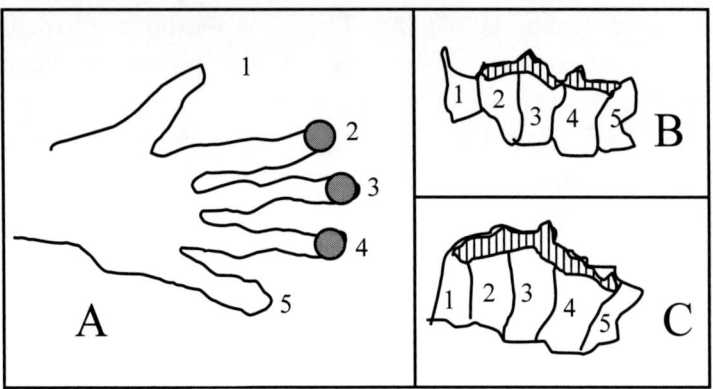

Figura 29. Plasticidad neuronal. Una de las evidentes manifestaciones de la plasticidad neuronal se detecta con la extensión de las zonas cerebrales que controlan una determinada parte anatómica (ver los Homúnculos de la figura 23). En esta figura aparece una mano (A) de un mono al que se le ha adiestrado para que durante un cierto tiempo ejercite las yemas de los dedos 2, 3 y 4. En B se refleja la porción del área que representa la yema de los dedos antes del experimento, mientras que en C se refleja la nueva distribución del área tras la oportuna estimulación llevada a cabo durante varias semanas.

En los primeros años del siglo XX, Ramón y Cajal ya advirtió esta capacidad. Postuló que el daño en el encéfalo adulto era irreparable, teniendo como consecuencia déficits y secuelas, pero constató la posibilidad de recuperación en el encéfalo infantil, añadiendo otra más a su larga lista de aportaciones de relevancia científica aún hoy vigentes. Actualmente, sabemos que la plasticidad no solo se limita a la infancia, parece que permanece en edad adulta, aunque de forma mucho más limitada.

El encéfalo se va construyendo en el tiempo. Se acomoda a las diferentes etapas del desarrollo y permite adaptarse adecuadamente a cada momento evolutivo del individuo. Está probado que un ambiente rico en estímulos diversos favorece la adquisición de funciones, mejora capacidades que aparentan estar mermadas o bien repara, en cierta medida, estructuras dañadas por problemas surgidos durante la maduración (Hernández-Muela, Mulas y Mattos, 2004). Katona denomina a esta capacidad "neurohabilitación" o "rehabilitación temprana" (Hernández-Muela *et al.*, 2004), añadiendo que la plasticidad del encéfalo en los primeros meses de vida aprovecha todas las estructuras que conservan funcionalidad normal. Las lesiones tempranas o la privación de estimulación sensorial pueden ser solventadas al aprovechar la plasticidad neuronal de la primera infancia. La inmediatez de la intervención es determinante; por tanto, un diagnóstico precoz permite intervenir rápidamente. Si aumentamos las interconexiones neuronales como respuesta a ambientes enriquecidos, estamos mejorando las capacidades. El diseño de un programa de trabajo no puede ser arbitrario, debe cumplir, al menos, dos condiciones:

1.- Debe ser sistemático, adecuado a la edad de desarrollo y a las expectativas.

2.- Debe ser secuencial, cada etapa requiere el paso firme y completo por la previa.

Todas las regiones encefálicas están determinadas genéticamente para una función concreta, pero la corteza cerebral es particularmente modificable; la experiencia y el aprendizaje diario pueden alterar esta especialización regional y producir patrones individuales diversos. Analizando individuos concretos, se comprueba cómo la plasticidad ante diferentes patologías cambia los mapas de representación y entre ellos destacan las modificaciones que se observan en las zonas involucradas en el lenguaje. En reconocimiento de este hecho, introducen Hernández-Muela y colaboradores (2004) el concepto "periodo crítico", durante el cual los circuitos de la corteza tienen gran capacidad de modificación, ejemplos claros de esta predisposición infantil son: la capacidad de recuperación de la ambliopía (conocida popularmente como "ojo vago"), que con parches en el ojo "sano" se fuerza al débil a su recuperación, el aprendizaje de la segunda lengua y la rápida adquisición del lenguaje Braille.

Los cambios neuroanatómicos y/o funcionales surgidos por el mecanismo de la plasticidad suelen ser, como hemos descrito, facilitadores de alguna función afectada, pero está probado que en algunos casos se produce una alteración en el desarrollo de otras funciones, lo que se denomina "plasticidad patológica" o "maladaptativa", es decir, se pueden formar circuitos anómalos con implicaciones negativas que se evidencian tiempo después. Recordemos que la capacidad plástica o la variabilidad de respuestas están influidas, en algún caso, por factores hormonales. Está probado que los estrógenos protegen frente a una plasticidad patológica relacionada con la dislexia. Así, en los varones se detecta mayor penetrancia e intensidad del trastorno, debido a ese mecanismo maladaptativo de reorganización.

El conocimiento de los mecanismos que median en la plasticidad neuronal nos definirá la forma en que podremos intervenir, facilitando la plasticidad cortical con fines terapéuticos. No sabemos con exactitud todo lo que ocurre en el encéfalo por la plasticidad, pero reconocemos que están implicados factores externos: protocolos de rehabilitación, el trabajo ofertado, la dedicación, el tiempo y la concentración exigida. También son destacables los factores propios de la "ecología del niño": grado de percepción de su enfermedad, ambiente familiar, factores demográficos, etc. (Hernández-Muela *et al.*, 2004).

La plasticidad se expresa escalonadamente. Atendiendo a la permanencia de los cambios provocados, cuando la modificación es a largo plazo, las alteraciones estructurales dependerán de la creación de nuevas sinapsis por crecimiento y extensión de las dendritas. De entre las zonas cerebrales más versátiles para la plasticidad, encontramos el hipocampo y las zonas paraventriculares, donde las neuronas pueden responder, ante daños diversos, con capacidades migratorias y reparadoras de tejidos. Evidencias de la plasticidad se han constatado con la aplicación de diversas técnicas de neuroimagen, de las que ya hemos hablado suficientemente: resonancia magnética (RM), resonancia magnética funcional (RMf), tomografía por emisión de positrones (PET), o con la estimulación magnética transcraneal (TMS). Se han descrito reorganizaciones características en animales y humanos tras las oportunas intervenciones (Hernández-Muela *et al.*, 2004).

Es posible combinar la terapia física con la aplicación de fármacos, estos pueden prolongar el periodo crítico, facilitando cambios neuroplásticos. También se pueden aplicar estimulantes o inhibidores a favor de la plasticidad sináptica que subyace en los procesos de memoria y aprendizaje. Con esta estrategia interventiva en los tratamientos se ha evidenciado mejora de la función motora. La utilización de técnicas físicas como la estimulación magnética transcraneal (TMS) permite generar excitabilidad localizada en la región de la corteza cerebral que nos interesa, facilitando el entrenamiento y mejorando la capacidad de aprendizaje de aquello que se ejercita en las horas subsiguientes (Hernández-Muela *et al.*, 2004).

Determinadas investigaciones sobre los procesos de adquisición del lenguaje concluyen que el remedio parcial de déficit de procesamiento de la comunicación oral implica procesos compensatorios en regiones diferentes a las habitualmente asociadas al lenguaje (Temple *et al.*, 2003).

Veremos más abajo diversos protocolos, programas y recursos educativos que se usan y testan para corregir la dislexia. Su funcionamiento y eficacia están sustentados en la capacidad recuperadora del incorrecto o deficitario desarrollo neuronal inicial, que puede, por tanto, ser paliado, usando una capacidad esencial del encéfalo: la plasticidad.

Plasticidad dirigida vs. autónoma

Se reconoce de forma general, en la bibliografía disponible, que muchos alumnos, que inicialmente aparentan manifestar dislexia, resuelven sus problemas sin intervención terapéutica concreta, utilizando la capacidad innata de la plasticidad para aliviar los signos del trastorno. Kirby, Silvestre, Allingham, Parrila y La Fave (2008) realizaron un estudio entre universitarios disléxicos y normoléxicos; sus resultados demuestran que los estudiantes de postsecundaria con dislexia manifestaron estrategias y métodos de estudio diferentes a los normoléxicos. Los disléxicos han tenido que superar sus dificultades explorando autónomamente métodos que se adapten a sus especiales características individuales. Con estas adaptaciones han tenido un éxito relativo en sus estudios, han llegado a la universidad. No obstante, tras un pormenorizado análisis se les sigue calificando como disléxicos. Si los diversos esfuerzos individuales, poco "ortodoxos", han conseguido mejoras, hemos de pensar que adecuadamente dirigidos, coordinados y valorados periódicamente serán fundamentales para lograr una recuperación más eficaz. Kirby y colaboradores (2008) proponen investigaciones futuras que exploren protocolos diversos para que las instituciones educativas aporten programas específicos para estos estudiantes.

Detección de la dislexia

Brevemente referimos algunas de las propuestas publicadas en la historia de la investigación sobre la dislexia, considerando que es esencial la detección del trastorno para su adecuado tratamiento.

A) Análisis bioquímicos

Se ha investigado la posibilidad de diagnosticar la dislexia mediante análisis bioquímicos, aunque con resultados nada prometedores. No obstante, citamos algunas de las propuestas que de forma anecdótica se han publicado:

1.- Se ha supuesto que una elevada tasa de tiroxina en los disléxicos (Thompson, 1992) podría ser determinante para diagnosticar el trastorno, obviamente esta hormona, que tiene una función tan general en el metabolismo, no puede ser un marcador bioquímico para el diagnóstico.

2.- Knivsberg (1997) propuso análisis de orina para determinar la existencia de dislexia, se detectaron débiles anormalidades en algunos péptidos urinarios, que finalmente no fueron considerados por la comunidad científica.

B) Análisis por imagen

En un original estudio se propone un diagnóstico mediante el uso de imágenes. En él midieron el volumen de la sustancia blanca y la disposición del borde o límite entre ella y la sustancia gris, pretendiendo determinar con su interpretación un diagnóstico de la dislexia (Sandu, Specht, Beneventi, Lundervold y Hugdahl, 2008). Se detectaron cambios en la medida de los volúmenes de sustancia blanca y gris, y los resultados demuestran que, aunque la dislexia es menos frecuente en mujeres, las diferencias estructurales encontradas son más pronunciadas en ellas, lo que nos indica que el encéfalo femenino es más vulnerable morfológicamente a los cambios descritos. Este método no sirve como definitiva "llave" para el diagnóstico.

C) Análisis psicológicos

Vistos los antecedentes, reconocemos que la más eficiente y resolutoria forma de diagnosticar la dislexia es mediante adecuadas pruebas psicológicas. Son numerosísimas las propuestas lanzadas por la psicología cognitiva que han creado baterías de pruebas que sirven para diagnosticar la dislexia. No vamos a extendernos en la referencia a estas propuestas, escapa a los objetivos de este texto, pero en concordancia con la elección de la clasificación de la dislexia por la que nos hemos decantado en este libro, redactamos este apartado, recordando lo que Cuetos (2006) apunta sobre las pruebas para desarrollar ante la detección de la dislexia y sus modalidades. Estas pruebas deben detectar deficiencias de los diversos componentes del sistema lector, aunque conviene diferenciar inicialmente la dislexia de lo que puede ser un simple retraso lector, corregible con alguna que otra sesión extraordinaria en las tareas de aprendizaje. Las pruebas que propone Cuetos (2006) abarcan los diferentes procesos de lectura:

a) Procesamiento perceptivo. Inicialmente se deben diagnosticar los movimientos oculares y la capacidad general visual.

b) Procesamiento léxico. Se deben practicar pruebas de procesamiento léxico, localizando el fallo, bien en la ruta fonológica, o bien en la ruta visual. En el primer caso se detectarán problemas con las pseudopalabras y las palabras poco frecuentes. Si el problema radica en la vía directa o visual, el sujeto tendrá dificultades con las palabras irregulares y con las homófonas.

c) Procesamiento sintáctico. Para valorar este procesamiento se han de diseñar pruebas, dentro de las cuales se determinen la competencia de la memoria a corto plazo, el funcionamiento de las claves sintácticas y la capacidad de segmentar las oraciones en constituyentes.

d) Procesamiento semántico. La ascensión en los procesamientos dificulta el diseño, pero, no obstante, mediante tests de comprensión y razonamiento sobre los textos se puede valorar la dificultad que se manifiesta en el procesamiento semántico al leer.

Detección precoz

La dislexia se detecta mediante pruebas cognitivas que evidencian la presencia de algunos de los signos que hemos introducido en el capítulo 3. Estos signos, fundamentalmente, hacen referencia a errores y deficiencias durante el proceso lector. Por la propia evolución del niño, la capacidad de leer requiere una maduración, que aparece, en el mejor de los casos, a los 4 años, y de forma general entre los 5 y 6 años. Por la esencia de la plasticidad neuronal, la intervención precoz para hacer más efectivos los tratamientos es crucial. Conviene sistematizar pruebas de detección en la etapa preescolar, por ello, entendemos acertado el diseño del paquete de sintomatologías que cita Etchepareborda (2002) y que nos permitirán poner a determinados sujetos en extrema vigilancia y, si procede, diseñar intervenciones sobre los mismos. Recogemos algunas de las manifestaciones y síntomas que deben determinar qué niños necesitan una rápida atención, y como consecuencia un tratamiento preventivo de la dislexia:

-Retraso en el habla, evidenciado cuando un niño, atendiendo a su edad, tiene una capacidad y/o riqueza verbal significativamente inferior a la que correspondería.

-Inmadurez fonológica, observada cuando de forma inesperada cometen errores de pronunciación e interpretación de palabras con sonidos similares.

-Incapacidad de hacer rimas a los 4 años.

-Imposibilidad para atar cordones, en tanto sus compañeros de clase lo hacen con relativa soltura.

-Confusiones espaciales y/o temporales (arriba/abajo, derecha/izquierda, antes/ después, atrás/adelante).

-Falta de dominio manual (hecho que queda evidenciado cuando el niño no se define en las tareas finas entre una mano y otra, intercambiando arbitrariamente ambas).

-Antecedentes familiares con dislexia o con déficit de atención/hiperactividad (TDAH).

La rehabilitación en la escuela

Hemos insistido en otros capítulos sobre el largo y duro proceso del aprendizaje normal de la lectura. A lo largo de la historia de los sistemas de educación universal (no llega a los 130 años) se han diversificado los métodos y estrategias para la enseñanza de la lectura. Consciente o inconscientemente se han buscado métodos que se adapten a los alumnos, desechando estrategias que obligaban al alumno a adaptarse al método. Un claro ejemplo de esta dinámica es el comportamiento que los sistemas educativos han ejercido frente a los zurdos. Hace años se les llegó a atar la mano izquierda y se les forzó al uso de la derecha. Hoy se respeta su singularidad y se favorecen las dinámicas educativas consecuentes con su condición. Es obvio que eficaces métodos educativos deberían paliar en gran medida los casos de dislexias ligeras, su adaptación al alumno va a condicionar positivamente a este, propiciando una capacidad lectora similar a la de los normoléxicos.

La educación convencional está diseñada para satisfacer las necesidades básicas del alumnado normal (*Dislexia y dificultades de aprendizaje*, 1994). Cuando en una unidad escolar hay niños con diferentes grados de dislexia, el currículo "oficial" va a resultar insuficiente. Procede aplicar específicamente a estos alumnos programas diferentes. Estos programas deben profundizar en la existencia de fonemas en el lenguaje, deben facilitar operaciones con reglas que transforman fonemas en grafemas y deben permitir automatizar hasta tal punto esas habilidades, que conduzcan a los alumnos a leer y escribir textos de cierta complejidad. Esta metodología requiere una labor individual intensa, una atención especial del alumno y una dedicación extra del profesor (detectada con diferente grado de compromiso profesional). Resulta necesario desarrollar un trabajo extracurricular, que signifique el establecimiento de un puente que rompa el aislamiento de los disléxicos y que facilite el tránsito hacia la normalidad. Tras ese esfuerzo en la unidad escolar y en el entorno familiar, si los resultados no son satisfactorios, procede, y solo en ese momento, desarrollar un tratamiento diferencial, pero coordinado con el proceso educativo general.

Camino (2005) plantea ciertas recomendaciones para considerar en el ambiente escolar; no son ejercicios de rehabilitación, se trata de consejos pedagógicos que hay que adoptar ante posibles niños afectados por el trastorno. Constatada la inconveniencia de hacer evidentes en público las deficiencias de los disléxicos, recomienda a los educadores determinados comportamientos que les eviten situaciones anímicamente desagradables. Reproducimos ocho recomendaciones para la relación con los disléxicos en la escuela:

1.- Sus salidas a la pizarra deben ser voluntarias.

2.- No procede proponer que lean en alto.

3.- Evitar someterlos a ejercicios competitivos.

4.- Cerciorarse de que entienden bien las preguntas que se les proponen.

5.- Evitar preguntas que deban ser respondidas oralmente ante sus compañeros.

6.- Concederles más tiempo ante la encomienda de tareas.

7.- Hacer un seguimiento más personal, incitándoles a la concentración.

8.- Puede ser recomendable permitirles que sustituyan las evaluaciones por tests orales.

Como colofón a esta relación diferenciada, el autor acepta como mal menor la posibilidad de repetición de curso y considera aceptable, e incluso positivo, el apoyo con clases particulares.

Ya nos hemos referido al denominado efecto "San Mateo" (Gayán, 2001), por lo que el esfuerzo intelectual que los disléxicos tienen que desarrollar para extraer los contenidos les aparta de la lectura. Se distancian, por ello, cada vez más, de los normoléxicos, que encuentran en "el placer de leer" un refuerzo del que no disponen quienes sufren el trastorno.

¿Cómo afrontar la recuperación de la dislexia?

De la dislexia conocemos con detalle sus manifestaciones, hemos recordado los conocimientos actuales sobre los diferentes mapas cerebrales de activación, hay cierto consenso en reconocer las deficiencias anatómico-funcionales. Aceptando la plasticidad neuronal, queda por tanto proponer programas de remediación para aquellos casos en los que el currículo escolar no sea suficiente. No es objetivo de este libro desarrollar pormenorizadamente programas y estrategias que han ideado los psicólogos para resolver los problemas de la dislexia. No obstante, queremos citar alguno de ellos por si el lector quiere ampliar y conocerlos con más detalle.

Estos tratamientos no siempre aportan eficacia absoluta, ni siquiera en suficiente grado para considerar a alguno de ellos como realmente efectivo. Recordamos que Rondal y Serón (1991) ponen en duda la eficacia de los tratamientos. Indican que muchos disléxicos se sobreponen solos y que el tratamiento no es determinante. La dislexia está ligada a un proceso evolutivo, el aprendizaje de la lectura, que requiere tiempo y fases adecuadamente coordinadas.

Líneas generales de los tratamientos frente a la dislexia

Existen numerosísimos tratamientos o programas recuperadores para la dislexia, siendo común el acuerdo de iniciarlo antes de que el niño empiece a leer, todo ello en coherencia con la mayor capacidad adaptativa de los primeros años de la infancia. Algunas metodologías usadas contra la dislexia no tienen el resultado esperado, emplean muchos esfuerzos en corregir alteraciones de procesos periféricos y se centran en el desarrollo de procesos verbales aislados, sin establecer nexos entre los procesos de integración, donde están las mayores dificultades para aprender a leer. Recogemos algunas líneas generales sobre los tratamientos que se han publicado:

1.- Etchepareborda (2002) describe una intervención que debe incluir el desarrollo de funciones complejas como el conocimiento en general, el ritmo, la coordinación visiomotora, la decodificación fonológica, etc. Hemos reseñado que las dislexias más frecuentes no tienen, o no provienen de déficits periféricos de la recepción. Por tanto, es más efectivo diseñar intervenciones pedagógicas destinadas a desarrollar estrategias de organización del pensamiento que puedan compensar, al menos parcialmente, el efecto producido por el déficit en los procesos de integración. Esta intervención puede desarrollarse desde dos enfoques convergentes:

a) Desde el exterior, aportando estímulos visuales. Se deben establecer estrategias que organicen los estímulos visuales y auditivos, de tal forma que se facilite la asociación entre el significante (escrito o hablado) y su significado. Se potenciará la asunción de conciencia fonética para decodificar y se debe adquirir conciencia ortográfica para solventar las desatenciones visuales. Este enfoque debe permitir integrar las claves fonológicas y los signos ortográficos que, en definitiva, provocan la comprensión total del texto. No conviene sobrecargar los esfuerzos de los niños en procesos intermediarios, ocurre que a veces los tratamientos aplicados a los disléxicos se centran principalmente en trabajos secundarios, sin llegar a lo que realmente importa, la comprensión y dominio del lenguaje escrito.

b) Desde los sistemas cognitivos. Se deben crear métodos que activen adecuadamente los procesos verbales superiores de abstracción. Con este segundo enfoque, que se efectúa desde el interior, se induce al niño al análisis pormenorizado de sus procesos cognitivos. Mientras decodifican, deben ser conscientes de sus déficits y percatarse de los logros que progresivamente van adquiriendo. Es razonable que previamente se les pregunte por el posible mensaje del texto, por las palabras claves que se van a usar..., este tratamiento es más eficaz en aquellos sujetos con mayor desarrollo del pensamiento verbal.

2.- Camino (2005) nos propone ejercicios básicos que considera esenciales para la recuperación de los disléxicos. Entre ellos cita ejercicios de ortografía, realización de dibujos, prácticas de atención y repetición, juegos logopédicos, control respiratorio mientras se lee, prácticas de fonación, refuerzo y mejora del conocimiento del esquema corporal y otra serie de ejercicios relativos a la secuencia temporal, prácticas de manualidades, juegos educativos y fomento del uso de la memoria a corto plazo.

3.- Félix Iduriaga (*Dislexia y dificultades de aprendizaje*, 1994) redacta un capítulo que se refiere a la metalingüística como reflexión sobre el lenguaje, conciencia fonológica, morfología y sintaxis; manifestando el autor que quienes responden bien a tareas metalingüísticas tienen mejor predisposición para aprender a leer correctamente. Propone varios ejercicios para activar la conciencia lingüística: descomponer palabras, releer sonidos, encontrar palabras nuevas, aprender movimientos articulatorios de los sonidos. Como actividades de conciencia morfológica y sintáctica, plantea encontrar todas las palabras de una frase, valorar el orden de las palabras, construir palabras compuestas, jugar con prefijos y sufijos, singulares y plurales; finalmente encontrar correspondencia entre lenguaje hablado y lenguaje escrito.

Propuestas específicas

Consideramos en el capítulo 3, por su coherencia y consenso, que la dislexia puede clasificarse atendiendo al módulo del proceso lector en que se expresa algún déficit (Cuetos, 2006). Previo análisis del sujeto disléxico, los expertos podrán catalogar sus deficiencias y con certero diagnóstico determinar el módulo afectado. Averiguado el mecanismo que falla, bien porque no se ha desarrollado, o bien porque ha tenido un desarrollo incorrecto, se podrá diseñar un protocolo de actuaciones para la mejora de las capacidades frente a la dislexia, considerando específicamente al mecanismo defectuoso. Estima

Cuetos (2006) que los ejercicios de psicomotricidad, de esquema corporal, de lateralidad, etc., tienen valor en la potenciación de las capacidades psicomotrices, pero que no parece que ayuden a los problemas de lectura.

Siguiendo el esquema clasificatorio de la dislexia (Cuetos, 2006), que hemos recogido y aceptado, propone su autor tratamientos específicos para cada uno de los módulos afectados.

1.- Rehabilitación en los procesos perceptivos
Para afrontar la rehabilitación en este módulo, recomienda actividades de discriminación de dibujos y de letras. Para mejora del proceso perceptivo conviene comenzar con materiales no verbales, como pueden ser figuras, signos y/o números. En la siguiente fase se utilizará material verbal: letras, sílabas y palabras escritas. Procede, además, introducir juegos con las mayúsculas y minúsculas. Este tipo de ejercicios forma parte de la mayoría de programas de recuperación de la dislexia y están recomendados en prácticamente todos los manuales sobre dislexia.

2.- Rehabilitación en los procesos léxicos
Cuando el déficit está localizado en el proceso de reconocimiento de palabras, es preciso averiguar si el problema radica en la ruta visual o en la ruta fonológica. Para rehabilitar la ruta visual se pueden presentar repetitivamente las palabras escritas, proponiendo su pronunciación y su significado. Las adquisiciones del léxico visual se refuerzan presentando las palabras junto con dibujos alusivos a la misma o introduciendo algún gesto de mímica. Entiende Cuetos (2006) que en los numerosos juegos educativos disponibles en el mercado, aparecen elementos que fortalecen la ruta visual.

En nuestro idioma, donde prácticamente todas las palabras pueden ser leídas por la ruta fonológica, la dislexia superficial (por déficit en la ruta visual) pasa desapercibida y por ello resulta poco problemática. Hemos insistido en varias ocasiones en que el mayor fracaso en el reconocimiento de palabras surge por el uso inadecuado de la ruta fonológica. Los sujetos con dificultades fonológicas responden bien tras ejercitarse con letras de plástico u otro material sólido. Si estas están coloreadas, será más fácil su memorización. La manipulación y la percepción multisensorial de las letras facilita la motivación del niño; llega a considerar el proceso de aprendizaje como un juego, estimulando otros sentidos. Adecuadamente manipuladas las letras, integrando su conocimiento físico e interpretativo, los niños deberán afrontar la etapa siguiente construyendo palabras o incluso frases cortas.

3.- Rehabilitación en los procesos sintácticos

El déficit en los procesos sintácticos queda resuelto cuando se asimilan adecuadamente los papeles gramaticales de cada componente de la oración. Como estrategia para su consecución, se pueden aportar ayudas externas (colores y/o dibujos) que los sujetos puedan utilizar para conocer las funciones sintácticas de cada componente de la oración. Se suelen usar tarjetas de representación que relacionan los sintagmas nominales. Después de citar varios protocolos, Cuetos (2006) reconoce que esta rehabilitación precisa la aplicación sistemática de un proceso gradual.

Dentro de estas estrategias de recuperación, es esencial el aprendizaje, conocimiento y dominio de los signos de puntuación; imprescindibles, como sabemos, para percibir el mensaje escrito. Con el objetivo de lograr atención a los signos de puntuación, se pueden colorear, destacar con mayor tamaño, presentarlos con palmadas... En definitiva, deben alertar al niño de su posición y de las consecuencias sintácticas. De forma paulatina los niños irán asimilando su existencia hasta que mecánicamente los utilicen correctamente en el proceso de lectura.

4.- Rehabilitación en los procesos semánticos

El último de los eslabones en el protocolo lector es el procesamiento semántico. El funcionamiento deficiente de este módulo impide adquirir el verdadero mensaje de los textos. Dejamos claro que el procesamiento semántico es muy complejo, requiere la intervención de operaciones cognitivas superiores. En las prácticas de recuperación de este módulo, recomienda Cuetos (2006) empezar por textos sencillos, que poco a poco se irán complicando; los textos previos pueden servir de base informativa para entender mejor los siguientes. Determina el autor que el coloreado o subrayado de las partes importantes son efectivos para lograr la asimilación de lo escrito. Finalmente conviene guiar al sujeto en la interpretación del texto, recomendándole pausas, proponiendo ejercicios de reflexión, encomendándole esquemas y formulándole preguntas relacionadas.

Referencias a algunos programas

Son numerosas las publicaciones de cuadernos de ejercicios diseñados para afrontar, mediante entrenamiento, la mejora de la dislexia. Tras la irrupción de la informática e Internet en nuestras vidas, la creación de programas de entrenamiento en soportes digitales que resultan más atractivos por su diseño, movimiento, música, recompensas emocionales (asignación de puntos) y apariencia de verdaderos juegos. Son numerosísimos los programas disponibles, de ellos citamos tres programas a título meramente indicativo:

1.-Fast For Word Language (FFW), programa basado en la tecnología de alta adaptación. Explora capacidades de comprensión verbal, conciencia fonémica, la velocidad auditiva, la conciencia fonológica, la memoria de trabajo, la gramática y la sintaxis.

2.- Aquari-Soft, programa diseñado para que el niño se sienta protagonista en su aprendizaje.

3.- Hamlet, cuyo principal objetivo es ejercitar la conciencia fonológica con niños a partir de 5 años de edad.

Las mejoras tras los tratamientos

Un programa de rehabilitación es adecuado cuando logra mejoras significativas que de otra forma no se producirían. Ya hemos advertido que están constatados casos de niños que sin tratamiento específico han superado las manifestaciones de la dislexia. En la mayor parte de los protocolos de recuperación no existe un estudio exhaustivo y científicamente válido para garantizar su efectividad. Nos recuerdan Odegard, Ring, Smith, Biggan y Black (2008) que en chicos diagnosticados como disléxicos fonológicos, tras tratamientos según diversos protocolos, muchos de ellos no responden adecuadamente. Este estudio demuestra mediante RMf que los programas no son absolutamente infalibles. No obstante, existen publicaciones que describen la eficacia de determinados programas de recuperación, citamos seguidamente tres de ellos:

1.- Joly-Pottuz, Mercier, Leynaud y Habib (2008) prueban la eficacia de un entrenamiento combinado de ejercicios auditivos y articulatorios, definiendo una significativa mejora del déficit fonológico en niños con dislexia. Con ortodoxia científica, los individuos disléxicos se dividen en dos grupos. Uno de ellos es sometido a un entrenamiento específico (trabajan aspectos sensomotores y se ejercita la producción articulatoria de fonemas y sus combinaciones). Los resultados confirman la global eficiencia del entrenamiento intensivo fonológico. Se ha logrado una significante mejora de la fonología y de la lectura de pseudopalabras, específicamente evidente tras la aplicación asociada de los dos tipos de ejercicios, concluyendo que sinérgicamente se manifiesta una contribución destacable.

2.- Alves y Capellini (2008) citan un programa de mejora en estudiantes con dislexia. En él de forma ordenada somete a valoración a 24 estudiantes. Es efectuado un chequeo previo y de él dividen al colectivo en diversos grupos, en virtud de su relación con la dislexia. El programa de entrenamiento o recuperación está separado en seis bloques, a través de los cuales se ejercita la conciencia fonológica, el nombramiento rápido, la comprensión verbal y el apoyo fonológico. Concluyen los autores que hay una mejora tras la aplicación del programa de reeducación, pues se comprueba que el entrenamiento dirigido aporta mejoras de nivel en aspectos fonológicos.

3.- Un estudio de Temple y colaboradores (2003) constata la mejora tras la aplicación del método de corrección FFW Language. Los estudios con RMf muestran cambios en la función cerebral. Se ha observado un incremento de la activación en las zonas del lenguaje durante los procesos fonológicos. El tratamiento aporta evidentes mejoras en el lenguaje en general y especialmente en la lectura. Los efectos de este protocolo terapéutico ocurren en las áreas de activación de procesos fonológicos, pero que son disfuncionales en la dislexia. Su aplicación evidencia plasticidad tras el programa de mejora. En definitiva, el estudio demuestra que es posible detectar los cambios en la función cerebral tras el tratamiento.

¿Fármacos al servicio de la dislexia?

Pensar que pueda existir un fármaco que, sin producir efectos secundarios adversos, remedie la dislexia resulta alentador. Siendo conscientes de las bases moleculares, genéticas y anatómicas del trastorno, no queda más opción que ser realista y dudar de la existencia de ese fármaco definitivo. Es posible encontrar algún producto farmacológico que pueda mejorar algunos de los síntomas de la dislexia, sobre todo aquellos que tienen relación con el grado de atención de los sujetos. Es común suponer que los disléxicos, por su comportamiento frente a las tareas de aprendizaje, manifiestan falta de atención. Puede que de forma natural tengan añadido este déficit o, lo que es más probable, que las tareas que se les proponen les resultan tan duras que se distraen, como estrategia defensiva frente a ellas.

Para conseguir mejores grados de concentración y atención, aportamos datos sobre los efectos de algunos fármacos, pues es de sobra conocida la existencia de algunos que tienen efectos sobre la atención. Las drogas psicoestimulantes, como dextroanfetamina, metilfenidato, remolina de magnesio, mejoran el rendimiento en tareas cognitivas (Thompson, 1992).

Además, refiere este autor estudios que atribuyen al piracetam capacidad facilitadora del aprendizaje verbal en adultos normales y en los adultos disléxicos se detectan menos problemas con los sonidos inmediatos. Se supone que el fármaco mejora la transmisión nerviosa a través del cuerpo calloso. No podemos olvidar, y en esa misma referencia bibliográfica se expresa, que existe cierta controversia a la hora de valorar los efectos farmacológicos.

Hemos referido previamente la relación entre la dislexia y el déficit de atención/hiperactividad (TDAH); comparten genes y tienen relaciones cognitivas evidentes. De ello podemos deducir que los tratamientos frente al TDAH pueden influir positivamente ante la dislexia. Artigas-Pallarés (2002) cita un trabajo de Shaywitz y colaboradores (1990) en el que afirman que el metilfenidato puede tener una prometedora estrategia frente a la dislexia, por lo que es procedente investigar sobre ese fármaco.

Para testar adecuadamente los efectos del aprendizaje y de los fármacos, en el año 2005, según refiere Artigas-Pallarés, (2002) apareció un test, denominado RAN/RAS, que valora la velocidad de denominación de objetos, colores, letras, dígitos y estímulos alternantes. Tannok, citado por Artigas-Pallarés (2002), ha encontrado que el metilfenidato mejoraba la prueba de denominación rápida de colores en pacientes con dislexia o TDAH. Se ha encontrado una clara mejoría en determinadas pruebas del test RAN/RAS, como puede ser la precisión en la lectura de palabras y pseudopalabras. Concluyen estos autores que el metilfenidato mejora aspectos básicos de la dislexia en niños que además padecen TDAH. En esa misma dinámica se ha comprobado que el tratamiento con anfetaminas (Amar-Tuillier, 2007) puede mejorar el grado de concentración en niños disléxicos, aunque esta mejora en la concentración está más documentada en casos de TDAH.

Petrich, Greenwald y Berndt (2007) investigaron el ácido docosahexaenoico (DHA) como suplemento para el aprendizaje de la habilidad lectora en un grupo de disléxicos. Estos sujetos tomaban una cápsula al día que contenía DHA y paralelamente seguían el comportamiento de un grupo control. La evaluación cuantitativa tras cuatro meses de suministro del producto, midiendo convenientemente la decodificación de palabras (lectura y velocidad) y la decodificación de letras (velocidad de percepción), permite atribuir a este suplemento un cierto efecto beneficioso en la mejora de la dislexia.

Citamos finalmente a Donfrancesco y Ferrante (2007), que plantean relaciones entre el *Ginkgo biloba* y la dislexia. Este estudio recoge información de la posible eficacia y tolerancia de lo que llaman EGb761, un extracto estandarizado de *Ginkgo biloba*, como tratamiento contra la dislexia. En él, una reducida muestra de cinco niños disléxicos tomaban 80 mg, tras los oportunos tests con medidas estadísticas apropiadas, concluyen los autores que el EGb761 tiene una aceptable tolerancia y es posible asignarle relativa eficacia en el decrecimiento de las dificultades de la dislexia.

Podríamos añadir más estudios y con ellos más fármacos que, se presupone, mejoran la capacidad de lectura. Creemos que los citados son suficientes para reconocer que este campo farmacológico solo puede aportar ciertas mejoras atencionales momentáneas que no van a ser más que leves parches ante los verdaderos signos de la dislexia.

Conceptos básicos del capítulo 8

Título: La rehabilitación de la dislexia
Las enfermedades y trastornos se curan

PLASTICIDAD NEURONAL
- El encéfalo se va construyendo en el tiempo
- La posibilidad de recuperación tiene un periodo crítico
- Se han comprobado reorganizaciones neuronales
- Un proceso dirigido reconduce la plasticidad positivamente

PROPUESTAS DE REHABILITACIÓN

El diagnóstico es esencial — De momento es imprescindible recurrir a pruebas psicológicas

SITUACIONES QUE IMPLICAN RIESGOS REALES
- Tardía adquisición del habla
- Muestras de inmadurez fonológica
- Dificultad con juegos de rimas
- Confusiones espaciales y temporales
- Cierta torpeza manual
- Antecedentes familiares de dislexia y TDAH

Intervención
- Temprana
- Primero en la escuela
- Ante el fracaso de la escuela ——▶ Procedimientos especializados
  - Juegos logopédicos
  - Estrategias de organización del pensamiento

TRATAMIENTOS ESPECÍFICOS

REHABILITACIÓN DE LOS PROCESOS PERCEPTIVOS
Ejercicios de figuras, letras, sílabas, palabras...

REHABILITACIÓN DE PROCESOS LÉXICOS
Para la ruta visual
Palabras acompañadas de dibujos representativos
Para la ruta fonológica
Juegos con letras tridimensionales, palpables y coloreadas

REHABILITACIÓN EN LOS PROCESOS SINTÁCTICOS
Juegos con colores que realcen los grupos sintácticos
Especial consideración de los signos de puntuación

REHABILITACIÓN EN LOS PROCESOS SEMÁNTICOS
Trabajos con textos sencillos y luego progresivamente más complejos

LA DISPONIBILIDAD DE LAS NUEVAS TECNOLOGÍAS

Recursos en Internet con ejercicios interactivos
Videojuegos válidos para la recuperación

Solo podemos confirmar relativas mejoras tras la aplicación de programas
Los fármacos no han resuelto el problema

Capítulo 9. Conclusiones

Llegado este momento procede plantear condensadamente las conclusiones de nuestro trabajo para presentar al lector, en pocas líneas, una visión global de las partes que consideramos más significativas de nuestra exposición previa. Planteamos, pues, diez conclusiones, siendo la décima una propuesta actualizada del concepto *dislexia*. Tras esa última conclusión, también de forma breve, justificaremos su coherencia con las aseveraciones mejor documentadas y probadas sobre la dislexia, finalmente dejaremos constancia de lo que entendemos que debieran ser las nuevas propuestas investigadoras.

Primera conclusión: el hombre habla

Esta aparente obviedad deja de serlo al relativizar un hecho trascendente para nuestra especie: el lenguaje. El vertiginoso distanciamiento evolutivo que ha seguido nuestra especie frente a sus antepasados, primates primero y homínidos después, permitió hace no más de 50.000 años disponer de nuestro lenguaje. El bipedalismo y las modificaciones anatómicas bucofaríngeas acompañados de un desarrollo cortical sin precedente en la evolución de las especies han confluido para dotar biológicamente al hombre del habla. Estos últimos 50.000 años son un suspiro dentro del largo proceso evolutivo que ha conducido hasta nuestra especie.

Todos los hombres, en todas las latitudes, han desarrollado el lenguaje. Las particulares formas de afrontar la comunicación han generado las más de 6.000 lenguas que hoy usamos, a las que habría que añadir las miles que se han perdido en nuestra azarosa historia. No obstante, todas las lenguas se sustentan en unas estructuras nerviosas perfectamente diseñadas al efecto. El lenguaje, con sus versátiles matices, permite la producción de una infinita gama de mensajes que han sido decisivos para garantizar el éxito evolutivo de la especie.

El discurrir filogenético tiene su paralelismo en el desarrollo ontogenético, mediante el cual, los niños con la simple atención afectiva y comunicativa de su entorno familiar adquieren, de forma perfectamente programada, el lenguaje igual que adquieren con el paso de los años otras capacidades evolutivas (desarrollo motriz, crecimiento corporal, aptitud reproductiva...).

Segunda conclusión: el hombre puede leer y escribir

Complementaria a la capacidad innata de hablar, el hombre puede escribir. Recalcamos la consideración de la escritura como posibilidad, frente a la capacidad de hablar. Esta diferenciación entre posibilidad y capacidad se constata, para que el lector nos siga, también entre "nadar" y "caminar". Nadar es una posibilidad que tiene el hombre, sin ser un animal "anfibio", que requiere un esfuerzo especial y que está limitada a quienes de forma consciente o dirigida se lo han propuesto. Caminar es innato al hombre, cualquier niño en su desarrollo infantil, primero torpemente, pero después grácilmente, logra desplazarse exclusivamente con sus "largas" extremidades inferiores.

Esta posibilidad de escribir, de usar un lenguaje secundario y subsidiario del habla surgió hace unos 5.300 años, cuando apoyados en varias capacidades humanas (la motricidad fina de las manos, los recursos visuales, la inteligencia, la capacidad de abstracción y el simbolismo) desembocaron en un sistema de "grabación" de ideas y/o conceptos, que más tarde derivó en un sistema de "grabación" de sonidos, los sonidos de la lengua.

Como posibilidad y no como capacidad, la escritura ha surgido en varios momentos de la historia de la humanidad, en varias culturas y con diferentes soluciones con un mismo objetivo final: dejar constancia de un hecho, una idea, un contrato, una cuenta... en un soporte duradero y muchas veces transportable.

La escritura ha sido un instrumento de poder, ha sido "poseída" por grupos sociales privilegiados y con ella se han distanciado social y jerárquicamente de las masas populares ajenas al fenómeno. No obstante, la escritura ha aportado enormes beneficios colectivos a toda la sociedad en el progreso científico, tecnológico y, sobre todo, cultural. El lógico desarrollo histórico hizo que grupos reducidos, pero influyentes, los ilustrados, potenciaran la extensión de la escritura a todos los individuos, como elemento de racionalización y liberación. Gracias a estas propuestas, desde hace unos 130 años se han ido instaurando sistemas universales que han permitido a casi todos los jóvenes disponer de un método ordenado, reglado y gratuito para su aprendizaje.

Tercera conclusión: el hombre lee y escribe mediante exaptación

Cuando hace miles de años a un joven privilegiado griego o egipcio se le sometía a un largo y difícil proceso de aprendizaje, tal como hoy se hace con la generalidad de los niños del mundo desarrollado y buena parte de los del tercer mundo, se están utilizando unas estructuras biológicas con unas capacidades, propias de nuestra especie, para el desempeño de unas tareas para las que no estaban diseñadas. A este "reciclaje evolutivo" se le llama exaptación.

Podría existir exaptación en la adaptación de nuestras manos al manejo del cincel, la pluma, el bolígrafo o incluso el teclado de un ordenador. Pero la exaptación más sorprendente es la que permite usar estructuras nerviosas diseñadas para capacidades diversas en el manejo y mecanización de los procesos de lectura y escritura.

Nuestro encéfalo está dotado de unas capacidades logradas evolutivamente que nos resuelven problemas de supervivencia: reconocemos animales peligrosos, recordamos lugares, interpretamos signos naturales, programamos nuestro futuro inmediato, desarrollamos ideas, nos comunicamos… Hemos reconvertido las capacidades encefálicas de identificación de figuras para reconocer las letras, las de memoria para retener su configuración y su orden, las de interpretación para asociar los significantes escritos con sus significados y las de comunicación para vertebrar esta forma subsidiaria del lenguaje humano. Hoy podemos "ver", con técnicas de neuroimagen, cómo se usan las mismas estructuras encefálicas que se encargan de las capacidades naturales del hombre para desarrollar aspectos concretos del complejo proceso lector. La exaptación está totalmente probada.

Cuarta conclusión: la lectura y escritura se desarrollan mediante un procesamiento modular

Los psicólogos, pedagogos y educadores en general, tras desarrollar un amplísimo trabajo de campo sobre miles de normoléxicos, disléxicos y otros afectados por trastornos y enfermedades diversas, llegaron a la conclusión de que la lectura se desarrolla mentalmente con el funcionamiento de varios módulos distinguibles teóricamente y probados por la casuística de las muestras investigadas. Este funcionamiento, a su vez, está sujeto a una secuenciación correcta, o a veces a un procesamiento paralelo para finalmente conducir a la correcta lectura.

Las neurociencias han corroborado esta modulación del proceso lector y han localizado algunos de ellos, mientras que otros permanecen más difusos y sujetos a futuras investigaciones.

Quinta conclusión: "por sus signos los conoceréis"

La dislexia es un trastorno cuantitativo, se expresa en diferentes grados, habiéndose creado muchos sistemas para medirla. Es común graduar y clasificar la dislexia según la velocidad lectora y/o número de errores durante la misma (a falta de escala estandarizada y reconocida internacionalmente, los especialistas la califican como leve, moderada, grave y muy grave). Son precisamente los errores o signos que evidencian los disléxicos los que se usan para diagnosticarla como trastorno o, si procede, descartarlo. Como el proceso de aprendizaje de la lectura requiere un esfuerzo plurianual, se deben considerar los errores que son propios dentro de la edad y momento educativo que se analiza.

La perfecta catalogación de los errores típicos que cometen los disléxicos, analizados convenientemente por un profesional y contrastados sobre "modelos" de normalidad, permitirán diagnosticar el trastorno. Hemos de reconocer que este trabajo de campo está siendo desarrollado correctamente por los psicólogos cognitivos, que disponen de experiencia, cuestionarios adecuados y muestras significativas, para, con certeza, pronunciar el diagnóstico.

Sexta conclusión: las dislexias adquiridas están perfectamente justificadas por lesiones localizadas y describibles, las dislexias evolutivas deben tener un trasfondo de déficit estructural mucho más sutil

Los primeros investigadores de la dislexia se enfrentaron con individuos capaces de leer, los cuales, de forma repentina, tras un accidente vascular, un tumor, un traumatismo... perdieron, en diferente grado, esa nueva capacidad. Afecciones puntuales en determinadas áreas encefálicas desencadenaron diversas modalidades y grados de dificultad en su lectura. Hoy denominamos a esta situación "dislexia adquirida", por contraposición a "dislexia evolutiva". La localización mediante autopsias del verdadero foco de la lesión, que había generado tan sorprendentes consecuencias, posibilitó establecer relaciones entre determinadas zonas encefálicas y modalidades concretas de afecciones detectadas en el proceso de lectura.

En la dislexia evolutiva se está investigando con técnicas de neuroimagen de última generación, estas permiten comprobar patrones de activación zonales en el encéfalo que se apartan de la normalidad. Estas pruebas demuestran los particulares mapas de activación encefálica que distinguen a normoléxicos de disléxicos.

En experimentación animal adecuadamente diseñada y en las pocas autopsias efectuadas sobre disléxicos se constata una sutil diferencia, pero determinante, en la estructura de la corteza cerebral de concretas áreas implicadas en el procesamiento del lenguaje.

Séptima conclusión: la dislexia resulta de un deficiente funcionamiento de un módulo lector

La lectura comprende procesamientos perceptivos, léxicos, sintácticos y semánticos para, finalmente, extraer el mensaje de los textos para ello dispuestos. Los módulos lectores, por su concepción teórica, deben ejecutarse tanto en normoléxicos como en disléxicos, pero en estos últimos tienen peor rendimiento. Las ciencias cognitivas detectan el módulo o submódulo afectado, así como el grado de afección. Las neurociencias están determinando, con las limitaciones propias de este tipo de investigación en humanos, la deficiencia estructural, anatómica, de localización o de conexiones que se corresponden con la sintomatología del disléxico.

Se está generalizando, cada vez más, que la más común de las diferencias estructurales que se manifiestan en un disléxico es una disposición alterada ligeramente de las capas celulares de la corteza cerebral, especialmente en las zonas implicadas con el lenguaje (AB 21, 22, 37, 39, 40, 42, 44 y 45). Cabe suponer que esta disposición relativamente anormal es consecuencia de una migración neuronal incompleta.

Octava conclusión: la dislexia es una manifestación condicionada por la interacción de varios genes e influida por el ambiente

Han quedado definidos, al menos, nueve *loci* dentro de los cuales se ubican genes que de una u otra forma condicionan el fenotipo del disléxico. Estos genes no repercuten en una anomalía específica, forman parte de variantes genéticas presentes en la población general. Investigaciones futuras aclararán mejor la definición de estos genes y es fácil que se aporten nuevos candidatos que de una u otra manera coadyuven a la manifestación de la dislexia. De las numerosas combinaciones posibles, algunas, acompañadas de situaciones ambientales concretas, determinarán la aparición de la dislexia. Esta combinación, primero genética, y después aliñada con los factores ambientales, determina poca habilidad lectora, como otras combinaciones desembocan en individuos poco dotados para el canto o para el dominio de un instrumento musical. Muchos de los genes relacionados con la dislexia tienen en su expresión consecuencias en la migración neuronal y en la adhesión intercelular, aspectos justificativos de la aludida deficiencia estructural en la corteza cerebral.

La presencia de estas combinaciones genéticas en la inmensa mayoría de nuestros antepasados en nada les privó de condiciones favorables para su supervivencia y reproducción. El carácter multigenético debe permitir contemplar la dislexia como el resultado de un balance entre habilidades desfavorecidas y habilidades favorecidas por compensación.

Novena conclusión: es posible rehabilitar al disléxico

Se ha constatado que muchos de los niños que son calificados inicialmente como disléxicos, en su primera infancia, sin intervención específica han sido capaces de enmascarar sus defectos y pasar un par de años más tarde perfectamente desapercibidos, libres, aparentemente, del trastorno. El aprendizaje de la lectura es un proceso evolutivo que requiere su tiempo, durante el cual mecanismos mentales en muchos casos desconocidos ejercen una reparación y/o subsanación o, simplemente, desarrollan los sistemas precisos para el acto lector. Uno de estos mecanismo es sin duda alguna el de la plasticidad neuronal.

Existen, no obstante, otros niños que con los métodos educativos convencionales y generalizados no superan las trabas más determinantes del trastorno. Está documentado que algunos de ellos, que se sobreponen al problema y logran éxitos formativos como la consecución de títulos universitarios, diseñan estrategias individuales que les permiten resolver los más importantes problemas que el trastorno les genera, si bien es cierto que no pueden borrar absolutamente esa "huella" que deja el trastorno.

Está comprobado que los diferentes sistemas interventivos rehabilitan en determinados grados al disléxico. La variedad de protocolos y la diferente orientación de cada uno de ellos nos hacen suponer que no se ha diseñado el definitivo, pero no por ello debemos dudar de la relativa eficacia de los mismos. El diagnóstico precoz será elemento esencial en la resolución parcial del problema.

Sabemos de la eficacia de los tratamientos farmacológicos con trastornos relacionados con la dislexia, como en el TDAH, pero dudamos que exista alguno que pueda resolver satisfactoriamente la dislexia.

Décima conclusión: la dislexia puede definirse

La universalización de los sistemas educativos puso en contacto a millones de niños con el aprendizaje de la lectura. Reconocido el difícil camino de la adquisición de la lectura, consciente de la mejorable didáctica empleada en su enseñanza, se concluye que existe entre un 4 y un 15 % de niños que de forma inexplicable tienen dificultades constatables en el proceso lector.

Aparte de las lógicas divagaciones que la investigación de un "nuevo" fenómeno genera, finalmente la dislexia ha sido reconocida como trastorno cierto y diagnosticable. Existen niños con una inteligencia entre normal y muy alta que, a pesar de disponer de entornos familiares y sociales óptimos y de recursos educativos válidos, tienen dificultades cuantificables con la lectura. Estos niños desarrollan su vida extraeducativa con desenvoltura, sin mostrar signos que denuncien su dificultad.

La dislexia se evidencia por la lectura. Si a un individuo no se le somete al protocolo de aprendizaje de la lectura, su dislexia pasaría desapercibida. La deficiencia estructural que provoca dislexia en nada es perjudicial para el desarrollo vital de los individuos en ambientes donde la escritura no sea elemento de competitividad social.

Dado que la lectura solo ha sido adquirida por poco más del 1 % de todos los humanos que sobre la Tierra han existido, antes de 1850, el presunto defecto estructural que causa dislexia no ha supuesto carga para la supervivencia a quien lo ha padecido. Individuos con caracteres anatómicos y/o fisiológicos que han supuesto taras para su lucha vital, como pueden ser las deficiencias visuales, acústicas y motoras, han experimentado el principio darwiniano y han tenido, hasta la explosión médico-tecnológica de los últimos 100 años, muy pocas posibilidades de supervivencia. En cambio, los disléxicos no han experimentado tara alguna para perpetuar su linaje.

Como el objetivo final de este libro es dar una visión actualizada de la dislexia resultante de la confluencia de las diversas especialidades científicas que sobre ella trabajan, nos permitimos elaborar una definición del término, que de forma simple, pero contundente recoge conceptualmente los aspectos más significativos de la misma:

La dislexia es un trastorno que provoca dificultades para la lectura en algunos individuos intelectualmente aptos y social y educativamente bien dotados que, por condicionantes genéticos y ambientales, tienen distribuciones y conexiones neuronales que, sin ser patológicas, son deficitarias o insuficientes para desarrollar plenamente una nueva capacidad humana: la lectoescritura.

Discusión de nuestra definición

A lo largo del libro hemos recogido diversos matices y propuestas de investigadores multidisciplinares que nos han resultado especialmente interesantes y coherentes para definir, explicar y comprender la dislexia. Retomamos brevemente algunas de ellas para que el lector constate hasta qué punto confluyen con nuestra décima conclusión.

Dislexia y exaptación

La lectura es una posibilidad humana que se sustenta en estructuras anatómicas y funcionales que no estaban diseñadas para ello, pero que han resultado eficaces para la mayoría de los humanos que se han enfrentado a ella. Sutiles diferencias en los patrones anatómicos y/o funcionales frente a los considerados normales desencadenan efectos exponenciales en la manifestación de esta capacidad no biológica, lo que deja en evidencia a los disléxicos.

Dislexia y sexo

La dislexia es esencialmente masculina. Cuando hemos hablado de condicionantes ambientales estábamos pensando, fundamental, aunque no exclusivamente, en el ambiente químico en que se desarrolla un encéfalo en gestación. Las hormonas masculinas se han considerado especialmente inoperantes ante lesiones puntuales en la corteza cerebral, frente al papel protector de las hormonas femeninas; de esta forma, las niñas en gestación han resuelto mejor las lesiones y/o alteraciones estructurales del sistema nervioso que pueden provocar dislexia.

Dislexia y dominancia hemisférica

Un desarrollo normal del encéfalo genera hemisferios asimétricos anatómica y funcionalmente considerados. La asimetría determina dominancia relativa por parte de un hemisferio para según qué tareas o funciones. La dislexia está ligada a la indefinición de dominancia y esta está justificada por una inadecuada ordenación de las neuronas que por migración defectuosa y/o apoptosis (muerte celular programada) irregular conducen a una simetría que no define satisfactoriamente el **dominio hemisférico**.

Dislexia y sistema magnocelular

La relación entre la dislexia y el sistema magnocelular, presente tanto en las vías visuales como en las acústicas, está perfectamente documentada. Las grandes células implicadas en la transmisión visual y acústica resultan ser un 30 % más pequeñas en los disléxicos. Esta anomalía anatómica puede estar justificada por la operatividad de los circuitos neuronales, los cuales se mantienen funcionales por complejos sistemas de retroalimentación. Si una función cortical se desarrolla insuficientemente, la retroalimentación ligada a ella también se desarrollará deficitariamente generando menor actividad y, por tanto, puede que menor tamaño en las neuronas iniciales de los circuitos implicados.

Dislexia y plasticidad neuronal

Debemos considerar como sorprendentes las capacidades de nuestro encéfalo. Una de ellas es la plasticidad neuronal, mediante la cual las neuronas, sus conexiones y los circuitos que forman, se modifican en beneficio de la adaptación a nuevas condiciones, tanto internas como externas. En el largo periodo infantil de nuestra especie se desarrolla esta capacidad, permitiendo por lo general soluciones y adaptaciones satisfactorias para el individuo.

En la plasticidad neuronal se fundamentan los protocolos rehabilitadores de la dislexia. Reconocidos los signos propios del trastorno, con metodología adecuada se puede dar en gran medida soluciones a los mismos, soluciones que el encéfalo recaba de sus estructuras diversas para lograr, en algunos casos, una práctica recuperación del trastorno, recuperación que puede concretarse, bien con compensación desde otras zonas encefálicas, bien mediante reforzamiento de circuitos condicionados por la interacción ambiental.

Dislexia y migración neuronal

La migración neuronal es un hecho transcendental del desarrollo embrionario. Se han descubierto los patrones y mecanismos de proliferación y desplazamiento posterior de neuronas antes de colocarse en su lugar definitivo y desde él conectarse adecuadamente a una amplia red de circuitos en serie y paralelos que forman el amasijo de neuronas encefálicas. Como hemos reseñado, una deficiente estructuración de las neuronas está ligada a la dislexia; esta situación anormal puede ser debida a una incorrecta migración neuronal y motivada esta por diseño genético, por lesiones e infecciones, por hormonas circulantes, etc.

Dislexia y los sentidos

Se han propuesto determinadas deficiencias sensoriales o descoordinación de los centros receptores de los sentidos como responsables de la dislexia. El correcto funcionamiento de la percepción sensorial está condicionado por la correcta disposición de las neuronas de los centros sensitivos superiores. Como estamos repitiendo que la dislexia se fundamenta esencialmente en una anormal disposición estructural de las neuronas, las presuntas deficiencias sensoriales pueden estar perfectamente explicadas por la sutil diferencia estructural de las capas neuronales en la corteza cerebral.

Dislexia y la genética

Desde muy pronto se constató en la dislexia su carácter hereditario. No obstante, nunca pudo explicarse bajo los postulados mendelianos. La ampliación de la genética ha permitido ligar la dislexia a 9 *loci*, que de una forma difusa, pero confluyente, determinan a los disléxicos. Los genes, con la interacción ambiental, determinan el resultado final de cada individuo. Se han descubierto genes que codifican proteínas relacionadas con el correcto funcionamiento de la migración y la adherencia neuronal. La genética, indudablemente, condiciona a determinados individuos hacia la dislexia

Dislexia y memoria

Conceptualmente *memoria* es la capacidad de recordar imágenes, conocimientos, nombres, lugares, mecanismos, rostros… y dentro de cada modalidad pueden considerarse determinadas modalidades temporales (a corto y a largo plazo). Está comprobado que puede existir un funcionamiento anómalo en alguna de estas memorias, permaneciendo las demás intactas. En el procesamiento lector las memorias juegan un importante papel, tanto para reconocer letras, como palabras, como para recobrar su significado. Si las estructuras nerviosas que sustentan alguna de estas memorias tienen una leve anormalidad, puede ser suficiente para evidenciar dislexia.

Propuestas finales

Conocidas perfectamente las manifestaciones cognitivas de los disléxicos, proponemos, como retos más inmediatos para dilucidar cuestiones pendientes, la investigación en diversas vertientes:

1.- Anatómico-funcionales. Definir perfectamente los desórdenes estructurales y funcionales de las áreas encefálicas relacionadas con la dislexia desde una perspectiva molecular, celular y tisular. Conocidas las bases estructurales que desembocan en dislexia, procederá, además, conocer los mecanismos biológicos que provocan esas anomalías o desorganizaciones (interacciones hormonales, lesiones puntuales, migración defectuosa, débil adherencia celular…).

2.- Genéticas. Delimitar correctamente cada uno de los alelos que forman el conjunto de los que en sus diferentes combinaciones presenciales determinan la dislexia. Además procederá conocer la repercusión detallada que tiene cada uno tras su expresión, así como los mecanismos y condicionantes de esta.

3.- Cognitivas. Determinar las pautas correctas de intervención para resolver, con la mayor eficacia posible, las manifestaciones de la dislexia. Estas pautas de intervención deberán ser chequeadas, bien por la valoración de las mejoras detectadas en los individuos tratados, como por la comprobación no invasiva de los cambios anatómicos y funcionales en las áreas críticas para la dislexia.

4.- Multidisciplinares. Llegado el momento actual, conocida la dislexia desde diferentes puntos de vista, parece procedente formar equipos multidisciplinares que unitariamente aborden la dislexia. Los especialistas que integren estos equipos deberán acometer coordinadamente su trabajo científico con el objetivo final de afrontar el trastorno con garantías de éxito. Los resultados de estos trabajos multidisciplinares deberán invitar a los poderes públicos a crear marcos educativos propicios para la perfecta integración de los disléxicos.

Conceptos básicos del capítulo 9

Título: Conclusiones

DIEZ CONCLUSIONES

El hombre habla

El hombre puede leer y escribir

El hombre lee y escribe mediante exaptación

La lectura y escritura se desarrollan mediante un procesamiento modular

Los disléxicos: ¡por sus signos los conoceréis!

Las dislexias adquiridas están perfectamente justificadas por lesiones localizadas y describibles, las dislexias evolutivas deben tener un trasfondo de déficit estructural mucho más sutil

La dislexia resulta de un deficiente funcionamiento de un módulo lector

La dislexia es una manifestación condicionada por la interacción de varios genes e influida por el ambiente

Es posible rehabilitar al disléxico

La dislexia es un trastorno que provoca dificultades para la lectura en algunos individuos intelectualmente aptos y social y educativamente bien dotados que, por condicionantes genéticos y ambientales, tienen distribuciones y conexiones neuronales que, sin ser patológicas, son deficitarias o insuficientes para desarrollar plenamente una nueva capacidad humana: la lectoescritura.

RELACIONES DE LA DISLEXIA

Con el sexo	Con la dominancia hemisférica
Con el sistema magnocelular	Con la plasticidad neuronal
Con la migración neuronal	Con la genética
Con la memoria	

PROPUESTAS INVESTIGATIVAS FINALES

Anatómico-Funcionales	Genéticas
Cognitivas	Multidisciplinares

Recursos en Internet sobre Asociaciones, Foros y Blogs relacionados con la dislexia

Asociaciones españolas

Assosiació Catalana de Dislèxia. http://www.acd.cat/ACD/

AVADIS. Asociación Valenciana de Dislexia y Otros Problemas de Aprendizaje. http://www.dixle.com/

ASANDIS. Asociación Andaluza Dislexia en Positivo. http://asandis.blogspot.com/

DISLEBI. Asociación de Dislexia de Euskadi. http://dislexiaeuskadi.com/dislebi.php

DISLECAN. Dislexia Canarias y otras Dificultades de Aprendizaje. http://www.dislecan.es/

DISFAM. Asociación Dislexia y Familia. http://www.disfam.net/

Dislexia Sin Barreras. http://www.dislexiasinbarreras.com/

AGADIX. Asociación Galega de Dislexia. http://www.agadix.es/

Asociación de Dislexia de Granada. http://www.dislexiagranada.es/

ADIXMUR. Asociación de Disléxicos de Murcia. http://www.adixmur.org/

Asociación leonesa de dislexia "Superar la Dislexia". http://disleon.blogspot.com/

Asociaciones internacionales

Estados Unidos: International Dyslexia Association. http://www.interdys.org/

Austria: Erster Österreichischer Dachverband Legastheniesmall. http://www.legasthenie.at/

Reino Unido: The Brittish Dyslexia Associacion. http://www.bdadyslexia. org.uk/

Alemania: Deuscher Dachverband Legasthenie. http://www.dvld.de/

Foros

Foro de AVADIS. http://www.dixle.creatuforo.com/

Blogs de dislexia

Dislecan Noticias. http://dislecan.blogspot.com/

Noticias Dislexia. http://dislexianews.blogspot.com/

Mi dislexia y yo. http://dixle.blogspot.com/

Noticias AVADIS. http://dixle.wordpress.com/

Blog Dislexia Sin Barreras. http://dislexiasinbarreras.blogspot.es/

Blog Dislebi, Euskadi. http://dislebi.wordpress.com/

Blog Oficial Dislexia Sin Barreras. http://dsb-esp.blogspot.com/

Blog Disfam Actualidad. http://disfam.blogspot.com/

Blog Dislexia-Madrid. http://dislexia-madrid.blogspot.com/

Guía para padres despistados. http://padresdespistados.blogspot.com/

Federación Española de Dislexia-Actualidad. http://actualidadfedis.blogspot. com/

Blog Dislexia Jaén. http://dislexiajaen.myblog.es/

Glosario

Ablación. Extirpación o destrucción que se hace en medicina de una región corporal (entre ellas el encéfalo).

Adenina. Una de las cinco bases nitrogenadas que forman parte de los ácidos nucleicos (ADN y ARN) y del código genético. Se representa con la letra A.

Afasia. Defecto o pérdida de la capacidad de expresarse por palabras, por escrito o por signos. Los sujetos afásicos pueden no comprender el lenguaje escrito o hablado. Esta situación surge por lesión, ablación o enfermedad en el encéfalo.

Afasia semántica. Denominación que se usa para referirse a cualquier deficiencia en el procesamiento semántico de las palabras.

Agrafía. Incapacidad sobrevenida de expresarse por escrito. Tiene dos manifestaciones posibles: una, como alteración morfológica de la escritura, y dos, como incapacidad absoluta para escribir (una evidencia más de la afasia).

Agramatismo. Incorrecta utilización de las reglas gramaticales en el procesamiento de la información escrita. Es una forma de afasia de expresión en la que se suprimen o se utilizan inadecuadamente los morfemas gramaticales.

Alelo. Cada una de las formas alternativas de un gen (se diferencian por su secuencia) que tienen un efecto diferente en la función del gen. Ocupan el mismo *locus* cromosómico. En un individuo diploide siempre están presentes dos alelos, uno en cada cromosoma homólogo y cada uno procedente de un parental. La relación entre los alelos que determinan un carácter monogenético (la dominancia, la codominancia y la recesividad) fijará el genotipo para ese carácter.

Alexia. Forma de afasia sensorial por la que se pierde la capacidad de comprender el lenguaje escrito como consecuencia de una lesión encefálica.

Alfabeto arameo. Es el alfabeto diseñado para escribir la lengua aramea. Todas las letras representan consonantes. Apareció en el año 1000 a. C. (coexistió con el alfabeto fenicio) y más tarde se usó para escribir el hebreo, entre otras lenguas.

Alfabeto fenicio. Es un alfabeto de 27 consonantes que por evolución llegará a configurar nuestro alfabeto actual. Está datada su primera aparición en el año 1000 a.C. (coexistió con el alfabeto arameo).

Alfabeto protosinaico. Alfabeto previo al ugarítico y parcialmente descifrado. Es considerado el primer alfabeto que puede ser llamado así. Su aparición está datada en el año 1400 a. C.

Alfabeto ugarítico. Alfabeto cuneiforme de 31 letras que fue empleado alrededor de 1300 a. C. para representar gráficamente el idioma ugarítico, una lengua extinguida. Fue descubierto en 1928 en Ugarit (Siria).

Ambiente. Denominación genérica de todos los factores que, no siendo genéticos, influyen en el desarrollo de los individuos. Engloba aspectos culturales, climáticos, afectivos, químicos, sociales, educativos, ecológicos…

Análisis de ligamiento. Método estadístico que aprovecha la transmisión conjunta de alelos que están muy próximos en los cromosomas para valorar la implicación de algunos de ellos en determinados genotipos, habitualmente enfermedades o trastornos.

Apoptosis. Muerte celular programada y determinada genéticamente. Es esencial en el desarrollo de los tejidos, en los cuales la desaparición ordenada de células conduce a la configuración final del mismo. La muerte celular programada, en contra de otras muertes celulares, se desarrolla siguiendo un programa ordenado que facilita la fagocitación de los restos celulares.

Área cortical de asociación. Cada una de las áreas de la corteza cerebral (excluidas las áreas primarias) conectadas entre sí y con el neotálamo por muchas fibras que atraviesan el cuerpo calloso. De ellas dependen los procesos mentales superiores (memoria, lenguaje, interpretación de las sensaciones...).

Área de Broca. Zona de la corteza cerebral que se corresponde con las áreas de Brodmann 44 y 45. Está relacionada con el habla y su lesión provoca la conocida afasia de Broca.

Área de Brodmann. Cada una de las zonas de la corteza cerebral (unas 52) caracterizadas por las diferencias en su citoarquitectura (tipos de células presentes y la organización de sus láminas) de los mamíferos, según criterio de Brodmann. Cada área está identificada con un número. En este libro se identifican las áreas colocando previamente las siglas AB al número que corresponda.

Área de Wernicke. Zona de la corteza cerebral que se corresponde con las áreas de Brodmann 22, 39 y 40. Está relacionada con las funciones auditivas asociadas al lenguaje. Su lesión provoca la conocida afasia de Wernicke.

Área perisilviana. Denominación genérica para referirse a las zonas de la corteza cerebral que se sitúan en torno a la cisura o fisura de Silvio.

Área primaria. Cada una de las áreas de la corteza cerebral formadas por la corteza motora y sensitiva. En ellas existe una precisa localización de zonas que controlan motriz y sensitivamente las partes del cuerpo. Desde el área motora las neuronas eferentes controlan el movimiento voluntario y en el área sensitiva se perciben conscientemente las sensaciones.

ARNi. Ácido ribonucleico de interferencia. Es un ARN que tiene como función la supresión de la expresión de determinados genes.

ARNm. Ácido ribonucleico mensajero. Es el ARN que transmite la información del ADN para sintetizar proteínas. Se forma como una copia complementaria de un tramo de ADN, y en contacto con los ribosomas guía la síntesis de proteínas según el código genético.

Autismo. Trastorno del desarrollo permanente y profundo. Se manifiesta por una incapacidad de interacción social, aislamiento profundo y estereotipias (movimientos incontrolados de alguna extremidad, generalmente las manos).

Axón. Prolongación filiforme de las neuronas a través de la cual viaja el impulso nervioso que por sinapsis lo transmite a otra neurona, músculo o glándula.

Barbitúricos. Tipo de droga que actúa como sedante del sistema nervioso central. Producen una amplia gama de efectos, desde sedación suave hasta anestesia.

Campana de Gauss. Es la representación gráfica, en forma de campana, de una distribución estadística normal. Es simétrica respecto a la media del parámetro que representa (por ejemplo la estatura de una población).

Campo semántico. Grupo de palabras que están relacionadas por su significado, compartiendo ciertas características comunes o referenciales (como pueden ser todas las palabras que hacen referencia a vías de comunicación: camino, carretera, sendero, autopista...).

Cápsula interna. Masa de fibras, en la base del cerebro, semejantes a un abanico que separa el núcleo lenticular del núcleo caudado.

Cariotipo. Conjunto completo de los cromosomas del núcleo de una célula. Dispuestos adecuadamente estos, y teñidos convenientemente, pueden ser estudiados en la determinación de aberraciones y/o determinadas mutaciones.

Centrómero. Porción estrecha del cromosoma por la que este se une al huso durante la división celular. Sirve de referencia para distinguir en el cromosoma el brazo corto del largo.

Cerebelo. Región del encéfalo que integra las vías sensitivas y las vías motoras. Las lesiones del cerebelo no causan parálisis, aunque sí desórdenes en la realización de movimientos que requieren precisión. El cerebelo está unido a la protuberancia y se encuentra debajo del lóbulo occipital.

Chunk. Unidad de codificación del lenguaje, puede ser un dígito, una letra, una palabra. El hombre, por término medio, es capaz de recordar de forma exacta entre 5 y 9 chunks.

Circuito neuronal. Conjunto de conexiones sinápticas ordenadas que se producen entre las neuronas.

Circunvolución. Cada una de las elevaciones tortuosas de la superficie del cerebro producidas al plegarse la corteza sobre sí misma. En algunos textos se denomina giro.

Circunvolución angular. Giro angular. Se corresponde con el área de Wernicke (AB 22, 39 y 40).

Cisura. Surco largo y profundo que divide los lóbulos de los hemisferios del cerebro. Se usan también, indistintamente, los términos *fisura* y *surco*.

Cisura calcarina. Surco horizontal en la porción posterior de la cara interna del hemisferio que se une al surco parietooccipital.

Cisura de Rolando. Surco central que separa los lóbulos parietal y frontal. Desde la zona más alta del cerebro desciende hasta la cisura de Silvio.

Cisura de Silvio. Surco lateral que separa los lóbulos frontal y temporal. Se bifurca en dos ramas, entre las que se encuentra la ínsula.

Citosina. Una de las cinco bases nitrogenadas que forman parte de los ácidos nucleicos (ADN y ARN) y del código genético. Se representa con la letra C.

Código genético. Conjunto de "normas" por las que la información codificada en el material genético se traduce en proteínas. El código define la relación entre secuencias de tres nucleótidos, llamadas codones, y aminoácidos. Cada codón se corresponde con un aminoácido específico.

Cognitivo. Aquello que se refiere al conocimiento y al pensamiento (saber y pensar).

Comorbilidad. Presencia de uno o más trastornos (o enfermedades) además de la enfermedad o trastorno primario.

Conciencia de los fonemas. Capacidad que permite conocer la constitución de las palabras por unidades fonológicas discretas, los fonemas.

Conciencia fonológica. Capacidad de comprender que un sonido o fonema está representado por un grafema o signo gráfico que, a su vez, si se combina con otros, forman unidades sonoras y escritas que permiten construir una palabra dotada de significado.

Conducto de Müller. En el sexo femenino, el conducto que, en estado fetal, dará lugar a las trompas y a la matriz.

Conducto de Wolf. En el sexo masculino, el conducto que, en estado fetal, dará lugar al conducto deferente.

Cromosoma. Cada uno de los pequeños cuerpos en forma de bastoncillos en que se organiza el material microscópico que porta la información genética de los organismos. Está constituido por ADN asociado a proteínas especiales llamadas histonas.

Cromosoma sexual. Cada uno de los dos cromosomas, distintos de los cromosomas somáticos que, según su combinación, determinan el sexo de los organismos superiores. En la especie humana los cromosomas sexuales se conocen con las letras X e Y. La combinación XX es propia de las mujeres y la combinación XY, propia de los varones.

Cromosoma somático. Cualquier cromosoma que no es sexual. Aparecen en todas las células duplicados, salvo en las células reproductoras, en que solo existe un juego. En la especie humana disponemos de 22 pares de cromosomas somáticos.

Cuerpo calloso. Estructura de fibras nerviosas del encéfalo de los mamíferos que conecta los hemisferios. Es el haz de fibras más extenso del encéfalo humano.

Déficit de atención/hiperactividad. TDAH. Síndrome del comportamiento con bases neurobiológicas y un fuerte componente genético. Quienes lo padecen son reconocidos por su distracción (de moderada a severa) y porque sus períodos de atención suelen ser breves; además muestran inquietud motora, inestabilidad emocional y conductas impulsivas.

Dendrita. Cada una de las prolongaciones filiformes del soma de las neuronas. Las dendritas forman la mayor parte de la superficie de recepción de las neuronas, donde se encuentran la mayor parte de las estructuras sinápticas. Poseen receptores a los cuales se unen los neurotransmisores que liberan las neuronas.

Diploide. Cualquier organismo o célula que tiene doble dotación de cromosomas. Cada cromosoma somático aparece duplicado y los dos cromosomas sexuales aparecen combinados para determinar el sexo.

Discalculia. Dificultad en el aprendizaje y manejo de los números. Quienes la padecen tienen importantes dificultades con las operaciones matemáticas.

Diseidético. Término en desuso, introducido por Boder, que denomina al individuo cuya lectura errática quedaría justificada por deficiencias en el sistema visual (también podría llamarse disléxico visual).

Disfasia. Dificultad de expresión verbal. Los que la padecen se equivocan a menudo cambiando el nombre de las cosas, además, son muy lentos al hablar.

Disfonético. Término en desuso que se refiere a aquel sujeto cuyos errores en la lectura podían ser explicados por sus defectos en el sistema auditivo (puede ser equivalente a *disléxico auditivo*).

Disgrafía. Dificultad específica en la realización de la escritura. Las manifestaciones más evidentes son: escritura ondulada, no se respetan los márgenes ni los espacios interlineales, se omiten letras al final de las palabras… Término equivalente a disortografía.

Dislexia. En términos generales, trastorno que se manifiesta con dificultades en la lectura. Son varios los tipos de dislexia perfectamente definidos; las dos categorías más importantes son: dislexia adquirida y evolutiva.

Dislexia adquirida. Trastorno de la lectura surgido de forma repentina, tras un accidente vascular, un tumor, un traumatismo encefálico...

Dislexia atencional. Dislexia adquirida periférica en la que los pacientes reconocen las letras aisladas y las palabras globalmente, pero son incapaces de identificar las letras dentro de una palabra.

Dislexia central. La dislexia adquirida que se manifiesta por la dificultad mental para encontrar adecuadamente la correlación entre el signo gráfico y el significado. Los sujetos que la padecen, no teniendo problemas perceptivos (pueden ver las figuras, signos, letras, etc.), tienen dificultades para extraer el significado de las palabras.

Dislexia evolutiva. Trastorno que provoca dificultades para la lectura en algunos individuos intelectualmente aptos y social y educativamente bien dotados que, por condicionantes genéticos y ambientales, tienen distribuciones y conexiones neuronales que, sin ser patológicas, son deficitarias o insuficientes para desarrollar plenamente una nueva capacidad humana: la lectoescritura.

Dislexia fonológica. Dislexia que se manifiesta por un incorrecto funcionamiento de la ruta fonológica. Es una incapacidad o dificultad al afrontar la lectura de palabras desconocidas o de pseudopalabras (tipos de palabras que no disponen de representación en el léxico visual).

Dislexia letra a letra. La dislexia adquirida periférica, que se manifiesta cuando quienes la padecen, al leer una palabra, nombran en voz alta, o de forma interna, cada una de las letras que componen la misma. La longitud de las palabras es determinante en la manifestación de esta modalidad de trastorno.

Dislexia mixta. Denominación que dio Boder al tipo de dislexia en que los sujetos son simultáneamente disfonéticos y diseidéticos.

Dislexia periférica. La dislexia adquirida que se sustenta en deficiencias en los procesos perceptivos y se contrapone a la dislexia central.

Dislexia profunda. La dislexia central en la que la lesión o daño afecta a las rutas visual y fonológica. Quienes la padecen tienen errores visuales y dificultades, tanto para leer pseudopalabras, como para acceder al significado del resto de las palabras.

Dislexia semántica. La dislexia adquirida central que tiene el deterioro localizado en la conexión entre el léxico visual y el sistema semántico. Los sujetos que la padecen no pueden extraer el significado del texto que leen.

Dislexia superficial. Es la dislexia adquirida central cuya manifestación más evidente se sustenta en las dificultades para leer palabras irregulares.

Dislexia visual. La dislexia adquirida periférica en que los pacientes que la sufren manifiestan errores visuales (leen "sol" donde está escrito "sal"; leen "mesa" donde está escrito "misa").

Disortografía. Dificultad que tienen algunos individuos con la escritura desde el punto de vista gráfico. Término equivalente a disgrafía.

Dominio hemisférico. Situación fisiológica por la que un hemisferio cerebral tiene más influencia ("toma el mando") que el otro en alguna tarea cognitiva, motora o sensorial.

Enfermedad. Alteración más o menos grave de la salud.

Escotomización. Aparición de puntos ciegos mentales. Se manifiesta este fenómeno cuando los pacientes niegan la existencia de todo aquello que les genera conflicto.

Escritura cuneiforme. Primera de las escrituras humanas conocidas; la usaron los sumerios hace unos 5.300 años. Se denomina así por la huella (en forma de cuña) que deja el cálamo al escribir sobre la arcilla húmeda.

Espectroscopía de resonancia magnética nuclear. Tecnología usada en medicina para obtener imágenes para diagnóstico e investigación. Éstas se obtienen al someter a los núcleos atómicos a un campo magnético externo, los átomos absorben radiación electromagnética, pero la frecuencia exacta de esta absorción depende del entorno, resultando así los contrastes que generan las referidas imágenes.

Estimulación magnética transcraneal. Estimulación no invasiva de la corteza cerebral. Se usa para diagnóstico, investigación y terapia (para diversos tratamientos de padecimientos y trastornos neuropsiquiátricos). Consiste en la despolarización selectiva de aquellas neuronas de la neocorteza situadas entre 1,5 y 2 centímetros por debajo del cráneo mediante pulsos magnéticos de intensidades específicas.

Estrógenos. Hormonas sexuales esteroideas, de tipo femenino principalmente, producidas por los ovarios y, en menor cantidad, por las glándulas adrenales.

Exaptación. Utilización de una estructura biológica con unas capacidades y/o funciones determinadas para el desempeño de otras para las que no estaba diseñada.

Exón. Cada una de las secuencias codificadoras de un gen. Tramos continuos o discontinuos de nucleótidos de un gen, que de forma efectiva se transcriben a ARNm y después se traducen a proteína.

Fascículo. Conjunto de fibras nerviosas que discurren paralelamente y habitualmente envainadas.

Fenotipo. Constitución física, bioquímica y fisiológica de un individuo determinado por la genética y el ambiente. Se suele estudiar de forma independiente el fenotipo para un carácter concreto (color de la piel).

Filogénico. Relacionado con el origen de las especies o de las razas, fundamentalmente en sus aspectos evolutivos de diversificación.

Fisura. Cisura larga y profunda que divide los lóbulos de los hemisferios del cerebro. Es equivalente a los términos *cisura* o *surco*.

Fonema. Unidad teórica básica postulada para estudiar el nivel fonológico de una lengua. Es un sonido del habla que permite distinguir las palabras de una lengua. Así, los sonidos /p/ y /m/ son fonemas del español porque existen palabras como /pata/ y /mata/ que tienen significado distinto y su pronunciación solo difiere en relación con esos dos sonidos (los fonemas "p" y "m").

Fóvea. Fosa diminuta de la retina, de aproximadamente 1 grado de amplitud, que está localizada en el centro de la mácula lútea. Es el área de visión más precisa.

Ganglios basales. Denominación anatómica que se da a las acumulaciones de cuerpos de neuronas que se hallan cerca de la base del cerebro. Esta masa de sustancia gris está interconectada con la corteza cerebral, el tálamo y el tronco del encéfalo. Los ganglios basales están constituidos por diversas estructuras: el núcleo caudado, el putamen y el globo pálido.

Gen. Segmento de una molécula de ADN que contiene toda la información precisa para la síntesis de una proteína u otro producto genético.

Genoma. Conjunto completo de genes de un organismo.

Genotipo. Toda la constitución genética de un sujeto. También se refiere a los alelos que se encuentran en un *locus*.

Giro. Cada una de las elevaciones tortuosas de la superficie del cerebro producidas al plegarse la corteza sobre sí misma. Es equivalente a *circunvolución*.

Glía. Estructura de sostén del tejido nervioso. Está constituido por varios tipos de células especializadas denominadas células gliales. Es equivalente al término *neuroglia*.

Gónada. Glándula productora de gametos (células sexuales).

Grafema. Unidad mínima de escritura de una lengua. Los grafemas pueden ser letras, caracteres chinos, signos de puntuación, números…

Guanina. Una de las cinco bases nitrogenadas que forman parte de los ácidos nucleicos (ADN y ARN) y del código genético. Se representa con la letra G.

Hibridación. Cruce de células de diferente procedencia efectuado con finalidad investigadora para comprobar el comportamiento celular, de los genes, de las proteínas, etc.

Hipocampo. Elevación curvada de materia gris localizada en el interior de la parte medial o interna del lóbulo temporal, bajo la superficie cortical.

Histología. Especialidad biológica y/o médica que estudia los tejidos celulares, sus componentes y sus interacciones.

Homúnculo. Alusivo a un hombre en pequeño. Se usa para representar las áreas cerebrales que controlan las diferentes regiones del cuerpo.

Ideográfico. Referente al uso de ideogramas.

Ideograma. Símbolo gráfico que representa una idea o un concepto. Algunos ideogramas son comprensibles solo por la familiaridad con las convenciones preestablecidas; otros transmiten su significado por la semejanza pictórica del objeto físico al que representan, en este caso, procede denominarlos pictogramas.

Ilustración. Movimiento filosófico que se originó y desarrolló en Europa (particularmente en Francia) durante el siglo XVIII. Desde ese movimiento se consideraba que todo lo antiguo se enmarcaba en un ambiente de oscuridad y decrepitud, mientras que la nueva ideología que se proponía eran "luces" que iluminaban al mundo.

Imágenes con tensor de difusión. Método relativamente nuevo de resonancia magnética, que permite cuantificar el grado de anisotropía de los protones de agua en los tejidos. Se puede llegar a una representación en tres dimensiones y conseguir una imagen por medio de un mapa de color obtenido a partir de la direccionalidad del desplazamiento de las moléculas del agua.

Ínsula. Estructura del cerebro humano localizada profundamente en la superficie lateral del mismo, dentro del surco de Silvio. La ínsula no es visible en la cara externa del cerebro.

Intrón. Cada una de las secuencias intermedias de un gen que no codifican. Son series de nucleótidos que deben ser eliminados de los transcritos primarios de ARN.

Léxico auditivo. Almacén mental donde se guardan los fonemas de las palabras. Este almacén es usado para el reconocimiento del lenguaje oral.

Léxico fonológico. Almacén mental donde se guardan las representaciones de las pronunciaciones de las palabras.

Léxico visual. Almacén mental donde se encuentran representadas cada una de las palabras que podemos reconocer visualmente.

Lóbulo. Cada una de las grandes porciones en que se dividen los hemisferios cerebrales (frontal, parietal, occipital y temporal) que se corresponden, más o menos, con la delimitación de los homónimos huesos craneales que las cubren.

Locus/loci. Posición determinada, que se identifica con unos códigos de localización, donde los genes se disponen en los cromosomas. El plural es *loci*.

Logogen. Forma en que está representada cada palabra en el léxico visual.

Logográfico. Relativo a los logogramas.

Logograma. Unidad mínima de algunos sistemas de escritura, que por sí solo representa una palabra o un morfema. Los logogramas tienen cierta relación con los ideogramas, si bien estos últimos representan ideas, más que meras palabras o morfemas.

Mácula lútea. Depresión amarillenta irregular de la retina de aproximadamente tres grados de amplitud. Está situada cerca del disco óptico.

Mapa genético. Mapa de genes que muestra las posiciones relativas de los marcadores genéticos basándose en la frecuencia de combinación.

Mapa génico. Mapa que muestra las posiciones de los *loci* en los cromosomas.

Marcador. Polimorfismo genético con un modo simple de herencia, que se manifiesta con frecuencia diferente en poblaciones distintas y que es útil en estudios de distribución de genes.

Metalingüística. Razonamiento sobre el propio lenguaje y sobre el código que se utiliza en la comunicación. Gracias al metalenguaje el individuo logra controlar su lengua, jugar con rimas, comprender metáforas, oraciones de doble sentido y chistes, reflexionar sobre la lengua propia, etc.

Migración neuronal. Desplazamiento de las neuronas tras su formación hasta encontrar su posición definitiva. Este movimiento es centrífugo, ocurre desde las zonas de proliferación (en las zonas ventriculares del tubo neural) y se alejan hasta la referida posición definitiva.

Morfema. En el lenguaje, es el fragmento mínimo capaz de expresar significado (tanto conceptual, como para indicar número, género u otras connotaciones gramaticales).

Movimientos sacádicos. Movimientos saltatorios que ejecutan los ojos al leer o al observar una figura. En lugar de seguir la supuesta linealidad de las palabras dispuestas para ser leídas, los ojos efectúan unos movimientos balísticos (una vez se inician no pueden parar hasta llegar a su destino). La mayoría de los movimientos discurren de izquierda a derecha, pero también se producen movimientos de regresión, en sentido contrario.

Multigénico. Referente a la intervención de varios genes.

Mutación. Cambio permanente y transmisible por herencia del material genético. Un simple cambio de un nucleótido puede generar una mutación.

Neocorteza. En el proceso evolutivo de formación del encéfalo humano, es la porción filogenéticamente más reciente de la corteza cerebral. Consta de seis capas, cuya estratificación y organización son propias de este proceso evolutivo.

Neotálamo. En el proceso evolutivo de formación del encéfalo humano, es la porción filogenéticamente más reciente del tálamo.

Nervio craneal. Cada uno de los doce pares de nervios periféricos conectados directamente con el encéfalo. El resto de nervios periféricos conectan con el sistema nervioso central a través de la médula espinal.

Nervio recurrente. Nervio que parte del nervio vago (X nervio craneal) conduciendo impulsos motores y sensitivos. También porta fibras del sistema nervioso autónomo. Alcanza una porción del cuello (laringe), por debajo de las cuerdas vocales.

Neuroimagen. Imagen obtenida con métodos especiales que permiten visualizar las estructuras, la activación y diversas patologías del encéfalo.

Neurona eferente. Neurona que conduce un impulso nervioso desde el centro hasta la periferia. Partiendo de las estructuras del sistema nervioso central ejerce su acción sináptica sobre otras neuronas, músculos o glándulas.

Neuronas espejo. Cierto tipo de neuronas que se activan tanto cuando un animal o persona desarrolla una actividad como cuando está observando la ejecución de esa actividad en otro individuo, especialmente un congénere. Las neuronas espejo del individuo observador imitan, "reflejando", la acción del otro.

Normoléxico. Individuo que tiene una capacidad de ejecución y comprensión normal en el proceso lector.

Núcleo. Agrupación conspicua de neuronas localizadas dentro del sistema nervioso central y que guardan relación con las fibras de un nervio determinado.

Nucleótido. Moléculas orgánicas formadas por la unión de un monosacárido de cinco carbonos (pentosa), una base nitrogenada y un grupo fosfato. Son los monómeros de los ácidos nucleicos (ADN y ARN) en los cuales forman cadenas lineales de miles o millones de nucleótidos. En los ácidos nucleicos aparecen cinco tipos de bases nitrogenadas, generando los cinco tipos de nucleótidos distintos que los forman (adenina, citosina, guanina, timina y uracilo).

Ontogenético. Relativo al desarrollo de un individuo, preferentemente referente a los cambios que ocurren en el desarrollo embrionario.

Palabra funcional. Palabras sin representación conceptual en nuestra mente, como preposiciones, artículos, conjunciones y otras, que nos ayudan a atribuir las funciones que se asignan a las palabras o grupos de palabras a las que preceden.

Palabras irregulares. Palabras generalmente prestadas de otras lenguas, cuya pronunciación no se corresponde con la combinación de los fonemas relativos a los grafemas que la componen, según las reglas de un idioma (por ejemplo: *hall*).

Parafasia fonémica. Error al hablar producido por equivocación en la elección de un fonema determinado que no corresponde a la palabra que se pretende decir, resultando otra palabra diferente, con o sin significado ("pata" por "bata").

Parafasia semántica. Error al hablar producido cuando al intentar expresar un concepto con una palabra apropiada, se sustituye involuntariamente por otra que pertenece al mismo campo semántico ("silla" por "mesa").

Parafasia verbal. Error al hablar que se produce por sustitución de una palabra que se pretende pronunciar por otra palabra real que no pertenece al mismo campo semántico ("dolor" por "horror").

Parvocelular. Referente a células relativamente más pequeñas.

Penetrancia. Término estadístico que indica la frecuencia con la que se expresa un genotipo, una enfermedad o un trastorno en una población dada. Se puede expresar como tanto por ciento.

Pictograma. Representación gráfica de una palabra o concepto, cuyos trazos están dotados de cierto parecido con el significado que expresa.

Planum temporale. Área de la corteza cerebral situada posteriormente a la corteza auditiva y que tiene un destacado papel en la función del lenguaje. Presenta una marcada asimetría entre ambos hemisferios; en la mayoría de los sujetos se observa más desarrollo en el lado izquierdo.

Plasticidad neuronal. Capacidad de las neuronas de modificar las prolongaciones y/o las sinapsis como consecuencia de las experiencias y de las condiciones bioquímicas de los sujetos.

Plasticidad patológica. Modificación anómala de circuitos, semejante a lo que ocurre en la plasticidad neuronal. En este caso se constatan implicaciones negativas que son evidentes tiempo después.

Pleiotropía. Capacidad de un gen de manifestarse de diversas formas, es decir, capacidad de intervenir en determinados fenotipos de diferentes caracteres (tamaño de un órgano y color de otro).

Polimorfismo. En biología es cada uno de los múltiples alelos de un gen presentes en una población, expresando por lo general diferentes fenotipos.

Polimorfismo de longitud de fragmentos de restricción. En genética molecular, polimorfismo en la secuencia de ADN que se puede detectar sobre la base de las diferencias en las longitudes de los fragmentos de ADN que se obtienen mediante la digestión con una enzima de restricción específica.

Procesamiento léxico. Dentro del esquema propuesto en este libro, es el segundo módulo del proceso lector. Identificadas las palabras al leer, es el mecanismo mental para recuperar el significado de las mismas. Para acceder al significado se distinguen dos rutas: la ruta visual y la fonológica.

Procesamiento perceptivo. Primer módulo del proceso lector (según esquema propuesto en este libro). Sensitivamente se captan las letras y palabras escritas y se conduce la información hasta la memoria icónica; posteriormente se contrastan en una memoria a largo plazo, para luego seguir con el siguiente módulo: el procesamiento léxico.

Procesamiento semántico. Cuarto y último módulo del proceso lector (según esquema propuesto en este libro), que permite comprender el texto leído, entendiendo que la comprensión supone en definitiva extraer el significado e integrarlo en la memoria.

Procesamiento sintáctico. Tercer módulo lector (según esquema propuesto en este libro), en el cual las oraciones son analizadas según sus componentes gramaticales (sintagmas). Se atribuyen a los sintagmas las funciones que les corresponden para poder procesar el mensaje del texto.

Propioceptivo. Relativo a la recepción de información sobre el funcionamiento y estado del sistema esquelético-muscular. El sistema propioceptivo, además, permite reacciones y respuestas automáticas necesarias para la supervivencia.

Proteínas de fusión. Proteínas formadas mediante técnicas de ADN recombinante que resultan de la unión de tramos de aminoácidos marcadores, que dan pistas para la investigación, con tramos operativos de la proteína para investigar.

Pseudopalabra. Palabra que no existe en una lengua concreta pero que se constituye bajo las reglas de formación de palabras de esa lengua (perpirmelaco). Con ellas se hace experimentación sobre los procesos de lectura, concretamente sobre el procesamiento fonológico.

QTL (Quantitative trait locus). Determinado lugar de un cromosoma en donde se encuentran alguno de los genes que forman el conjunto de los que contribuyen de forma cuantitativa a un determinado fenotipo.

Radioisótopo. Isótopo radioactivo (tiene un núcleo inestable) que se semidesintegra emitiendo radiaciones que pueden ser localizadas. Los radioisótopos se emplean para diagnósticos y usos terapéuticos en medicina clínica y de investigación.

Resonancia Magnética. Técnica no invasiva para obtener imágenes radiológicas de una zona anatómica concreta, para ello se usa un campo electromagnético, un escáner y un ordenador, este último analiza los datos y ofrece la imagen de uso investigador y clínico.

Resonancia Magnética Espectroscópica. Técnica no invasiva que usa la resonancia magnética para examinar el metabolismo cerebral en vivo y aporta información bioquímica sobre los tejidos. Registra señales de determinados metabolitos presentes en el tejido cerebral.

Resonancia Magnética funcional. Técnica no invasiva que emplea la resonancia magnética para medir los pequeños cambios metabólicos que ocurren en una parte activa del encéfalo.

Ruta fonológica. Ruta de lectura en la que tras identificar las letras con un análisis visual, se recuperan los sonidos de ellas mediante la conversión de grafemas a fonemas, después se combinan estos sonidos según las reglas propias del idioma, evocándose la pronunciación de las palabras. Esa pronunciación se compara en el léxico auditivo, para reconocer las palabras, como se hace al escuchar a nuestros interlocutores.

Ruta visual. Ruta de lectura que se efectúa por reconocimiento directo de las palabras, sin tener que recurrir a descifrar los grafemas individuales. Este reconocimiento está sustentado en la comparación que se hace de la percepción visual con el contenido del léxico visual.

Salud. Estabilidad física, psíquica y social del individuo.

Significado. Contenido mental dado a cada uno de los conceptos que se nos muestran en la naturaleza y especialmente en los procesos comunicativos entre congéneres. Más concretamente es el concepto o idea que se asocia al signo en todo tipo de comunicación.

Significante. Es el componente material o casi material del signo lingüístico (la imagen acústica o las cadenas de grafemas [letras] que ordenados forman una palabra) y que reconocido por los sujetos lo asocian a su significado correspondiente.

Sinapsis. Lugar de contacto funcional entre neuronas a través del cual los impulsos nerviosos se transmiten desde una neurona (presináptica) hasta otra (postsináptica), generalmente gracias a un neurotransmisor químico liberado por el axón de la primera que se une a sus receptores presentes en la membrana de la segunda.

Sinapsis eléctrica. Tipo de sinapsis en la que la transmisión entre neuronas se produce por el paso de iones de una célula a otra a través de pequeños canales formados por el acoplamiento de complejos proteicos.

Sistema de conversión de grafemas a fonemas. Estructura mental que se encarga de transformar en sonidos cada una de las letras que componen las palabras. Primero analiza los grafemas, las letras; luego se asigna un fonema, una pronunciación y finalmente une los fonemas de la palabra para facilitar su pronunciación conjunta.

Sistema límbico. Grupo de estructuras encefálicas comunes en los mamíferos. Este sistema está asociado con la olfacción, con las emociones, con la conducta y con algunas actividades autónomas.

Sistema semántico. Almacén mental en el que se encuentran los significados de las palabras: los conceptos.

Soma. Cuerpo celular en el cual se encuentra el núcleo junto a la mayor parte de los orgánulos celulares. A partir del soma surgen las dendritas y el axón de las neuronas.

Somatotópico. Perteneciente o relativo a regiones concretas del cuerpo. Describe la organización del área motora del cerebro, identificando las zonas de este que controlan los movimientos de las diferentes partes del cuerpo.

Superléxico. Individuo que tiene una capacidad lectora superior a la de la media de la población.

Surco. Cisura larga y profunda que divide los lóbulos de los hemisferios del cerebro. A veces se usan los términos fisura o cisura.

Tálamo. Masa ovoide situada en la parte dorsal del diencéfalo y en el centro del encéfalo. Está constituido principalmente por sustancia gris, cuyos somas se agrupan en más de 80 núcleos. El tálamo constituye un centro de relevo de todas las percepciones sensoriales, excepto las olfativas, en su camino hacia la corteza cerebral.

Test de Wada. Prueba médica consistente en la transitoria inactivación de un hemisferio cerebral generada por la inyección de un barbitúrico en la arteria carótida correspondiente. Con esta prueba se pueden estudiar las funciones cerebrales afectadas, en tanto dura el efecto de la droga.

Testosterona. Principal hormona andrógena (masculina) producida en los testículos. Determina los caracteres masculinos y controla la espermiogénesis.

Timina. Una de las cinco bases nitrogenadas que forman parte de los ácidos nucleicos, concretamente del ADN. Se representa con la letra T.

Tomografía computarizada (TC). Técnica de diagnóstico no invasiva que explora mediante rayos X. Genera imágenes detalladas de cortes axiales del cuerpo.

Tomografía por Emisión de Positrones. Técnica no invasiva de diagnóstico e investigación en vivo por imagen capaz de medir la actividad metabólica del cuerpo humano. Con ella se detecta un radiofármaco de vida media ultracorta administrado a través de una inyección intravenosa.

Trastorno. Cualquier perturbación o anormalidad en alguna función somática o mental cuya repercusión sobre la salud del individuo no permite calificarla como enfermedad.

Uracilo. Una de las cinco bases nitrogenadas que forman parte de los ácidos nucleicos, concretamente en el ARN y en el código genético. Se representa con la letra U.

Ventrículo. Cada una de las cavidades del interior del encéfalo que están llenas de líquido céfalorraquídeo. Son cuatro y están interconectados entre sí. Dos son prácticamente simétricos y se llaman laterales, los otros se conocen con los números ordinales tercero y cuarto.

Vía dorsal. Vía de comunicación encefálica formada por numerosas fibras que conecta el área de Broca con la región temporal superior.

Vía magnocelular. Vía de comunicación entre la retina y la corteza visual que realiza un relevo en la zona magnocelular (capas de células de mayor tamaño) del núcleo geniculado lateral talámico.

Bibliografía

Ahissar, M. (2007). "Dyslexia and the anchoring-deficit hypothesis". *Trends in cognitive sciences*, (11), 458-65.

Alberts, B., Johnson, A., Lewis, J., Raff M., Roberts, K. y Walter P. (2004). *Biología molecular de la célula* (4.ª ed). Barcelona: Omega.

Alberts, B., Bray, D., Lewiis, Raff, M., Roberts, K. y Wastson, J.D. (1989). *Biología molecular de la célula* (2.ª ed). Barcelona: Omega.

Alemseged, Z., Coppens, Y. y Geraads D. (2002). "Hominid cranium from Omo: description and taxonomy of Omo". *American journal of physical anthropology*, (117), 103-13.

Alves, C. y Capellini, S.A. (2008). "Phonological remediation program in students whit developmental dyslexia". *Pró-Fono Revista de Atualizaçao Científica*, (20), 1-8.

Amar-Tuillier, A. (2007). *Trastornos infantiles del lenguaje y del aprendizaje*. Barcelona: Octaedro.

Anthoni, H, Zucchelli, M., Matsson, H., Müller-Myhsok, B., Fransson, I., Schumacher, J., Massinen, S., Onkamo, P., Warnke, A., Griesemann, H., Hoffmann, P., Nopola-Hemmi, J., Lyytinen, H., Schulte-Körne, G., Kere, J., Nöthen, M.M.y Peyrard-Janvid, M. (2007). "A locus on 2p12 containing the co-regulated MRPL19 and C2ORF3 genes is associated to dyslexia". *Human molecular genetics*, (6), 667-77.

Arbib, M.A, Liebal, K. y Pika, S. (2008). "Primate vocalization, gestare, and the evolution of human language". *Current anthropology*, (6), 1053-76.

Artigas-Pallarés, J. (2009). "Dislexia: enfermedad, trastorno o algo distinto". *Revista de neurología*, (48), S63-S69.

Barnes, J., Hinkley, L., Masters, S. y Boubert, L. (2007). "Visual memory transformations in dyslexia". *Perceptual and motor skills*, (104),881-91.

Bausela, E. (2005). "Aportaciones en el estudio de la asimetría funcional". *Revista Complutense de Educación*,16 (2), 571-7.

Benítez-Burraco, A. (2007). "Bases moleculares de la dislexia". *Revista de neurología*, 45 (8), 491-502.

Benítez-Burraco, A. (2008). "FOXP2 and the molecular biology of language: new evidence. II. Molecular aspects and implications for the ontogenesis and phylogeny of language". *Revista de Neurología*, (46), 351-9.

Bernardo, M. (2000). "Neuroimagen, retos ante el nuevo siglo, Neuroimagen funcional en la esquizofrenia I Congreso Virtual de Psiquiatría". Obtenido el 20 de octubre de 2009, de *http://www.psiquiatria.com/congreso/mesas/ mesa16/conferencias/introduccion.htm*

Bogliotti, C., Serniclaes, W., Messaoud-Galusi, S., y Sprenger-Charolles, L. (2008). "Discrimination of speech sounds by children whit dyslexia: Comparasions with chronological age and reading level controls". *Journal of experimental child psychology*, 101(2),137-55.

Broca, M.P. (1861). "Remarques sur le siége de la faculté du langage articulé, suivies d'une observation d'aphemie (Perte de la Parole)". *Bulletins et mémoires de la Société d'anthropologie de Paris*, (36), 330-57.

Brunswick, N., McCrory, E., Price, C.J., Frith, C.D. y Frith, U. (1999). "Explicit and implicit processing of words and pseudowords by adult developmental dyslexics: A search for Wernicke's Wortschatz?". *Brain: a journal of neurology*, (122), 1901-17.

Burbridge, T.J., Wang, Y., Volz, A.J., Peschansky, V.J., Lisann, L., Galaburda, A.M., Lo Turco, J.J. y Rosen, G.D. (2008). "Postnatal analysis of the effect of embryonic knockdown and overexpression of candidate dyslexia susceptibility gene homolog Dcdc2 in the rat". *Neuroscience*,152(3), 723-33.

Calvet, L.J. (2001). *Historia de la escritura*. Barcelona: Paidos.

Camino, J.Ll., (2005). *Dislexia ¿Hecho o mito?* Barcelona: Herder.

Canavese, C., Rigardetto, R., Viano, V., Vittorini, R., Bassi, B., Pieri, I. y Capizzi, G. (2007). "Are dyslexia and dyscalculia associated with Rolandic epilepsy? A short report on ten Italian patients". *Epileptic disorders: international epilepsy journal with videotape*, 9(4),432-6.

Conway, T., Heilman, K.M., Gopinath, K., Peck, K., Bauer, R., Briggs, R.W., Torgesen, J.K.y Crosson, B. (2008). "Neural substrates related to auditory working memory comparisons in dyslexia: an fMRI study". *Journal of the International Neuropsychological Society: JINS*, 14(4),629-39.

Corballis, M.C. (2009). "The evolution of language". *Annals of the New York Academy of Sciences*, (1156),19-43.

Corlu, M., Ozcan, O. y Kormazlar U. (2007). "The potencial of dyslexic individuals in communication design education". *Behavioural neurology*, (18), 217-23.

Cuetos, F. (2006). *Psicología de la lectura.* Madrid: Praxis.

Damasio, A.R. (1984). "The neural basis of language". *Annual review of neuroscience*, (7),127-47.

De Kovel, C.G., Franke, B., Hol, F.A., Lebrec, J.J., Maassen, B., Brunner, H., Padberg, G.W., Platko, J. y Pauls, D. (2008). "Confirmation of dyslexia susceptibility loci on chromosomes 1p and 2p, but not 6p in a Dutch sib-pair collection". *American journal of medical genetics. Part B, Neuropsychiatric genetics: the official publication of the International Society of Psychiatric Genetics*, 147(3), 294-300.

"Desarrollo del lenguaje". (n.d.) Obtenido el 16 de Julio de 2009, de *http://www.eljuegoinfantil.com/psicologia/evolutiva/lenguaje.htm*

Dislexia y dificultades de aprendizaje. (1994). Editado por Asociación de Padres de niños con dislexia y otras dificultades de aprendizaje (DDA). Madrid: Ciencias de la Educación Preescolar y Especial.

Donfrancesco, R. y Ferrante, L. (2007). "Ginkgo biloba in dyslexia: a pilot study". *Phytomedicine: international journal of phytotherapy and phytopharmacology*,14(6), 367-70.

Duffy, F.H. y Geschwind, N (1988). *Dislexia. Aspectos psicológicos y neurológicos*. Barcelona: Labor.

Eckert, M.A., Leonard, C.M., Richards, T.L., Aylward, E.H., Thomson, J. y Berninger, V.W. (2003). "Anatomical correlates of dyslexia: frontal and cerebellar findings". *Brain: a journal of neurology*, (126), 482-94.

Etchepareborda, M.C. (2002). "Detección precoz de la dislexia y enfoque terapéutico". *Revista de Neurología*, (34), S13-S23.

Fawcett, D.W. (1988). *Tratado de histología* (11.ª ed.). Madrid: Interamericana McGraw-Hill.

Federación Española de Dislexia. (n.d.). Obtenido el 1 de abril de 2010, de *http://www.fedis.org/*

Fernández, F., Llopis, A.M. y Pablo, C. (1989). *La Dislexia. Origen, diagnóstico y recuperación*. Madrid: Ciencias de la Educación Preescolar y Especial

Finch, A.J., Nicolson, R.I. y Fawcett, A.J. (2002). "Evidence for a neuroanatomical difference within the olivo-cerebellar pathway of adults with dyslexia". *Cortex; a journal devoted to the study of the nervous system and behaviour*, 38(4), 529-39.

Flowers, D.I., Wood, F.B. y Naybor, C.E. (1991). "Regional cerebral blood flow correlates of language processes in reading disability". *Archives of neurology*, 48(6), 637-43.

Francks, C., Paracchini, S., Smith, S.D., Richardson, A.J., Scerri, T.S., Cardon, L.R., Marlow, A.J., MacPhie, I.L., Walter, J., Pennington, B.F., Fisher, S.E., Olson, R.K., DeFries, J.C., Stein, J.F. y Monaco, A.P. (2004). "A 77-kilobase region of chromosome 6p22.2 is associated with dyslexia in families from the United Kingdom and from the United States". *American journal of human genetics*, 75(6), 1046-58.

Friederici, A.D. (2009). "Pathways to language: fiber tracts in the human brain". *Trends in cognitive sciences*, (4), 175-81.

Galaburda, A.M. y Cestnick, L. (2003). "Dislexia del desarrollo". *Revista de neurología*, 36(Supl 1) S3-S9.

Ganeshwaran, H., Mochida, M.D., Christopher, A. y Walsh, M.D. (2004). "Genetic basis of developmental malformations of the cerebral cortex". *Archives of neurology*, (6) 637-40.

García, R. (2002). "Anatomía y función de la corteza cerebral humana". Obtenido el 8 de octubre de 2009, de *http://www.neurorgs.com/?p=/doc/post/anafuncer.asp*

Gayán, J. (2001). "La evolución del estudio de la dislexia". *Anuario de Psicología*, (32), 3-30.

Green, C.D. (2000). "Remarks on the seat of the faculty of Articulated language, following an observation of afphemia (Loss of speech) .Classics in the History of Psychology". Obtenido el 4 de agosto de 2009, de *http://psychclassics.yorku.ca/Broca/aphemie-e.htm*

Guyton, A.C. y Hall, J.E. (1996). *Tratado de fisiología médica*. Madrid: McGraw-hill Interamericana.

Hannula-Jouppi, K., Kaminen-Ahola, N., Taipale, M., Eklund, R., Nopola-Hemmi, J., Kääriäinen, H. y Kere J. (2005). "The axon guidance receptor gene ROBO1 is a candidate gene for developmental dyslexia". *PLoS genetics*, 1(4) e50.

Herman, A.E., Galaburda, A.M., Fitch, R.H., Carter, A.R. y Rosen, G.D. (1997). "Cerebral microgyria, thalamic cell size and auditory temporal processing in male and female rats". *Cerebral cortex*, 7(5), 453-64.

Hernández-Muela, S., Mulas, F. y Mattos, L. (2004). "Plasticidad neuronal funcional". *Revista de Nerurología*, (38), S58-S68.

Herschkowitz, N. (2000). "Neurological bases of behavioral development in infancy". *Brain & development*, (7), 411-16.

Iañez, E.(1998). "Introducción al proyecto genoma". Obtenido el 25 de septiembre de 2009, de *http://www.ugr.es/~eianez/Biotecnologia/genoma-1. html*

Jenner, A.R., Rosen, G.D. y Galaburda, A.M. (1999). "Neuronal asymmetries in primary visual cortex of dyslexic and nondyslexic brains". *Annals of neurology*, 46(2), 189-96.

Johnston, A., Bruno, A., Watanabe, J., Quansah, B., Patel, N., Dakin, S. y Nishida, S. (2008). "Visually-based temporal distortion in dyslexia". *Vision research*, 48(17),1852-8.

Joly-Pottuz, B., Mercier, M., Leynaud, A. y Habib, M. (2008). "Combined auditory and articulatory training improves phonological deficit in children with dyslexia". *Neuropsychological rehabilitation*, 18(4), 402-29.

Kandel, E.C., Schwartz, J.H. y Jessell, T.M. (ed.) (2001). *Principios de neurociencia*. Madrid: McGraw-Hill Interamericana.

Kandel, E.R., Jessell, T.M. y Schwartz J.H (1996). *Neurociencia y conducta*. Madrid. Prentice may.

Kasselimis, D.S., Margarity, M. y Vlachos, F. (2007). "Cerebellar Function, Dyslexia and Articulation Speed Child". *Neuropsychologia*, (12), 1-11.

Kirby, J., Silvestre, R., Allingham, B.H., Parrila, R. y La Fave, C.B. (2008). "Learning Strategies and Study Approaches of Postsecundary Students UIT Dyslexia". *Journal of learning disabilities*, (48), 85-96.

Klug, W.S., Cummings, M.R. y Spencer, C.A. (2006). *Conceptos de genética*. Madrid: Pearson. Prentice Hall.

Knivsberg,A.M.(1997)."Urine patterns, peptide levels and IgA/IgG antibodies to food proteins in children with dyslexia". *Pediatric rehabilitation*,1(1), 25-33.

Laycock, R. y Crewther, S.G.. (2008). "Towards an understanding of the role of the 'magnocellular advantage' in fluent reading". *Neuroscience and biobehavioral reviews*, 32(8), 1494-506.

Leakey, R.E. (1986). *La formación de la humanidad 1 y 2*. Barcelona: Orbis.

Leakey, R.R.E y Lewin, R. (ed.) (1994). *Nuestros orígenes: en busca de lo que nos hace humanos*. Barcelona: Crítica.

Lei, E. (n.d). "Theodosius Dobzhansky". Obtenida el 3 de agosto de 2009, de *http://www.mnsu.edu/emuseum/information/biography/abcde/dobzhansky_ theodosius.html*

Lieberman, P. (2002). "On the nature and evolution of the neural bases of human language". *American journal of physical anthropology*, (35), 36-62.

Lu, J. y Sheen, V. (2005). "Periventricular heterotopia". *Epilepsy & behavior: E&B*, (2),143-9.

Merz, B. (2008). "Leyendo el plano de los seres humanos: El proyecto genoma humano". Obtenida el 30 de noviembre de 2009, de *http://www.hhmi.org/ genetictrail-esp/c100.html*

"Noticias de AVADIS". (n.d.). Obtenido el 1 de abril de 2010, de *http://dixle. wordpress.com/enlaces-de-interes/*

Nicolson, R.I., Fawcett, A.J. y Dean, P. (2001). "Developmental dyslexia: the cerebellar deficit hypothesis". *Trends in neurosciences*, 24(9),508-11.

Odegard, T.N., Ring, J., Smith, S., Biggan, J. y Black, J. (2008). "Differentiating the neural response to intervention in children with developmental dyslexia 1.". *Annals of dyslexia*, 58(1), 1-14.

Olarreta, A. (2005). *Orígenes del lenguaje y selección natural*. Madrid: Sirius.

Organización Mundial de la Salud (n.d.). "International Statistical Classification of Diseases and Related Health Problems 10th Revision (version for 2007)". Obtenida el 18 de septiembre de 2009, de, *http://apps.who.int/classifications/ apps/icd/icd10online/.*

Paracchini, S., Thomas, A., Castro, S., Lai, C., Paramasivam, M., Wang, Y., Keating, B.J., Taylor, J.M., Hacking, D.F., Scerri, T., Francks, C., Richardson,

A.J., Wade-Martins, R., Stein, J.F., Knight, J.C., Copp, A.J., Lo Turco, J. y Monaco, A.P. (2006). "The chromosome 6p22 haplotype associated with dyslexia reduces the expression of KIAA0319, a novel gene involved in neuronal migration". *Human molecular genetics*, 15(10),1659-66.

Petrich, J.A., Greenwald, M.L. y Berndt, R.S. (2007). "An investigation of attentional contributions to visual errors in right neglect dyslexia". *Cortex; a journal devoted to the study of the nervous system and behaviour*, 43(8),1036-46.

Piaget, E. (2002). *Psicología del niño*. Madrid: Morata.

Pinker, S. (1995) *El instinto del lenguaje*. Madrid: Alianza Editorial.

Plante, E., Swisher, L. y Vance, R. (1989). "Anatomical correlates of normal and impaired language in a set of dizygotic twins". *Brain and language*, 37(4), 643-55.

Prado, C., Dubois, M. y Valdois, S. (2007). "The eye movements of dyslexic children during reading and visual search: impact of the visual attention span". *Vision research*, 47(19), 521-30.

Quaglino, V., Bourdin, B., Czternasty, G., Vrignaud, P., Fall, S., Meyer, M.E., Berquin, P., Devauchelle, B. y de Marco, G. (2008). "Differences in effective connectivity between dyslexic children and normal readers during a pseudoword reading task: an fMRI study". *Neurophysiologie Clinique*, 38(2),73-82.

Ramos, E. (n.d.). "Lenguaje y pensamiento". Obtenida el 3 de agosto de 2009, de *http://www.psicopedagogia.com/articulos/?articulo=343*

Rapcsak, S.Z., Beeson, P.M., Henry, M.L., Leyden, A., Kim, E., Rising, K., Andersen, S. y Cho, H. (2008). "Phonological dyslexia and dysgraphia: cognitive mechanisms and neural substrates". *Cortex; a journal devoted to the study of the nervous system and behaviour*, 45(5), 575-91.

Richards, T., Stevenson, J., Crouch, J., Johnson, L.C., Maravilla, K., Stock, P., Abbott, R. y Berninger, V. (2008). "Tract-based spatial statistics of diffusion tensor imaging in adults with dyslexia". *AJNR. American journal of neuroradiology*, 29(6),1134-9.

Rondal, J.A. y Seron, X. (ed.) (1991). *Trastornos del lenguaje 1. Lenguaje oral, lenguaje escrito, neurolingüística*. Barcelona: Paidos.

Rosen, G.D., Sherman, G.F., Richman, J.M., Stone, L.V. y Galaburda, A.M. (1992). "Induction of molecular layer ectopias by puncture wounds in newborn rats and mice". *Developmental brain research*, 67(2),285-91.

Salas, M.A. (n.d.). "El lenguaje". Obtenida el 4 de agosoto de de 2009, de *http://www.psicologia.unt.edu.ar/programas04/el %20lenguaje.doc*

Salgado de la Teja, K. (2002). "Aproximación al lenguaje y la lateralización cerebral". Obtenida el 6 de agosto de 2009, de *http://www.espaciologopedico.com/articulos2.php?Id_articulo=253*

Sandu, A.L., Specht, K., Beneventi, H., Lundervold. A. y Hugdahl, K. (2008). "Sex-differences in grey-white matter structure in normal-reading and dyslexic adolescents". *Neuroscience letters*, 438(1), 80-4.

Schumacher, J., Hoffmann, P., Schmäl, C., Schulte-Körne, G. y Nörthen, M.M. (2007). "Genetics of dyslexia: the evolving landscape". *Journal of medical genetics*, (44), 289-97.

"Se alcanzaron todas las metas; revelada nueva visión para la investigación del genoma" (2003). Obtenido el 25 de septiembre de 2009, de *http://www.genome.gov/11510908.*

Shaywitz, S.E., Shaywitz, B.A., Pugh, K.R., Fulbright, R.K., Constable, R.T., Mencl, W.E., Shankweiler, D.P., Liberman, A.M., Skudlarski, P., Fletcher, J.M., Katz, L., Marchione, K.E., Lacadie, C., Gatenby, C. y Gore, J.C.(1998). "Functional disruption in the organization of the brain for reading in dyslexia". *Proceedings of the National Academy of Sciences of the United States of America*, 95(5), 2636-41.

Sherman, G.F., Stone, J.S., Rosen, G.D. y Galaburda, A.M. (1990). "Neocortical VIP neurons are increased in the hemisphere containing focal cerebrocortical microdysgenesis in New Zealand Black mice". *Brain research*, 532(1-2),232-6.

Siok, W.T., Perfetti, C.A., Jin, Z. y Tan, L.H. (2004). "Biological abnormality of impaired reading is constrained by culture". *Nature,* (7004), 71-6.

Stein, J. (2001). "The magnocellular theory of developmental dyslexia". *Dyslexia* (Chichester, England), (7), 12-36.

Steinbrink, C. y Klatte, M.H. (2008). "Phonological working memory in German children with poor reading and spelling abilities". *Dyslexia* (Chichester, England), 14(4), 271-90.

Suárez, A. (ed). (2006). *Trastornos de la fluidez verbal. Estudio de casos*. Madrid: EOS.

Suddendorf, T., Addis, D.R. y Corballis, M.C. (2009). "Mental time travel and the shaping of the human mind". *Philosophical transactions of the Royal Society of London. Series B, Biological sciences*, 364(1521), 1317-24.

Tapia-Páez, I., Tammimies, K., Massinen, S., Roy, A.L. y Kere, J. (2008). "The complex of TFII-I, PARP1, and SFPQ proteins regulates the DYX1C1 gene implicated in neuronal migration and dyslexia". *The FASEB journal: official publication of the Federation of American Societies for Experimental Biology*, 22(8), 3001-9.

Temple, E., Deutsch, G.K., Poldrack, R.A., Miller, S.L., Tallal, P., Merzenich, M.M. y Gabrieli, J.D. (2003). "Neural deficits in children with dyslexia ameliorated by behavioral remediation: evidence from functional MRI". *Proceedings of the National Academy of Sciences of the United States of America*, 100(5), 2860-5.

Thompson, M. E. (1992). *Dislexia. Su naturaleza, evaluación y tratamiento*. Madrid: Alianza editorial.

Threlkeld, S.W., McClure, M.M., Bai, J., Wang, Y., Lo Turco, J.J., Rosen, G.D. y Fitch, R.H. (2007). "Developmental disruptions and behavioral impairments in rats following in utero RNAi of Dyx1c1". *Brain research bulletin*, 71(5), 508-14.

Tomatis, A.A. (1979). *Educación y dislexia*. Madrid: Ciencias de la Educación Preescolar.

Velayos-Baeza, A., Toma, C., Paracchini, S. y Monaco, A.P. (2007a). "The dislexia-associated gene KIAA0319 encodes highly N-and O-Gglycosylated plasma membrane and secreted isoforms". *Human molecular genetics*, (17), 859-71.

Velayos-Baeza, A., Toma, C., da Roza, S., Paracchini, S. y Monaco, A.P. (2007b). "Alternative splicing in the dyslexia-associated gene KIAA0319". *Mammalian genome: official journal of the International Mammalian Genome Society*, (9), 627-34.